LE SENTIER DES ROQUEMONT

DU MÊME AUTEUR

Le Chemin du printemps, Québec, Éditions La Liberté, 1991.

« Le chien de Mathilde » *in De lune à l'autre*, Québec, Arion, 1997.

« Le hangar et autres nouvelles » *in Promeneur de villes, promeneur de vies*, nouvelles et récits, Saint-Raphaël de Bellechasse, Terres fauves, 2000.

Saga LE SENTIER DES ROQUEMONT :

Tome 1, *Les racines*, Montréal, Hurtubise HMH, 2006.

Tome 2, *Le passage du flambeau*, Montréal, Hurtubise HMH, 2007.

Courriel de l'auteur :
rene.ouellet@reneouellet.com

Site Internet de l'auteur :
www.reneouellet.com

René Ouellet

LE SENTIER DES ROQUEMONT

Tome 3

Le dilemme

Catalogage avant publication de Bibliothèque et Archives nationales du Québec et Bibliothèque et Archives Canada

Ouellet, René, 1941-

Le sentier des Roquemont

Sommaire: t. 1. Les racines – t. 2. Le passage du flambeau – t. 3. Le dilemme.

ISBN 978-2-89428-941-9 (v. 1)
ISBN 978-2-89428-980-8 (v. 2)
ISBN 978-2-89647-097-6 (v. 3)

I. Titre. II. Titre: Les racines. III. Titre: Le passage du flambeau. IV. Titre: Le dilemme.

PS8579.U384S46 2006 C843'.54 C2006-941082-8
PS9579.U384S46 2006

Les Éditions Hurtubise HMH bénéficient du soutien financier des institutions suivantes pour leurs activités d'édition:

- Conseil des Arts du Canada
- Gouvernement du Canada par l'entremise du Programme d'aide au développement de l'industrie de l'édition (PADIÉ)
- Société de développement des entreprises culturelles du Québec (SODEC)
- Programme de crédit d'impôt pour l'édition de livres du gouvernement du Québec

Illustration de la couverture: Sybiline
Maquette de la couverture: Geai Bleu Graphique
Graphisme de la couverture: René St-Amand
Maquette intérieure et mise en page: Martel en-tête

Éditions Hurtubise HMH ltée
1815, avenue De Lorimier
Montréal (Québec) H2K 3W6

Librairie du Québec/DNM
30, rue Gay-Lussac
75005 Paris FRANCE
www.librairieduquebec.fr

ISBN: 978-2-89647-097-6

Dépôt légal: 3e trimestre 2008
Bibliothèque et Archives nationales du Québec
Bibliothèque et Archives du Canada

Imprimé au Canada

www.hurtubisehmh.com

Note de l'auteur

Bien que la trame de ce roman se déroule dans un contexte contemporain, chacun de ses personnages est une création fictive de l'auteur. Ainsi, toute ressemblance entre un personnage fictif et une personne vivante ou décédée serait pure coïncidence. Certes, les noms de certains personnages publics y sont utilisés, mais à seule fin de donner plus de réalisme à l'ouvrage.

Remerciements

Mes remerciements les plus chaleureux sont adressés aux personnes suivantes :

À Marie Lise Gingras et Caroline G. Ouellet, mes lectrices, correctrices et « directrices » attentives et implacables. Sans leur apport, échelonné de 1994 à 2008, il est certain que cet ouvrage n'aurait jamais pu voir le jour.

Aux personnes suivantes qui ont contribué de façon substantielle au contenu technique et historique du roman : Jean-Guy Châteauvert, Alain Châteauvert, Alexandre P. Corcoran, Émile Duplain, Roger Guénet, Gaétan Hamel, Me Marie Houde, Claude Huot, Lionel Larouche, Éric Michaud, Lionel Moisan, Claude Noreau, Jean-Marc Ouellet et Jean-Louis Plamondon.

À mes autres lecteurs, lectrices et conseillers : Denys Bergeron, sœur Simone Chamard, Simone Dubois, Genviève Gauthier-Hardy, Monique Hamel, Marguerite Hardy et Andrée Stafford.

Enfin, je m'en voudrais de ne pas mentionner André Gagnon, éditeur en charge de mon ouvrage, indispensable conseiller aux ressources illimitées.

À tous ces gens qui m'ont inspiré les personnages du Sentier des Roquemont *et lui ont donné une vie véritable.*

À tous les lecteurs qui ont pu s'inspirer d'eux et de l'héritage spirituel de Majel.

À Majel Thibes, né le 3 juillet 2008.

Liste des principaux personnages

Armstrong : Amérindien ; chef de bande des Algoncris

Beaulieu, Mylène : Flamme de jeunesse de Charles

Bergeron, Alfred : Époux d'Isabelle Roquemont ; père de Conrad et Sophie

Daphnée : Amérindienne ; mère de Murielle

Gauvreault, Louis (Tinomme) : Mari d'Irène, père des jumeaux Maggie et Stéphane, président des Constructions Gauvreault ltée

Harton, Fabiola : Copine de Charles

Marsan, Dr : Médecin de Saint-Raymond ; fondateur du club Archibald

Mark, frère : Frère des Écoles chrétiennes ; autrefois enseignant d'anglais au collège Saint-Joseph de Saint-Raymond

Mitchener, Kevin : Américain ; compagnon de Margo

Murielle : Amérindienne ; fille de Daphnée

Robitaille, Anna : Épouse de feu Majella Roquemont ; mère de Charles

Roquemont, Charles : Fils d'Anna Robitaille et de feu Majella Roquemont ; avocat

Roquemont, Clément : Fils de feu Paul Roquemont et de Luce ; frère de Margo

Roquemont, Isabelle : Sœur de Victor et de feu Majella Roquemont ; épouse d'Alfred Bergeron ; mère de Conrad et de Sophie

Roquemont, Luce : Épouse de feu Paul Roquemont ; mère de Margo et de Clément

Roquemont, Margo : Fille de feu Paul Roquemont et de Luce ; sœur de Clément ; compagne de Kevin Mitchener

Roquemont, Victor : Frère d'Isabelle et de feu Majella Roquemont

Tremblay, Johanne : Ex-épouse de Charles

Trépanier, Ange-Aimée : Épouse de feu Bruno Trépanier ; mère d'Irène

Trépanier, Irène : Fille de Ange-Aimée et feu Bruno Trépanier ; épouse de Louis Gauvreault ; mère des jumeaux Maggie et Stéphane

Wagis : Amérindien ; conseiller technique de la communauté des Algoncris

Notre sentier près du ruisseau
Est déchiré par les labours
Si tu venais, dis-moi le jour
Je t'attendrai sous le bouleau
[…]
Tu peux pleurer près du ruisseau
Tu peux briser tout mon amour
Oublie l'été, oublie le jour
Oublie mon nom et le bouleau…

FÉLIX LECLERC, *Notre Sentier*

Chapitre 1

Ville de Québec, juin 1998

Le salon Champlain du *Château Frontenac* était bondé. La plupart des invités avaient revêtu une tenue de gala. Seules quelques femmes, dans leurs robes d'apparat, mettaient un peu de couleur dans cette assemblée plutôt sombre.

Le maître de cérémonie s'approcha du micro et présenta le bâtonnier du Barreau du Québec, qui prit immédiatement la parole :

« Honorables juges de la Cour suprême du Canada, honorables juges de la Cour d'appel du Québec, honorables juges de la Cour supérieure du Québec, honorables juges de la Cour du Québec, madame la représentante de l'honorable ministre de la Justice du Canada, honorable maire de la ville de Québec, monsieur le bâtonnier du Barreau de Paris, monsieur le président de l'Association du Barreau Canadien, madame la vice-présidente du Barreau du Québec, mesdames et messieurs du Barreau du Québec, mesdames et messieurs de la Chambre des notaires du Québec… »

L'énumération semblait interminable — elle comprenait encore de nombreuses personnalités des milieux judiciaire, juridique, universitaire, de l'administration gouvernementale, des affaires, de la haute finance, du patronat, des syndicats, de la diplomatie, et des affaires internationales —, mais l'orateur la résuma avec la formule consacrée : « Distingués invités, parents et amis… »

Commença alors véritablement son discours :

« C'est tout un honneur pour moi, ce soir, de vous tracer le profil de la carrière fantastique qu'a connue notre confrère et concitoyen, Me Charles Roquemont, qui, comme vous le savez, prend une retraite bien méritée… »

Toute l'assemblée salua le jubilaire avec des applaudissements chaleureux. Puis, le silence se fit. Malgré les lumières de la scène qui l'aveuglaient quelque peu, Charles Roquemont pouvait distinguer dans la salle plusieurs de ses anciens collègues. Le jubilaire était assis dans un large fauteuil installé de biais sur un podium de circonstance. Charles Roquemont portait bien ses 59 ans. L'homme présentait une allure svelte qui contrastait avec la corpulence de certains invités du même âge. Dans son complet noir rayé blanc, il avait toutes les allures d'un homme de loi traditionnel. Sous les yeux, quelques rides bien en évidence laissaient soupçonner les innombrables heures passées en travaux de lecture et de recherche. Ses tempes grisonnantes lui conféraient une apparence de sagesse et de pondération. Ses lunettes aux montures dorées lui donnaient à la fois un air docte et sévère. Mais un sourire éclatant venait atténuer l'impression de sérieux qu'il dégageait, de telle sorte que l'assistance avait devant elle, en cet instant, un homme qui semblait heureux, épanoui et en pleine possession de ses moyens.

En même temps que se déroulait la cérémonie, une masse de souvenirs lui revint en mémoire. Il se revoyait au collège Saint-Joseph de Saint-Raymond, lors de sa première déclamation faite devant tous les élèves réunis dans la salle des grands, lors de la remise des prix; à la réception de son premier diplôme universitaire remis par le recteur de l'Université Laval; dans le vieux palais de justice de Québec, à sa première plaidoirie, devant un juge de la Cour des sessions de la paix...

«Je dois vous le dire d'emblée, continua le bâtonnier, la présente soirée revêt un caractère exceptionnel pour au moins deux motifs. Le premier, c'est que généralement ce genre de cérémonie est réservé aux juges qui quittent leur fonction après avoir servi à la Cour suprême du Canada ou auprès d'une cour d'appel, mais étant donné les états de service de Charles Roquemont, nous lui devions cet honneur. Le second, c'est qu'il s'agit d'une initiative conjointe de l'Association du Barreau canadien, du Barreau de la province de Québec, de la Chambre des notaires du Québec, de la magistrature fédérale, de la magistrature provinciale, du Tribunal administratif du Québec, ainsi que des facultés de droit des universités Laval et McGill. En somme, les communautés juridiques, judiciaires et universitaires, dans un élan exceptionnel, unanime et extraordinaire, se sont donné la main pour souligner d'une manière spéciale la carrière éminente de Me Charles Roquemont...

Plus de 250 personnes emplissaient la salle. De ce nombre, il y avait 3 juges de la Cour suprême, 5 de la Cour d'appel du Québec, 12 de la Cour supérieure et 18 de la Cour du Québec. Parmi les juges les plus jeunes, certains avaient reçu les enseignements du professeur de droit Charles Roquemont. Il y avait des dignitaires de tous les milieux, comme en faisait foi la présentation, dont certains délégués du corps diplomatique, du milieu des affaires, du monde de l'édition et des membres de l'armée canadienne. Les parents et amis avaient été assignés à des tables réservées près de la scène. On pouvait voir la belle-sœur de Charles, Luce, la veuve de Paul Roquemont, avec ses deux enfants, Clément et Margo. Cette dernière était accompagnée de son ami, Kevin Mitchener, un Américain d'origine. À leur gauche, il y avait l'industriel bien connu Louis Gauvreault et son épouse, Irène, amis de longue date des Roquemont, et la tante Isabelle accompagnée de son fils Conrad. À la même table, on pouvait remarquer une femme à la robe carminée, Fabiola, nouvelle venue dans la vie de Charles Roquemont.

Le bâtonnier poursuivit:

«Natif de Saint-Raymond de Portneuf, Charles Roquemont fréquenta d'abord le collège Saint-Joseph alors dirigé par les frères des Écoles chrétiennes. Il fit ensuite son cours classique au collège Saint-Laurent de Montréal, chez les pères de Sainte-Croix, où il décrocha son baccalauréat ès arts avec la mention très grande distinction. Par la suite, c'est à l'Université Laval de Québec qu'il obtint d'abord une licence en droit, mention *magna cum laude*, puis en histoire, et alors qu'on lui attribua le Grand prix de la faculté. Finalement, c'est à l'Université McGill de Montréal qu'il compléta ses études en recevant son *Master in Business Administration* avec très grande distinction. Entre-temps, ayant suivi la formation des Officiers universitaires, il obtint le grade de capitaine dans l'armée canadienne, ce qui l'amena à diriger pendant quelques étés un peloton de parachutistes du Royal 22e Régiment. Vous comprenez que si nous sommes réunis ici ce soir, c'est par amitié pour l'homme qui quitte une vie professionnelle active, mais aussi pour souligner d'une manière spéciale ses accomplissements dans la communauté, tant au niveau national qu'international. Le moins que l'on puisse dire, c'est que Me Roquemont a mis toutes ses énergies et tout son talent, en premier lieu, pour acquérir des connaissances scolaires et prendre de l'expérience dans les milieux du droit, de l'administration et des affaires. Une large clientèle a bénéficié de ses services. Mais il ne s'est pas arrêté là. Dans un second temps, ce qui est tout à son honneur, il s'est acharné à transmettre son savoir aux autres. Nous lui sommes donc reconnaissants d'avoir permis à la société en général de profiter de ses connaissances et de son expertise. Me Roquemont, comme vous le savez sans doute déjà, a évité constamment de se mettre en conflit d'intérêts et s'est toujours fait le porte-étendard des grands principes d'équité et de justice… »

Sous les applaudissements nourris, le bâtonnier dut se taire quelques instants.

« Son parcours professionnel, du moins pour les fins du présent exposé, peut être divisé en cinq volets : l'avocat plaideur, l'administrateur, le professeur d'université, le conseiller juridique et l'auteur. Me Roquemont a commencé la pratique du droit dans l'étude Allard & Associés de Québec. C'est là que, prenant les conseils d'avocats chevronnés comme Mes Allard et Roberge, il fit ses premières armes dans les différents domaines du droit. C'est aussi là qu'il mit à contribution et fit valoir ses talents de plaideur et d'homme de conviction. À la suite de la nomination à la magistrature de l'honorable juge Allard, la raison sociale de l'étude est devenue Roberge, Roquemont & Rémillard, nom qu'elle a conservé depuis. Me Roquemont a été un professionnel stable et fidèle. En effet, malgré son parcours professionnel qui sort de l'ordinaire, les diplômes, les titres et les nominations, il est toujours resté membre de la même société légale. Très vite, sa réputation a dépassé les limites de la ville de Québec et de la région.

Ne mentionnons que quelques-uns de ses succès dans des causes désormais célèbres, et dont les décisions de la Cour suprême du Canada sont connues sous les noms suivants: l'affaire des *Transporteurs routiers du Canada*, où la Cour a étudié le premier recours collectif intenté au Québec; l'affaire des *Actionnaires minoritaires de la Eastern Iron & Copper America Corporation*, où les droits des actionnaires minoritaires ont été reconnus; l'affaire de la *Réintégration des hauts fonctionnaires du gouvernement du Québec*, où la Cour a ordonné la réinstallation de fonctionnaires qui avaient été congédiés à la suite d'une élection provinciale mémorable où il y avait eu un changement de parti politique au pouvoir…»

À plusieurs reprises, des murmures signifièrent l'enthousiasme des jeunes avocats de la relève. L'orateur enchaîna:

«*Les Constructions Marie-Louise ltée* c. *La Banque Nationale Populaire et le Syndic Frost*, où il a été décidé que les créanciers, banquiers et syndics ne pouvaient plus dorénavant effectuer des prises de possession intempestives contre les débiteurs; l'affaire de droit constitutionnel *Martimbault* c. *La Reine*, où les droits des corporations privées et ceux des actionnaires furent précisés par rapport aux droits individuels au niveau de l'application des chartes des droits et libertés; l'affaire de *L'Association des marins de la Marine marchande du Canada* c. *Le ministre de la Défense nationale*, où un recours collectif a été accueilli, permettant ainsi à des milliers de Canadiens de se voir reconnaître un droit aux pensions de guerre comparable à celui des combattants de la dernière guerre mondiale; l'affaire *Roquemont* c. *La Reine*, qui a déclaré inconstitutionnelle une partie des dispositions de la *Loi sur les clubs de chasse et de pêche du Québec*; l'affaire des Mispuchas de l'Alberta, où furent reconnus pour la première fois les droits ancestraux de cette nation autochtone; l'affaire de la *Loi sur la nomination des juges administratifs du Trade Board de l'Ontario*, où la Cour a déclaré cette loi inconstitutionnelle dans la mesure où ces décideurs ne pouvaient obtenir de permanence. Je terminerai cette énumération en mentionnant que Me Roquemont s'est aussi distingué à plusieurs reprises devant des instances internationales, ne citant que sa victoire éclatante devant la haute cour d'arbitrage de Londres dans l'affaire de la *Canadian International House Export Builders* qui déclarait la validité d'une catégorie de connaissements maritimes canadiens au niveau du transport international. Cette décision a permis aux compagnies d'assurances canadiennes de se faire rembourser huit milliards de dollars qui demeuraient gelés depuis le début de l'affaire, 10 ans auparavant... En terminant ce volet, il y a lieu de souligner qu'à la suite de plusieurs de ces décisions, les gouvernements ont dû modifier leurs législations en conséquence... »

Charles lui-même semblait se lasser de cette énumération. Mais Luce, qui buvait littéralement les paroles du présentateur, apprenait beaucoup de choses sur son beau-frère, reconnu pour sa discrétion. Clément décelait avec surprise que toute l'assemblée semblait déjà au courant de tous les faits d'armes de son oncle. Margo, plus au fait des jalons de sa carrière, applaudissait à chaque moment fort. Kevin, pour la première fois, prenait contact avec une société huppée qu'il appréciait de découvrir. La tante Isabelle, qui s'essuyait fréquemment les yeux avec son petit fichu, se disait: « Majel aurait donc apprécié ce moment! Il aurait donc été fier de son Charles! » Fabiola, de son côté, commençait à comprendre bien des choses et trouvait que Charles avait été plutôt modeste en lui relatant les grandes lignes de sa carrière. Quant à Louis Gauvreault, la gorge nouée, il serrait bien fort la main d'Irène, se sentant en quelque sorte le représentant implicite et tout désigné de son indéfectible ami Majel qu'il aurait bien aimé avoir à ses côtés en ce jour mémorable. Il songea encore une fois à son décès prématuré, se disant: « C'est aujourd'hui le jour de la récolte et Majel qui n'est pas là! »

Le bâtonnier continua:

« En raison de ses succès dans le milieu judiciaire, ses conseils devinrent de plus en plus sollicités dans le domaine des affaires et de l'industrie. C'est ainsi qu'il fut invité à siéger à de nombreux conseils d'administration. Nous n'en nommerons que quelques-uns: Quenord Paper Ltd, Radio-Télévision Mondiale inc., Pratt & Goldenberg ltée, Les Produits récréatifs Bombard ltée, la Banque Internationale de Tokyo, la Banque Populaire de Montréal, la Québec & Labrador Steamship Lines, la Caisse de dépôt des PME du Québec, la Société générale d'investissements industriels du Québec, la Power Manufacturing Corporation of Canada, le Fond général des fiduciaires du Canada, la Sterling Mining Group Ltd, la Manley-Vickers of London Ltd et plusieurs autres... Il a aussi été au conseil d'administration de l'Université Laval de Québec et de l'Université McGill... Par la suite s'est amorcée sa carrière dans l'enseignement universitaire. Fait d'importance à noter: avant d'accepter son premier poste de professeur, Me Roquemont a jugé bon de démissionner de tous ses postes d'administrateur. Il a donc entamé le troisième volet de sa carrière en devenant professeur en droit corporatif aux Hautes études commerciales de l'Université de Montréal. Il a aussi détenu le poste de professeur titulaire de la chaire d'histoire à l'Université McGill. Puis, il a enseigné le droit autochtone à la Faculté de droit de l'Université Laval. Comme professeur émérite, il a participé à de nombreuses conférences nationales et internationales dans ces divers champs de compétence. Dans un quatrième temps, Me Roquemont s'est consacré davantage à des dossiers d'envergure. Sa réputation était telle qu'il était sollicité comme expert juriste, tant au niveau provincial que fédéral et international. À ce titre, il a émis de très nombreuses opinions touchant le droit commercial international, les droits historiques et les droits des autochtones à travers le monde. Enfin, Me Roquemont a connu une brillante carrière comme auteur, publiant de nombreux articles dans des revues universitaires et signant plusieurs ouvrages de doctrine en droit et en histoire. Nous ne mentionnerons que les plus importants. D'abord, *Droits et Devoirs des Entreprises à but lucratif*, traduit en 15 langues. Ensuite, *Droit international et Droit autochtone – Une remise en question*, ouvrage qui démontre comment les nations conquérantes ont été complaisantes en acceptant des notions juridiques qui ne tenaient compte que de la loi du plus fort; ce traité de droit est devenu une sorte de bible adoptée par les juristes des cinq continents aux prises avec ces problématiques. Enfin, vous avez tous entendu parler du débat médiatique engendré dernièrement par son dernier livre intitulé *La Mondialisation ou Le Déluge du troisième millénaire!* »

Des applaudissements nourris se firent encore entendre. Le présentateur termina en énumérant les colloques nationaux et internationaux auxquels avait participé Me Roquemont, la liste de ses doctorats honorifiques et celle des nominations qu'il avait acceptées au cours de sa carrière, dont la dernière, soit la présidence de la Commission internationale sur les droits des peuples autochtones des Amériques, organisme sous la tutelle de l'ONU.

« Je demanderais à la déléguée du ministre canadien de la Justice de bien vouloir présenter à Me Charles Roquemont la médaille du gouverneur général du Canada, à titre de citoyen émérite... »

Charles se leva et la représentante du ministre lui remit la médaille, tout en lui transmettant ses félicitations au nom de son mandant.

Ce fut au tour du président de l'Association du Barreau canadien de s'avancer pour remettre au jubilaire une réplique du penseur de Rodin, un bronze coulé à Inverness, dans le comté de Lotbinière.

Le bâtonnier invita alors Charles à prononcer l'allocution que tous attendaient. Tous ceux qui le connaissaient savaient que Me Roquemont n'était pas un avocat comme les autres. Dans le milieu, on disait que, 15 ans auparavant, il avait refusé une nomination à la Cour d'appel du Québec. Cette rumeur avait été encore amplifiée dans les dernières années au niveau de la Cour suprême du Canada, alors qu'il aurait refusé une première invitation à y siéger sous Mulroney et, dans la dernière année, une seconde, sous Chrétien. Il s'approcha du micro. Après avoir remercié les organisateurs de l'événement, il entra dans le vif de son propos :

« Je voudrais commencer par rendre hommage, si vous le permettez, à ma mère Anna, qui est dans l'incapacité d'être ici aujourd'hui, et à mon père Majella, décédé en 1976. Je ne les remercierai jamais assez pour leur apport dans mon éducation et mon instruction. Comme beaucoup de parents de cette génération, alors qu'ils avaient des moyens limités, ils se sont imposé bien des sacrifices pour ma réussite et celle de mon frère. Il y a eu, bien sûr, une contribution financière importante. Mais, avec le recul et l'expérience, ce qui m'a été le plus bénéfique, je crois, c'est l'exemple qu'ils m'ont donné, en paroles et en actions. J'ai retenu la grande cohérence qui se manifestait entre leurs principes et leurs agissements quotidiens.

«On dit que les professeurs, pour toutes sortes de raisons, se souviennent toujours de certains élèves. Il en est de même pour les élèves. Je suis redevable à tous ceux qui m'ont enseigné et je les remercie infiniment. Parmi eux, je me fais un devoir d'en nommer certains qui m'ont particulièrement marqué: le frère Mark, frère des écoles chrétiennes, le père Desjardins, des Pères de Sainte-Croix, Jean-Charles Bonenfant et Louis-Philippe Pigeon, tous deux professeurs à l'Université Laval, et Jonathan Fitzpatrick de l'Université McGill. Je tiens aussi à remercier tous les collègues de notre société légale, Roberge, Roquemont, Rémillard. Comme vous le savez, malgré mon départ, comme le permet la loi, cette société continuera pour un temps encore de porter le même nom et, par conséquent, le mien… Ceci n'est pas une réclame publicitaire!»

L'assistance se dérida un bref instant.

«Malgré ce fait, je n'irai plus au bureau à compter de la semaine prochaine… Je salue donc ici particulièrement Me Roberge, Me Rémillard et tous les autres avocats du cabinet, ainsi, bien évidemment que tous les membres du personnel clérical, sans oublier ma compétente et dévouée secrétaire Louise. Vous vous doutez bien que si j'ai connu un certain succès à titre d'avocat, c'est parce que j'avais toute l'équipe Roberge et Rémillard derrière moi. Je remercie enfin la Providence de m'avoir donné la santé et les capacités de mener à bien ma carrière professionnelle. Devant cette vénérable assemblée, je désire soumettre brièvement quelques réflexions qui peuvent fournir un éclairage sur les décisions que j'ai eu à prendre au cours de ma carrière. Tout d'abord, le rôle de l'avocat plaideur est essentiel et c'est l'une des plus belles professions. Elle permet même aux sans-voix de s'exprimer, de se défendre, voire de passer à l'attaque afin de faire valoir adéquatement leurs droits. Mais l'avocat n'est pas quelqu'un de libre, il est prisonnier du client qu'il représente. Essentiellement, il joue un rôle partial. Même s'il connaît un argument qui serait de nature à aider le point de vue de l'adversaire, le plaideur n'est généralement pas tenu de le soumettre au juge qui ne peut pas tout savoir. C'est ainsi que l'avocat, dit de type classique, ne soumettra au juge que les cas de jurisprudence qui sont favorables à la thèse de son client. Quand on est imbu d'équité et de justice, certaines victoires, dans de telles situations, peuvent même être amères. Vient ensuite la fonction de juge. Enfin, voilà un professionnel qui joue un rôle éminemment impartial. Il doit, comme on dit, regarder toujours « les deux côtés de la médaille » et, ce qui souvent est fort pénible, trancher la question. Pour une personne pratique, cette tâche est très valorisante en ce qu'elle met fin aux litiges entre des opposants, même si les conclusions ne sont pas toujours satisfaisantes pour les parties ni pour l'avancement du droit. Si l'avocat est prisonnier de son client, le juge, lui, est prisonnier du droit. Il doit commencer par lire la loi telle qu'elle est écrite et non pas comme il voudrait qu'elle le soit. Quand elle n'est pas claire pour le cas soumis, il peut et doit l'interpréter, mais il ne peut inventer des solutions de son cru ; il doit suivre les balises des grands principes légaux reconnus et aussi, dans la mesure du possible, se conformer aux cas de jurisprudence qui ont déjà été décidés. En somme, le juge est pris dans un corridor dont les murs sont le droit existant, alors que l'équité se trouve souvent en dehors et qu'il ne peut en sortir. Pour un idéaliste — j'espère ne pas créer ici un froid dans l'auditoire, connaissant personnellement la plupart des magistrats fort compétents qui s'y trouvent —, ce n'est pas encore la profession ultime à mon avis... »

Il y eut quelques rires et bourdonnements dans la salle, la plupart des convives se tournant vers les juges des nombreuses instances représentées. Charles continua :

« C'est pourquoi, après quelques années de pratique, je me suis senti plus à l'aise dans le milieu de l'enseignement universitaire et dans la fonction d'avocat-conseil. Certes, le professeur d'université doit enseigner le droit existant. Mais il peut tout de même émettre des critiques sur ce qui existe. Là, je peux dire que la liberté d'esprit, sans être complète, est néanmoins beaucoup plus grande. Le travail, particulièrement du conseiller, n'est pas limité par le client, mais par la valeur intrinsèque de la cause. Sa tâche consiste principalement à faire ressortir tant les arguments en faveur d'une thèse que ceux qui militent à l'encontre. Dans le doute, il se sert des règles de preuve propres à faire pencher la balance d'un côté plus que de l'autre, dans le respect de la prépondérance des probabilités. Cependant, pour être complètement indépendant, il ne faut pas être en conflit d'intérêts et surtout ne jamais se placer dans une situation où les gens pourraient raisonnablement penser que vous risquez de l'être. C'est ainsi que, dès le jour où j'ai accepté de devenir professeur d'université et conseiller juridique indépendant, je me suis retiré de tous les conseils d'administration où je siégeais. Afin d'avoir les mains libres j'ai aussi, à compter de ce moment, cessé de prendre tout mandat provenant des gouvernements et des organismes à caractère public.

« En terminant, je peux vous dire que, comme auteur d'ouvrages en droit, je me suis senti véritablement, et pour la première fois, un homme libre, alors que je suis passé à une autre étape : celle où j'ai humblement tenté de mettre à contribution mon imagination créative pour faire ressortir les notions d'équité et de justice qui m'habitaient. Certaines manières de voir, si l'on se réfère à l'histoire et à celle du droit en particulier, m'ont souvent permis de remettre en question certaines interprétations traditionnelles de notions jusque-là généralement admises. Mais, à compter de maintenant, je suis un homme encore plus libre, puisque je peux disposer de mon temps à ma guise… »

La foule se leva. Les applaudissements fusèrent et durèrent plusieurs minutes.

Puis, Charles s'avança dans la salle pour serrer des mains et rencontrer les convives, car un repas complétait la soirée. Pendant que le jubilaire passait d'une table à l'autre, les gens échangeaient ferme, ses paroles ayant provoqué certaines discussions.

Il put finalement s'asseoir près de Fabiola. Derrière de petites lunettes rondes en écaille noire très « femme d'affaires » — il est vrai qu'elle était fiscaliste —, on remarquait immédiatement l'intelligence dans ses yeux pers. Ses cheveux de jais, avec une légère touche de gris du côté droit, lui donnaient un air altier et digne qui seyait bien à une personne dans la cinquantaine avancée. Sa coiffure retroussée vers l'arrière, qui laissait le front et les oreilles dégagés, lui donnait un air avenant de femme moderne. Un énigmatique sourire venait compléter le tableau. En somme, elle avait tout pour attirer l'attention d'un homme tel que Charles Roquemont qui, avec le recul de l'âge mûr, savait apprécier à leur juste valeur les femmes que le destin daignait mettre sur son chemin.

Depuis le décès de Paul Roquemont, survenu en 1992, Luce, 50 ans, vivait seule. Avec sa brune chevelure impeccable et son teint de pêche, elle était une femme attirante et remarquée. Sa robe bleu royal au décolleté sobre lui seyait à merveille. Ce soir-là — il était entendu que Charles devait lui présenter un de ses amis —, elle portait souvent la main à son délicat collier de perles roses.

Clément, second enfant de Luce, était né dans les mois qui avaient suivi la mort de son grand-père Majel. Ce blondinet de 22 ans avait hérité du sourire de son père et du teint rose et velouté de sa mère. De belle prestance, mesurant près de 6 pieds, il se tenait le corps droit, dégageait beaucoup d'énergie et offrait une main ferme.

Margo, une brunette de 25 ans, était plus petite que son frère. Elle présentait un visage maigre, sans défaut, au regard vif et intelligent. Avec ses cheveux courts et un physique agréable, elle avait toutes les caractéristiques d'une jeune femme de bon goût.

Kevin, son conjoint de fait, du même âge qu'elle, était le type parfait de l'universitaire américain moyen. Un peu plus grand que Clément, il était maigre et semblait flotter dans ses vêtements. Ses grands yeux bleus et son front dégagé lui conféraient l'allure d'un intellectuel.

Isabelle, la sœur de Majel, avait connu une vie de misère auprès d'un mari porté vers la bouteille et affligé de handicaps à la suite de son service outre-mer pendant la guerre de 39-45. Elle était venue avec son fils Conrad. Malgré ses cheveux blancs, les poches sous les yeux et les rides qui striaient son visage d'octogénaire, la tante de Charles était souriante et alerte. Au cœur de cette assemblée, elle semblait revivre ; cette soirée l'enchantait car elle pénétrait dans l'impressionnant *Château Frontenac* pour la première fois. Chez son fils Conrad, qui venait d'atteindre 65 ans, on remarquait une chevelure blanche qui le faisait paraître plus vieux que son âge.

Louis Gauvreault, alias «Tinomme» au temps de sa jeunesse, était l'un des industriels les plus en vue du Québec. L'âge l'avait rapetissé de quelques centimètres et soulagé de quelques kilos. Maintenant âgé de 78 ans, il conservait son éternel sourire optimiste. Sa forme faisait dire aux jaloux qu'il devait sa vigueur à son épouse, de 28 ans sa cadette. Irène, plus élancée et plus fringante que son conjoint, attirait immédiatement les regards. Sa coiffure blond roux, bien soignée et sertie d'un minuscule diadème, se mariait agréablement à son complet beige pour ajouter à son air serein. À peu près du même âge que Fabiola, elle lui faisait bonne concurrence, tant sur le plan de la prestance que de l'habillement.

~

À la fin du banquet, Me Roberge, l'associé senior du cabinet, fut invité à joindre sa voix au concert d'éloges. Après un hommage dithyrambique du fêté, il en vint à la conclusion que celui-ci était pratiquement irremplaçable et qu'il avait été un important acteur dans les succès de l'étude légale depuis son arrivée:

«… Sinon, avec respect pour mes autres associés, le principal acteur, et j'ai nommé mon ami Me Charles Roquemont!»

Les applaudissements crépitèrent encore une fois. Souriant, Charles promenait son regard sur l'assemblée. Certes, la sincérité de tous ces hommes le touchait, mais il n'était pas dupe. Il était clair pour lui que certains jeunes avocats de l'étude, désireux de prendre du galon, ovationnaient tout autant son départ que ses succès. Il admettait que cette attitude était tout à fait normale et n'ignorait pas que même certains associés seniors se réjouissaient de sa retraite, y voyant une chance que leur pouvoir et leur participation dans les bénéfices du cabinet augmentent. Pour d'autres membres du groupe, le musèlement du « chien de garde de l'éthique » pourrait aussi présenter certains avantages…

La cérémonie était terminée et Charles se fit un devoir de faire une tournée protocolaire des invités. C'est à ce moment qu'il reconnut, entre autres, son confrère d'université et ami, Me Vincent Leclerc. Leur accolade fut chaleureuse. Puis, un juge de la Cour suprême lui dit :

— Je crois que la plus grande qualité que j'ai trouvée chez vous est cette capacité que vous avez de transformer l'indignation que vous ressentez devant les iniquités en énergie contrôlée pour mener à bien vos combats !

Avant de quitter la pièce, les invités discutaient en petits cercles. Un juge de la Cour d'appel dit à un groupe de jeunes avocats et avocates :

— Le rêve d'un juge, c'est d'avoir devant lui un avocat de la trempe de Me Roquemont. Avec lui, les dossiers étaient toujours bien montés. Il départageait les éléments essentiels de ceux qui étaient secondaires. Il savait, comme on dit, frapper sur les bons clous. Il prenait littéralement le tribunal par la main pour l'amener à la conclusion qu'il recherchait… Vous savez, un peu comme un paquebot dont l'étrave produit toujours une vague avant son passage, moi, comme juge, j'étais aussi impressionné par sa réputation qui le précédait… Quand un avocat apprenait que son vis-à-vis allait être Me Roquemont, il savait qu'il allait devoir travailler très fort pour gagner sa cause ! Il était un adversaire redoutable et, pour résumer, c'était le genre d'avocat qu'on était mieux d'avoir de son bord !

Une avocate demanda à Me Roberge pourquoi le ministre de la Justice du Québec n'était pas représenté. Il répondit :

— Il faut que vous sachiez qu'un avocat qui obtient de grandes victoires se fait souvent des ennemis. À la suite d'affaires plaidées par Charles, le gouvernement a été obligé de modifier plusieurs lois importantes. Mais dans notre cas — à ne pas répéter s'il vous plaît —, la personne qui devait représenter le ministre était Me Fortier. Or, à cause de certaines défaites cuisantes, je ne crois pas qu'il porte Charles dans son cœur… Il s'est donc excusé à la dernière minute…

En circulant, Charles entendit Me Rémillard dire à mi-voix à un invité :

— Il n'était pas question d'inviter ici la piétaille !

Le jubilaire, en personne avertie, savait fort bien qu'une telle célébration constituait autant le soulignement d'un départ qu'un exercice de relations publiques. Il n'avait pas été surpris d'apprendre par sa secrétaire que Me Roberge avait biffé de la liste des invités quelques noms qu'il avait suggérés, ceux-ci ne représentant dans l'idée de ce dernier « aucun potentiel monnayable à court terme », suivant son expression habituelle. Charles connaissait bien l'esprit mercantile de certains de ses associés et ce n'était pas le moment de s'offusquer ou de régler des comptes. Il se doutait bien que cette soirée constituait pour le cabinet un moment privilégié pour effectuer un transfert de ses clients aux avocats restants. C'est en toute connaissance de cause qu'il avait décidé de jouer le jeu. Il se fit un devoir de faire la tournée de tous les petits groupes qui s'étaient formés et de serrer la main de chacun des invités.

Dans un autre caucus, on entendit un client corporatif, qui était aussi manifestement un admirateur, déclarer sans ambages :

— Je ne connais pas dans la province de Québec un avocat plus compétent et plus honnête que Me Roquemont !

Certaines discussions s'engageaient :

— Avec les causes importantes qu'il a gagnées, il doit bien être millionnaire ?

— C'est vrai qu'il n'est pas à plaindre, répondit quelqu'un qui semblait bien le connaître, mais il est à l'aise, sans plus. Il n'a jamais été un profiteur ou un *money maker*…

— Est-il marié ? questionna à la blague — mais peut-être aussi avec un brin d'intérêt —, une dame d'âge moyen.

Une jeune avocate de l'étude répondit :

— Charles, comme tous le savent au bureau, est un homme fort galant. Il a déjà été marié. Sans enfant. Il est divorcé. Il a de bonnes amies. Mais il semble bien que son vrai sacerdoce, ce soit la vie juridique…

La soirée se terminait. Charles avait néanmoins réussi à présenter Me Lebrun à Luce. Au moment où leurs yeux s'étaient rencontrés, l'entremetteur avait senti qu'un moment magique s'était produit entre sa belle-sœur et son ami. Choisissant le parti de la discrétion, il avait rejoint Margo, Kevin et Clément qui s'apprêtaient à partir. Il les remercia encore une fois de leur présence et les suivit d'un regard paternel. Depuis la mort de son frère, il avait pris sous ses ailes Luce, Margo et Clément. Et il y avait aussi cet Américain, Kevin, qu'il trouvait fort sympathique. Il embrassa et étreignit sa tante Isabelle, qui, frémissante de plaisir, lui glissa à l'oreille : « Félicitations encore une fois… Et bonne retraite, mon cher petit Majel ! »

Comme Fabiola avait accepté, bien avant que la date de la fête n'ait été fixée, de présider le lendemain un colloque sur la fiscalité qui se tenait à l'Université de Sherbrooke, elle dut partir immédiatement.

Charles avait été impressionné par l'ampleur de la fête, surtout par tous ces gens qui avaient pris la peine de se déplacer, lui qui n'était pas friand d'honneurs. Le déploiement protocolaire, les émotions, les discours, les discussions l'avaient exténué. Finalement, il n'était pas fâché de retourner seul dans sa résidence de Saint-Nicolas.

Chapitre 2

Il était maintenant 2 heures du matin et Charles se tenait sur la terrasse de sa résidence dont la vue donnait sur le fleuve Saint-Laurent, en face de Cap-Rouge. La nuit était chaude. La lune se mirait dans les eaux toujours mouvantes, au niveau du pont de Québec, immense masse sombre à sa droite. Un verre d'eau minérale à la main, encore sous l'adrénaline, il repassait dans sa tête les moments marquants de la soirée donnée en son honneur.

Peu de gens connaissaient les éléments déclencheurs de sa quête vers les sommets. Lui seul savait que tout avait commencé lors d'une chicane, dans la cour de l'école primaire, quand le fils Girard, « un colon des rangs », s'était fait abreuver de quolibets par quelques fendants du village. Pour la première fois de sa vie, l'injustice de l'assaut contre son camarade lui avait fait monter une bouffée de chaleur au visage. Sans réfléchir, il s'était lancé dans la mêlée. Il avait été passé à tabac, mais n'avait rien regretté. Le lendemain, en cachette des autorités bien entendu, il avait reçu la bénédiction du frère Mark qui lui avait dit :

— Répète pas ça aux autres, mais tu as bien fait parce que tu croyais régler une injustice ! Seulement, t'as pas choisi le meilleur moyen… À l'avenir, tu devras changer de tactique…

Il y avait eu aussi l'affaire Gordon, en 1962, qui l'avait piqué à vif: c'est à ce moment qu'il avait décidé de poursuivre des études en administration, pour devenir plus compétent.

Par la suite, il avait découvert que son instruction pouvait être une manière de régler adéquatement des litiges. C'est ainsi qu'au cours de sa carrière, il s'était toujours placé du côté du plus faible, de celui qui avait besoin d'aide pour redresser un tort.

Comme toile de fond permanente à sa quête, il y avait eu ces injustices commises envers ses parents. Il n'en avait oublié aucune: l'incompréhensible fraude de l'oncle Victor; les cachotteries du Dr Lagueux dans la vente de la boulangerie; les intransigeances assassines de la Wilkey; l'ingratitude de certains employeurs de Saint-Raymond qui n'avaient pas aidé son père dans le besoin, alors que lui s'était esquinté à rendre service à tant de gens; les mesquineries sans nom des administrateurs du Club Archibald; les gestes cupides des industriels américains sans scrupules et l'arnaque du fraudeur argentin basé au Maroc qui avaient eu raison de l'entreprise de son père; les criminels qui avaient saboté l'échafaudage d'où Majel était tombé… C'était sans compter toutes les autres iniquités dont il s'était rendu compte autour de lui, dans la société en général, et qui l'avaient conforté dans ses prises de position.

Il était donc devenu un avocat qui ne craignait pas de sortir des sentiers battus. Sa règle avait toujours été de tout faire pour prendre sa place, non par la force, mais par le savoir, l'habileté et la parole. Il était persuadé d'avoir réussi!

Mais tout n'avait pas encore été dit et fait. Il avait, pour sa retraite, d'autres projets d'écriture. Il y avait cette recherche qu'il voulait compléter sur l'impact fiscal pour la société canadienne des dérives qui se manifestent dans l'utilisation éhontée de sociétés sans but lucratif et des fondations qui ne payent pas d'impôt. Il s'agissait là d'une boîte de Pandore qu'il avait hâte d'ouvrir pour le bénéfice de tous les contribuables. Il était convaincu que le résultat de ses recherches constituerait une bombe dans les milieux professionnels et financiers. Les politiciens seraient obligés d'agir.

Puis, il y avait ce recours collectif qu'il envisageait de soumettre à un comité de juristes. Il s'agissait d'une poursuite de principe à intenter contre les professionnels de toutes classes qui avaient accepté une double rémunération. Entre autres, ces milliers de médecins qui, pendant toute leur vie professionnelle, avaient été considérés comme des travailleurs autonomes et qui avaient, à ce titre, bénéficié de toutes les déductions et de tous les avantages — dont de généreux régimes enregistrés d'épargne retraite —, alors que pour les retirer du monde du travail, les gouvernements leur avaient versé des sommes forfaitaires faramineuses qu'ils avaient évidemment acceptées. Tout ça se passait au moment même où de petits salariés étaient mis à pied et devenaient des travailleurs autonomes sans compensation et sans protection, dont un bon nombre étaient des femmes monoparentales.

Au niveau de sa profession, il entendait dénoncer cette convention secrète entre les grands cabinets d'avocats qui se répartissaient — de manière avantageuse pour eux, mais complètement inéquitable pour les finissants en droit — les candidats de seconde année détenteurs des notes les plus élevées. Pour lui, un étudiant en droit qui devait travailler pendant ses études n'avait pratiquement aucune chance de faire partie un jour d'une importante société légale.

Quel grand terrain de jeu il lui restait pour s'occuper !

Une sirène se fit entendre au loin.

Charles revint à la réalité. Il se faisait très tard et il était encore à repasser sa vie professionnelle et à réfléchir sur la meilleure façon de la conclure. Il avait encore en tête cette phrase d'un confrère qui l'avait félicité et qui avait employé l'expression « un parcours sans faute… » Il se secoua : « Je dois décrocher et passer à autre chose. »

Il se servit un dernier verre d'eau minérale.

Son parcours avait été intéressant, presque sans faute, vu de l'extérieur. Mais personne ne savait les sacrifices qu'il s'était imposé pour y parvenir. Divorcé avant 40 ans, il n'avait pas réussi, comme on dit dans le langage des veufs et des éclopés du mariage, à refaire sa vie. Il avait eu une vie professionnelle intéressante et fort trépidante, mais il regrettait de ne pas s'être occupé davantage de sa vie privée. Il se demandait si, à son âge, il était encore temps de remédier à la situation. Il avait en tête Fabiola, qui devait bientôt monter avec lui à son camp du lac Jolicœur, mais aussi Mylène Beaulieu, dont le souvenir était encore vivace. Et pourquoi avait-il divorcé si rapidement de Johanne Tremblay ? Hormis quelques batifolages d'étudiant, il n'avait jamais fréquenté de manière assidue d'autres femmes. Seules Mylène, Johanne et Fabiola avaient fait battre son cœur. « Je suis bien sérieux à cette heure, se dit-il. Pour le moment, je vais me contenter d'aller voir Anna à Saint-Raymond, de monter me reposer quelques jours au camp, avant de revenir vider officiellement mon bureau de la Grande Allée. »

Chapitre 3

De retour de son congrès, Fabiola passa la nuit dans la résidence de Charles avant leur départ pour Saint-Raymond, prévu le lendemain. Charles, qui aimait les présentations bien faites, en avait long à dire à son amie sur le territoire du comté de Portneuf et sur ses habitants, surtout la famille et les amis. Après être passé rapidement sur l'étonnant parcours de vie de pépère et mémère Moisan, il avait parlé de Victoria et de Wilbrod, ses grands-parents paternels. Il ne s'était pas étendu sur la vie de ses grands-parents maternels, les Robitaille, qu'il avait peu connus et qui étaient décédés tragiquement le lendemain de son mariage. Pour ne pas mélanger sa compagne avec tous ces liens familiaux, Charles lui parlerait plus tard de sa tante Thérèse Robitaille, la sœur de sa mère qu'il n'avait pas rencontrée depuis quelques années; à 88 ans, elle vivait toujours seule sur le bien de Saint-Augustin. Ce n'était pas le temps de lui raconter l'invraisemblable histoire de son oncle maternel, Hector Boissonault, dont la mystérieuse disparition n'avait jamais été résolue. Il s'attarda davantage sur les turbulences vécues du côté des Roquemont, celles reliées à son père Majella, à son oncle Victor et à sa tante Isabelle. Il lui expliqua les péripéties de la vie d'Anna et de Majel, leur chicane avec Victor, et lui brossa un tableau des événements qui avaient marqué la vie de famille depuis le décès de son père.

Après la mort de son mari, Anna avait continué à habiter l'appartement de la rue Saint-Émilien jusqu'en 1988, où elle avait accepté à l'âge de 75 ans, d'entrer au foyer pour vieillards. Charles avait bien tenté de l'amener vivre avec lui à Saint-Nicolas, mais elle n'avait jamais voulu quitter Saint-Raymond. Il est vrai que pendant cette période, Charles voyageait beaucoup et qu'elle se serait trouvée souvent seule.

— Tant qu'à m'ennuyer à Saint-Nicolas, aussi bien m'ennuyer à Saint-Raymond, avait-elle tranché.

Maintenant âgée de 85 ans, elle coulait des jours paisibles au Centre d'hébergement de Saint-Raymond. Elle se plaisait à dire qu'elle voulait dépasser la longévité de pépère Moisan, mort à 93 ans :

— Lui, y a vu arriver le téléphone, pis moi, j'ai vu arriver Internet ! Lui y a entendu parler de la guerre des Boers, mais moi j'ai déjà vu deux guerres en direct à la télé...

Même si son état de santé général était bon, depuis quelques années, elle ne sortait presque plus à cause de ses rhumatismes. C'est ainsi qu'elle avait décliné l'invitation de Charles pour sa soirée de retraite :

— Ta carrière s'ra pas meilleure si j'vas à la veillée, avait-elle dit.

Charles n'avait pas insisté.

En 1992, toute la famille avait été affectée par le décès de Paul qui laissait dans le deuil Luce et leurs deux enfants, Margo et Clément. Luce avait reçu un héritage suffisant pour la mettre à l'abri des aléas de la vie, mais autrement, au niveau personnel, elle était toujours sans conjoint ni prétendant.

Quant à Margo, malgré une maîtrise en psychologie, elle était sans emploi et s'était inscrite au baccalauréat en histoire. Elle pouvait compter sur le soutien indéfectible de son ami, Kevin Mitchener, un Américain originaire de la Californie qui, fort d'une maîtrise en ethnologie, planchait sur une thèse de doctorat. N'ayant pu se trouver de travail après son premier parchemin obtenu en Californie, il avait décidé de poursuivre ses études à l'Université Laval. Le petit couple, avec l'aide de Luce, vivotait dans un minable deux pièces de la rue Couillard, secteur du Vieux-Québec que l'on appelait — avant que l'Université Laval ne déménage à Sainte-Foy — le Quartier latin. Quant à Clément, toujours célibataire, il complétait un baccalauréat en informatique à l'Université Laval.

Personne de la famille n'avait de nouvelles fraîches de Victor, qui semblait toujours vivre dans la région de Montréal. La rumeur voulait tantôt qu'il fût devenu millionnaire, tantôt qu'il fût toujours ruiné. Peu importait sa fortune, tous savaient cependant que celui qui avait toujours entretenu l'image de «l'oncle d'Amérique» n'avait jamais été à la hauteur. Malgré ses promesses répétées de rembourser Majel et Anna pour les sommes qu'il avait détournées, ceux-ci n'avaient jamais reçu de lui le moindre sou noir. Comme on dit, la famille avait coupé les ponts.

Quant à Isabelle, la sœur de Majel et épouse d'Alfred Bergeron, elle demeurait toujours avec lui dans la maison ancestrale du rang du Nord, à la suite du décès de ses parents. Depuis la fin de la guerre, la vie n'avait pas été rose pour le couple. Alfred était revenu invalide de la Seconde Guerre mondiale, mais le gouvernement canadien avait toujours refusé de reconnaître son statut de blessé de guerre, et ils avaient dû recourir aux prestations du bien-être social pendant plusieurs années. En son temps, Majel avait aidé le ménage comme il avait pu. Charles et Paul avaient ensuite pris la relève. Malgré cette assistance, le couple avait toujours tiré le diable par la queue.

Isabelle, qui effectuait seule tous les travaux de la ferme, avait donc trimé dur toute sa vie et vécu dans la misère, du moins jusqu'en 1966, année où son fils Conrad, devenu comptable, était entré sur le marché du travail. Puis, sa fille Sophie avait trouvé un emploi dans la publicité et avait quitté la région pour Montréal. Si elle n'aidait pas ses parents comme Conrad, elle n'était cependant plus un fardeau pour eux.

En 1997, Isabelle avait enfin pu respirer au point de vue financier. Les poursuites intentées bénévolement par Charles avaient été réglées par une entente à l'amiable qui faisait suite à une décision intérimaire de la Cour suprême du Canada dans l'affaire de *L'Association des marins de la Marine marchande du Canada* c. *Le ministre de la Défense nationale*. Malheureusement, la santé de son mari s'était alors mise à péricliter d'une manière tragique. Ses problèmes de surdité et de vue s'étaient aggravés en raison de sa condition psychique déclinante : il refusait obstinément de porter ses prothèses auditives et visuelles. L'état de sa jambe droite s'était aussi détérioré au point où on avait dû la lui amputer. Il ne se déplaçait qu'en fauteuil roulant et refusait même la simple prise de mensurations qui aurait permis de lui fabriquer un membre artificiel. Finalement, même si elle avait les moyens de se payer des soins infirmiers à domicile, pour toutes ces raisons, Isabelle était pratiquement clouée à sa résidence du rang du Nord.

Conrad, après ses frasques magistrales de débutant, ayant à toutes fins utiles causé la fermeture d'IBR[1], avait

1. Les Industries de bois Roquemont, entreprise fondée par Majel.

réussi à trouver un poste d'adjoint en comptabilité dans une entreprise de Trois-Rivières. En 1985, devant ses états de services impressionnants, Louis Gauvreault l'avait engagé comme adjoint dans CGL[1], qui n'avait jamais cessé de progresser. Sa mère était bien fière de son évolution. En revanche, la conduite de Sophie l'attristait. Celle-ci semblait réussir à Montréal dans le domaine du marketing, mais, sorte de petit Victor à sa manière, elle donnait très rarement de ses nouvelles.

Bruno Trépanier, le cousin conseiller — et aussi probablement le plus cher ami de son père Majel —, était décédé d'une crise cardiaque en 1981, à l'âge de 75 ans. Après la vente de la Wilkey à des intérêts japonais en 1978, il avait travaillé avec enthousiasme dans l'entreprise de son gendre Louis Gauvreault à titre de conseiller financier. Il avait laissé dans le deuil sa tendre moitié, Ange-Aimée, sa fille Irène, son gendre et ses deux petits-enfants, les jumeaux Maggie — ainsi appelée en souvenir de Majel — et Stéphane. Sa femme, bien nantie, s'était retirée de la vie publique, confinée dans sa luxueuse maison du boulevard Saint-Cyrille, ne visitant que sa fille, son gendre et ses petits-enfants. Elle envisageait de vendre pour aller retrouver ses amis au Centre d'hébergement de Saint-Raymond.

Irène poursuivait une carrière enviable de médecin au Centre hospitalier de l'Université Laval de Québec. Quant à son conjoint, Louis Gauvreault, il était en parfaite santé malgré ses 78 ans, et continuait à s'occuper de ses intérêts financiers, et même à l'occasion de politique. CGL, son entreprise, inscrite à la bourse de New York depuis 1990, contrôlait le marché des maisons préfabriquées au Canada

1. Les Constructions Gauvreault ltée.

et aux États-Unis, et une bonne partie du marché international. Cette entreprise, qui possédait dans le monde plus de 10 000 employés et dont le siège social était toujours à Saint-Raymond, se voulait l'un des fleurons de l'industrie québécoise.

Il parla aussi à Fabiola de celle qu'on appelait « tante Agathe ». En réalité, elle était plutôt une petite cousine de son père, mais on l'avait toujours appelée ainsi parce que les relations étaient tricotées serrées entre les deux familles. Secrétaire du notaire Châteauvert, père, pendant de nombreuses années, elle avait été congédiée à l'arrivée du notaire Châteauvert, fils, en 1966. Même si l'événement datait déjà de plus de 30 ans, elle ne l'avait pas encore digéré. Sensiblement du même âge qu'Anna, elle vivait aussi au Centre d'hébergement de Saint-Raymond.

Charles, qui connaissait Fabiola depuis peu, ne l'avait pas encore présentée à sa mère. Native de Charlevoix, elle n'était jamais allée si profondément dans le comté de Portneuf et ce voyage constituait pour elle un agrément. Sans compter que son ami se languissait de lui faire découvrir son antre du lac Jolicœur. Il était convenu qu'ils feraient le tour de la ville, visiteraient Anna, pour ensuite se rendre au camp.

Au volant de son utilitaire, Charles sortit de l'autoroute Félix-Leclerc à Neuville et prit la direction nord vers Saint-Raymond par la régionale 365. Il expliqua à Fabiola que cette région avait bien changé depuis son enfance.

Ils passèrent devant le *club-house* du Grand-Portneuf, centre de golf et de ski de fond le plus important du comté, qui borde la route à l'est et à l'ouest. Ils traversèrent ensuite Pont-Rouge, petite ville en développement qui faisait concurrence à Saint-Raymond. Aux limites de Saint-Basile, il lui indiqua sur leur gauche le Centre évangélique de Portneuf, une église du renouveau édifiée depuis peu.

— Quand j'étais jeune, mon père avait une boulangerie. Nous passions le pain en voiture à cheval, hiver comme été. Nous nous rendions jusqu'ici. À cette jonction, là, mon père m'avait fait courir derrière la carriole parce que j'avais les pieds gelés. Je me souviens encore du bruit que faisaient mes bottes sur la glace dure et les coups que ça me donnait dans les tibias. J'étais « gelé ben raide ! »

— Tu avais quel âge ?

— Dix ou douze ans... Je me souviens le soir, en arrivant à la maison, il m'avait dit : « Tu comprends, mon p'tit Charles, pourquoi j'veux que tu ailles à l'école, que tu aies des diplômes pour gagner ta vie mieux que moi... »

À la jonction du rang de la Montagne et du rang Bourg-Louis, qui débouchaient sur le Grand-Rang, il lui fit voir la mitaine[1] anglicane, St. Bartholomews, blanche et proprette, qui démontrait la présence encore vivante d'une petite communauté anglophone.

— Ce sont maintenant surtout des gens âgés qui la fréquentent. La plupart des familles anglophones ont été confrontées à des mariages mixtes et ont été assimilées par les francophones. Celles qui restent sont devenues bilingues, à quelques exceptions près. Mais dans le temps de la boulangerie, c'était tous des anglophones dans ces deux rangs-là. Puis, pour compléter le tableau, au bout du Bacrinche, nom déformé de *Back range*, il y a maintenant

---

1. Déformation par les francophones du mot anglais *meeting place*, devenu « mitaine », lequel désignait les chapelles utilisées par les anglophones.

un camp de nudistes. Tu vois, Saint-Raymond est maintenant une ville moderne !

Il passèrent ensuite devant le terrain de la Défense nationale où avait été érigé Le Sète, dans les années 1950. En cas de conflit, l'abri antinucléaire secret devait abriter les autorités militaires et civiles du Québec. Aux dernières nouvelles, la municipalité s'était portée acquéreur du super bunker et des terrains avoisinants pour en faire un parc industriel. Des discussions étaient en cours pour décider du sort de ce complexe souterrain d'envergure — le scénario de la destruction complète par remplissage étant le plus souvent invoqué. Pour le moment, l'endroit était fréquemment visité par des squatters et tombait en décrépitude malgré les millions de dollars qui y avaient été investis.

— Dire que mon père a travaillé à la construction de ces casemates-là, puis que c'est devenu inutile ! Quand par la suite papa avait raconté à maman que des ouvriers travaillaient sous terre, avec serment de n'en parler à personne, elle ne l'avait d'abord pas cru. Elle avait pensé que mon père inventait des histoires pour lui cacher quelque chose…

Avant l'embranchement de la route Corcoran qui mène à Chute-Panet, ils virent le poste de la Sûreté du Québec et, dans le stationnement, une dizaine de véhicules identifiés.

— Ça fait toute une différence avec les deux polices engagées à temps partiel qui couvraient tout le territoire autrefois…

À la toute fin du Grand-Rang, juste avant de prendre la courbe que Charles avait tant de fois négociée à bicyclette alors qu'elle était en gravier, flottait une immense banderole sur laquelle on pouvait lire : « Bienvenue à Saint-Raymond, LA VILLE DE L'AUTOMOBILE ! »

Charles était conscient que les garages avaient depuis longtemps remplacé les maréchaux-ferrants du village, mais il ne pouvait s'empêcher de trouver choquante cette appellation.

— C'est quand même pas Détroit, dit-il. Il y a bien plus de vendeurs d'autos à Québec! C'est certain qu'on peut trouver la plupart des marques et qu'en plus, il y a les camions, les utilitaires, les motos, les motoneiges, les motos marines, les tous-terrains à quatre roues... Tous ces véhicules contribuent à exploiter le vaste territoire pour fins commerciale et récréative. Mais tout de même! Pour la distinguer vraiment, il faudrait plutôt l'appeler «la ville des moteurs»! Parce que c'est à cause des différentes inventions motorisées que l'exploitation de la forêt a été profondément transformée: les stationnaires, les génératrices à gaz et à l'électricité, les scies mécaniques manuelles, les scies mécaniques industrielles mobiles, les ébrancheuses, les débusqueuses, les chargeuses de toutes catégories, les tracteurs, les camions... Ce sont ces outils qui ont transformé l'industrie et qui ont fait qu'il n'y a plus de camps, plus de drave et presque plus de bûcherons.

Il comprenait mieux cependant que des marchands zélés se permettent, dans leur publicité, d'appeler Saint-Raymond «la capitale mondiale de la motoneige».

— C'est vrai que l'endroit est privilégié et stratégiquement bien situé, au centre même d'un réseau de plus de 33 000 kilomètres de sentiers balisés... Que l'autoroute pour motoneiges qui part de Saint-Raymond et qui mène à l'Étape dans la réserve faunique des Laurentides est extraordinaire... Que certains sentiers à sens unique font l'envie de plusieurs autres clubs de motoneiges... Que Bombardier songe à y installer un centre de recherche et d'expérimentation... Que la Chambre de commerce locale a innové en érigeant une marina pour motoneiges, afin de permettre un accès facile aux étrangers... Que des Américains, des Japonais, des Européens et des Asiatiques sillonnent les sentiers de la région... Mais tout de même, « capitale mondiale » !

Fabiola trouvait bien drôle que Charles s'enflamme ainsi au sujet de la petite ville de son enfance. En femme d'affaires avertie, elle trouvait ses commentaires intéressants.

Le véhicule défila devant la dizaine de concessionnaires automobiles, ralentit devant le centre commercial où l'on distinguait les enseignes d'une multinationale de l'alimentation, d'un magasin de la Société des alcools du Québec et d'un McDonald. Avant d'entreprendre la descente vers le centre-ville, il arrêta son véhicule sur le promontoire de la Côte Joyeuse. Fabiola découvrit avec ravissement que le cœur de l'ancienne petite ville palpitait au fond d'une vallée, que le clocher de l'église en était le point central et que tout le paysage était encadré par les magnifiques Laurentides.

Si les vastes terrains situés sur le plateau avaient pu être développés et couverts de commerces et de résidences, la rivière Sainte-Anne, dans le fond de la vallée, malgré certaines atteintes par l'homme, n'en avait pas moins continué à imposer sa loi. En raison des inondations fréquentes et dévastatrices, les autorités avaient fait disparaître l'île Guyon et construit une solide estacade en guise de contrefort afin de briser les glaces du printemps. Puis il y avait eu la construction du pont Chalifour, plus moderne, qui était venu dégorger le vieux pont Tessier, lequel avait été renforcé. On pouvait voir aussi, au début de la route menant vers Saint-Léonard, que le vieux pont couvert, curieusement appelé autrefois le pont Noir — il était en fait peint en rouge —, avait fait place à un pont moderne à deux voies. Le Coqueron formait une pointe qui se terminait sur la rive nord de la rivière ; portant encore son capuchon de conifères séculaires, il était toutefois resté vierge et on pouvait voir l'onde de la Sainte-Anne miroiter entre les rives étançonnées du centre-ville.

Des feux de signalisation dirigeaient maintenant le trafic, à l'intersection de la rue Saint-Hubert et de la rue Saint-Joseph, juste avant le pont Chalifour.

— Tu vois, ils ont installé un feu rouge au bas de la côte ! Quand j'étais jeune, je la descendais à bicyclette. Un de mes amis qui n'avait plus de freins sur sa bécane s'était cassé les dents sur la calvette du chemin de fer…

Mais, à la vue de la chaîne bleutée des Laurentides qui barraient l'horizon entier vers le nord, Charles ne put retenir un sourire de satisfaction.

— Le cœur du territoire, grâce au ciel, est resté intact !

Dans un geste ample du bras droit, désignant la chaîne des Laurentides d'est en ouest, il expliqua à Fabiola les divisions territoriales couvrant les terres de la couronne, soit le Parc des Laurentides, la ZEC Batiscan-Neilson[1], la ZEC Rivière-Blanche et la réserve faunique de Portneuf.

— C'est l'accessibilité à ces territoires qui a donné une nouvelle vocation à toute la région. La chasse, la pêche et la villégiature sont devenues les nouveaux moteurs de l'économie. Ça serait une erreur de privatiser ces espaces qui deviendraient comme le lac Sept-Îles, le lac Saint-Joseph et le lac Sergent, qui sont maintenant réservés aux gens fortunés !

---

1. ZEC, zone d'exploitation contrôlée : corporation sans but lucratif ayant pour objet la gestion partielle d'un territoire appartenant au domaine public afin d'en permettre l'accessibilité aux citoyens du Québec, particulièrement en regard de la chasse et de la pêche.

Saint-Raymond n'était plus le petit village de son enfance, mais une ville comptant 10 000 habitants — dont la population doublait pendant la période estivale —, ce qui en faisait, pour la région, une petite métropole. Sur la rive nord du Saint-Laurent, il s'agissait de la ville la plus importante entre Québec et Trois-Rivières.

Fabiola arracha Charles à sa contemplation :

— À quelle heure finissent les visites au Foyer ?

— Il n'y a pas d'heure fixe, il faut seulement respecter les périodes de repas. Nous avons encore une bonne heure, on va faire une petite tournée…

Il prit la rue Saint-Cyrille, devenue depuis un boulevard, passa devant le collège Saint-Joseph. Bien sûr, il y avait la cour d'école, les enseignants, la distribution des prix… Mais ses souvenirs le ramenèrent plutôt au moment où il allait jouer dans le bois des Frères, situé juste au sud de la voie ferrée. C'était là qu'avec ses amis, il avait fait ses premières excursions en forêt. Là que son imagination l'avait conduit dans des safaris africains, que le petit ruisseau qui dévalait la colline devenait pendant quelques instants l'Amazone, là que se terminaient dans l'ivresse les courses folles des colons poursuivis par les Indiens sanguinaires…

À côté de l'école, la modeste échoppe de réparation de bicyclettes était devenue un rutilant commerce de motocyclettes, de tous-terrains à quatre roues et de motos marines. Il revint vers la rue Saint-Pierre, étroite, avec ses résidences au coude à coude semblables au souvenir qu'il en avait gardé.

— Ici, on dirait que seulement les habitants ont changé, et non les maisons. Il y a bien le garage Readman qui a disparu comme l'épicerie Piché, mais pour le reste, rien n'a bougé.

Il prit l'embranchement de la rue Saint-Alexis, qui menait à l'ancienne gare du Canadien National aujourd'hui disparue.

— Une gare qui disparaît emporte avec elle tant de souvenirs ! dit-il à Fabiola.

Mais il ne pouvait, au risque d'irriter sa compagne, lui faire part de toutes ses émotions. Il se rappelait ces petits matins blêmes et froids où il prenait le train pour se rendre étudier dans la grande ville, les départs angoissants, les arrivées triomphales.

Dans cette rue se tenait aussi l'ancienne manufacture désaffectée de charbon de bois Dufresne & Paquet, endroit où il avait pu, à l'occasion, travailler pour aider à défrayer ses études. Il se remémora ces jours de pluie où le charbon rendait l'usine encore plus humide ; ces wagons qu'il fallait remplir de milliers de sacs de briquettes, la courroie mécanique qui le harcelait sans fin, les sacs crevés que, dans sa course, il n'avait pas le temps d'attraper avant qu'ils tombent par terre ; la douche du soir alors que lui et ses compagnons redevenaient des êtres humains, du moins jusqu'au lendemain matin…

Plus au sud, il y avait toujours cette immense cour à bois bornée par le promontoire qui formait maintenant la Haute-Ville, mais l'industrie, qui avait changé de nom, appartenait dorénavant à des intérêts européens. L'ancienne scierie Demers, elle, avait été incendiée.

Il reprit la rue Saint-Pierre vers l'ouest jusqu'au début du rang Chute-Panet. De nouvelles industries s'étaient installées, la plupart axées sur la transformation du bois ou sur la mécanique lourde.

Il revint vers le centre-ville en empruntant la rue Saint-Hubert. Il remarqua que les bureaux de la Wilkey avaient été démolis et remplacés par une usine de séchage de bois.

Il pensa à Bruno et au petit morceau de chocolat que celui-ci lui offrait quand, accompagné de Majel, il entrait dans le bureau du comptable.

Par contre, la résidence cossue ayant appartenu aux Wilkey, puis à Zotique, se dressait, toujours aussi fière, sur un promontoire isolé dominant la rivière Sainte-Anne, endroit d'où l'on voyait entre les montagnes des couchers de soleil majestueux. Lui revinrent en mémoire ses longues attentes, dans l'automobile, alors que son père discutait d'affaires dans la maison des Wilkey.

Dans la rue Saint-Jacques, il tourna à gauche, vers le nord, et passa le pont Chalifour. Il arriva dans le village Sainte-Marie.

— Seuls les vieux appellent encore ainsi cette partie de la ville, dit-il à Fabiola.

Il dépassa le cimetière et prit la route menant vers Saint-Léonard, seulement pour voir, comme dans son enfance, le Bras-du-Nord qui sortait entre deux montagnes. Il passa le pont de béton et tourna dans l'entrée de la fromagerie Cayer. Il se rappela le petit laitier des années 1950 qui livrait les pintes de lait aux portes, et qui était aujourd'hui le président d'une entreprise laitière de renommée internationale. Au retour, il vérifia à sa gauche si le petit sentier qu'il empruntait pour aller à la pêche existait encore. Il ne distingua que de fortes talles d'aulnes. « À croire que les jeunes oublient les chemins du passé », se dit-il. Puis, voyant la montagne du Coqueron à sa gauche, il se remémora les excursions entre copains avec lesquels ils cherchaient à découvrir, malgré les protestations d'Anna, les secrets du Trou de la sorcière. La circulation le pressa. Il accéléra. À sa droite, il vit, signe de vitalité de la région, le centre d'information touristique érigé par la Chambre de commerce et, à côté, la seule marina pour motoneiges de la région. Ils arrivèrent de nouveau devant le cimetière.

Charles regarda sa montre.

— Nous avons le temps de visiter les ancêtres, si tu n'y vois pas d'objection…

La large porte en fer forgé grinça sur ses gonds. Encore marqué en certaines occasions par les enseignements des vieux prédicateurs, Charles souhaita en lui-même que ce bruit ne corresponde pas à celui des portes de l'enfer. En circulant dans les allées, ils virent un imposant monument au nom de Jean Plamondon.

— C'est le père de Luc Plamondon, notre parolier national.

Ensuite, devant une autre stèle aux noms de Prosper Télesphore Martel et Émile Martel :

— Il s'agit du grand-père et du père de l'écrivain Yann Martel, indiqua Charles.

Puis, ils prirent le troisième sentier à leur droite, large et bien délimité par des pins centenaires. Il montra à Fabiola la pierre des Moisan. et sur un lot adjacent, celle de ses grands-parents Wilbrod Roquemont et Victoria Trépanier. Juste à côté se dressait la tombe de sa famille ; il s'y recueillit quelques instants, lisant l'épitaphe :

«À la douce mémoire de :
Véronique Roquemont, 1941, enfant de
Majella Roquemont, 1911-1976, et de
Anna Robitaille, 1913-
Paul Roquemont, 1943-1992.»

— Véronique ? Tu ne m'avais pas dit…

— Oui, entre moi et Paul, ma mère a eu une fille. Je me souviens de son visage grâce aux photos. Elle n'avait pas un an quand elle est morte…

Respectueuse, Fabiola retourna à l'automobile, laissant son compagnon se recueillir seul devant le tombeau des siens.

Charles songea que Véronique n'avait rien connu de la vie. Que Majel, lui, n'avait jamais goûté au repos d'une retraite qu'il aurait pourtant bien méritée. Son cœur se serra. Comme la vie était injuste ! Cet homme qui avait tant fait pour sa femme, ses enfants, sa famille, ses amis… « L'homme qui avait tant semé, sans avoir jamais récolté… » comme l'avait sentencieusement énoncé Gauvreault. Quant à Paul, son frère cadet, il en avait été un temps jaloux. Ce dernier avait rendu Luce heureuse. Puis ils avaient eu deux enfants adorables, Margo et Clément. Lui était divorcé, sans postérité. La nostalgie du temps de la fraternité était une maladie qui ne lui passerait jamais. Il glissa doucement sa main sur la pierre pour enlever les fines saillies de mousse qui s'y étaient formées. Au lieu d'une prière lui revinrent à l'esprit ces mots chantés par sa mère :

Il y avait son père
Il y avait sa mère
Son grand frère Victor
Et sa sœur Isabelle
Debout auprès d'elle
Il y avait
Il y avait
Il y avait Majel
Il y avait Majel
Il y avait son père
Il y avait sa mère
Son père Majella
Et sa mère Anna
Et avec son frère Charlot

Il y avait
Il y avait
Il y avait Véro
Il y avait Véro…
Il y avait son père
Il y avait sa mère
Son père Majella
Et sa mère Anna
Avec son frère Charlot
Il y avait
Il y avait
Il y avait Paulo
Il y avait Paulo…

Chapitre 4

Avant d'entrer au Centre d'hébergement, il avisa Fabiola que sa mère, mis à part ses problèmes d'articulations, était encore en bonne santé et en pleine possession de ses moyens. Mais il la mit en garde contre la manière très directe de parler de sa mère.

Anna était assise dans son grand fauteuil et regardait par la fenêtre. Malgré son âge, elle se tenait encore le torse bien droit. Ses cheveux, qu'elle faisait teindre régulièrement en brun-roux, étaient soigneusement coiffés. Quand elle recevait une visite, elle portait immanquablement les boucles d'oreilles et le collier à chaînons délicats que Paul lui avait apportés de Nouvelle-Zélande. Elle avait mis sa robe beige à grandes manches, laissant soupçonner que la venue de son célèbre fils et de sa nouvelle conquête prenait l'allure d'un événement dans ce foyer pour vieillards où le bingo du mercredi était normalement le point culminant de la semaine.

Charles entra. Elle se redressa encore un peu plus sur sa chaise. Dès qu'elle reconnut son fils, un sourire pâlot éclaira son visage. Elle se leva, prit sa canne et, à petits pas, s'approcha de lui. Charles l'embrassa longuement sur le front. Ils s'assirent côte à côte sur un petit divan. Puis, il lui présenta Fabiola qu'elle avait feint d'ignorer jusque-là.

— Maman, je te présente une amie, Fabiola.

— Fabiola?... C'est un prénom espagnol! Vous êtes espagnole?

— Non, Madame. Mon père est plutôt de descendance allemande...

— Bon, des Allemands ou des Espagnols, c'est des étrangers pareils!

Même si elle ne sentait aucune malice dans ce propos, Fabiola resta sur la défensive.

— Mais y a des étrangers qui sont du bon monde aussi! continua la vieille.

— Tu sais bien, maman, que je n'amènerais pas ici une mauvaise personne...

— À votre âge, êtes-vous mariée? Ou bien divorcée?

Charles laissa Fabiola se dépêtrer avec des questions que des parents n'auraient pas tolérées de la part d'un adolescent.

— Non, Madame, je suis toujours célibataire, répondit Fabiola en souriant.

— Comment se fait-y qu'une belle femme de votre âge vous ayez pas encore de mari?

— C'est parce que je me suis consacrée à ma profession, Madame...

— Pis, qu'est-ce que vous faites dans la vie?

— Je suis fisca... comptable, Madame.

— Ah bon! Si mon Majel avait marié une comptable, y aurait eu ben moins de misère dans sa vie!

Tous les trois se mirent à rire, Fabiola restant néanmoins sur ses gardes, parce que la phrase comprenait une allusion au mariage et qu'elle ne savait trop quel sous-entendu pouvait suivre. Mais Charles reprit la parole avant que sa mère n'ose demander à son invitée si elle avait eu un enfant hors mariage ou bien encore si elle n'était pas lesbienne.

— Et votre santé, maman, comment ça va ?

— C'est toujours la même chose. Y a des hauts, pis des bas. Pis là, j'sus dans un haut. Tinomme m'a raconté la belle fête qu'y t'ont faite ! Et au *Château Frontenac* pardessus le marché ! Y paraît qu'y a même des juges de la Cour suprême qui sont venus d'Ottawa ! C'est normal, tu leur as donné assez d'ouvrage…

Cette fois, Fabiola, qui commençait à apprécier l'humour caustique de la vieille, rit de la blague de bon cœur. Charles sortit alors un album de photos d'un petit meuble. C'était l'occasion de montrer le reste de la famille à sa compagne, tout en passant un agréable moment avec sa mère et ses souvenirs.

Elle montra à Fabiola les visages plissés des Moisan, la bonne bouille de Wilbrod, le visage sévère de Victoria, la photo de noces d'Isabelle et d'Alfred Bergeron, et d'autres de leurs enfants Conrad et Sophie.

— Tu n'as pas de photos de Victor ? demanda Charles.

— Ah ! Celui-là, tu m'en parleras une autre fois si tu veux bien.

On pouvait voir en effet des espaces vides dans certaines pages de l'album. En revanche, il y avait de nombreuses photos de Majel. On le voyait dans ses voyages d'arpentage, avec des Indiens, dans le *muskeg*, en canot sur un lac, sur le flotteur d'un hydravion, dans des campements, au fil des quatre saisons. Puis dans les chantiers, avec ses hommes et aussi avec Anna, quand elle était montée en hiver. Près de la boulangerie, avec le chef Mercier. Quelques-unes avec Bruno et Gauvreault. Mais l'attention de Fabiola se porta sur une photo de famille prise dans les chantiers où l'on voyait Anna debout près d'un camp avec les enfants.

— Le p'tit homme, ici, à droite, c'est Charles, dit Anna d'une voix plus douce. Il avait 7 ans... L'autre, dans mes bras, c'est Paul...

Elle tourna la page et montra à l'invitée la photo de ses parents, les Robitaille au regard sévère, le buste penché vers l'avant, juste comme il fallait pour satisfaire les exigences du photographe à cette époque. Elle poursuivit sur un ton plus triste :

— Y sont morts noyés, tous les deux, en revenant du mariage de Charles... Leur auto a dérapé dans le lac Jacques-Cartier, près de l'Étape, dans le Parc des Laurentides...

Fabiola remarqua les yeux humides de l'aïeule. Au même moment, la sonnerie électrique annonçait l'heure du repas. Il leur fallait partir.

— Nous allons y aller maman, dit Charles.

Reprenant sa canne, elle les conduisit jusqu'au seuil de la porte. Fabiola était déjà sur le palier. Anna dit alors à son fils, assez fort pour que Fabiola entende :

— T'as ben du goût, mon Charles, ben du goût !

Lorsqu'ils la quittèrent, Anna avait un mouchoir à la main et tentait de sécher ses larmes. Pleurait-elle en raison de leur départ ou bien des souvenirs que lui avaient remémorés les photos ?

Chapitre 5

Leur véhicule s'engagea devant l'église et traversa le vieux pont Tessier. Charles vira à droite et prit le rang du Nord. Comme d'habitude, il acheta quelques provisions au dépanneur Ouellet, près de l'embranchement du rang Petit-Saguenay. Ils parcoururent quelque 20 kilomètres avant la barrière est de la ZEC Batiscan-Neilson. Après leur enregistrement, la jeep s'engagea dans le chemin qui menait au lac Brûlé mais qui, depuis le déclubbage, avait été rebaptisé pour devenir le lac Gouat. À partir de cet endroit, aucun chemin ne portait de nom officiel ; la route se rétrécissait à mesure qu'on pénétrait plus profondément dans la forêt laurentienne. Charles se mit à chanter :

Des lacs, des plaines,
Des montagnes et des bois…
Mes souvenirs m'entraînent
Sous le ciel de chez moi
Jeunesse heureuse
Qui glisse au grand air
Sur les montagnes neigeuses
En ce beau jour d'hiver[1]*…*

1. *Des lacs, des plaines*, chanson de Jacques Normand.

Il s'interrompit brusquement :

— Il faut que je te raconte l'histoire de mon camp. Tu vas comprendre pourquoi j'y suis si attaché.

— Depuis le temps que tu m'en parles, j'ai bien hâte de voir l'endroit !

— Je ne suis pas propriétaire du terrain, mais seulement de la bâtisse. En fait, j'ai un bail annuel reconnu et, dans les faits, je suis comme un véritable propriétaire. Le lac mesure plus de deux kilomètres de long, avec des étangs un peu en contrebas, mais tout le plan d'eau se trouve sur le haut d'une montagne qui tombe à pic sur trois côtés, de sorte que c'est un territoire fermé. On ne peut y accéder que par le sentier qui part du lac Gouat. Je suis donc possesseur de tout un domaine ! À cause de la configuration des lieux, je suis le seul à avoir un refuge dans une superficie qui peut représenter 10 kilomètres carrés !

— Comment as-tu fait pour obtenir ces droits-là ?

Charles lui expliqua d'abord comment avaient fonctionné les clubs de chasse et de pêche avant l'arrivée des ZEC. Puis il précisa comment il était devenu maître des lieux.

— Tout a commencé en 1946 ou en 1948, à la fondation du Club Archibald qui avait obtenu la gestion de 15 lacs. Les administrateurs ont commencé par faire construire un *club-house* au lac Brûlé. Ils ont ensuite ajouté 8 cabines sur les rives d'autant de lacs, choisissant d'abord ceux qui étaient à proximité du plus grand lac. Comme les membres hésitaient à investir au lac Jolicœur — situé sur la plus haute montagne de la région, et moins accessible —, le Dr Marsan, président de l'organisme, a facilement obtenu la permission d'y construire un abri, mais à ses frais. Du temps du Club, cette manière de procéder n'a jamais causé de problème. À ce moment, le Dr Marsan a demandé à mon père de l'entretenir. Par la suite, mon père est même devenu le gardien en chef. Il a fait ce boulot quelque temps, mais a dû laisser tomber parce que ce n'était pas assez payant. Mais mon père est toujours resté ami avec Marsan qui, à titre de président fondateur, en menait large. À sa mort, le docteur a légué la bâtisse à mon père. Je te fais grâce des détails, mais le Club a contesté ce legs. En fait, les membres, des professionnels snobs, voyaient d'un mauvais œil qu'un ancien guide devienne membre à part entière, par la porte d'en arrière, si l'on peut dire. C'était comme si Marsan avait voulu leur forcer la main. Ils ont toujours refusé à mon père le droit de devenir membre du Club, ce qui l'écartait de son héritage. Cette situation accablait mon père. Il a fallu qu'on poursuive le Club Archibald et le gouvernement du Québec pour faire valoir ses droits. Quand Majel est mort en 1976, la cause n'était pas encore réglée. Les procédures étaient encore pendantes quand le Parti québécois, qui venait de prendre le pouvoir, a aboli les clubs en 1977. À partir de ce moment, ceux qui étaient propriétaires de constructions sur les terrains de la Couronne n'avaient plus à faire valoir leurs droits par l'intermédiaire de clubs dépouillés de leurs privilèges parce que les droits de chasse et de pêche n'étaient pas accordés aux individus, mais au club dont ils faisaient partie. Puis là, en déclubbant, le gouvernement laissait l'usage des constructions à leurs propriétaires. Moi, comme j'ai pu faire la preuve que c'était Marsan, à ses frais, qui avait fait construire le chalet au lac Jolicœur et non pas le Club, le gouvernement a été obligé de me donner raison. J'ai plaidé la cause et nous avons finalement gagné. Toute la bisbille était reliée au fait que mon père, qui avait la permission de Marsan, était monté au Jolicœur pendant le temps de la chasse et qu'il avait été accusé de chasser sur un terrain prohibé, soit celui du Club Archibald. J'ai démêlé tout ça devant la Cour suprême et, finalement, Majel a été acquitté et j'ai pu conserver ma cabane. Toutes ces procédures ont finalement forcé le gouvernement à revoir sa position sur la gestion du territoire. Il a même accordé une amnistie aux squatters qui avaient enfreint la loi avant le déclubbage. Pour moi, cette victoire-là devant la Cour suprême a été la plus belle ! Elle a rendu service à bien du monde. En fait, ça m'a permis de préserver le seul héritage que j'ai eu de Majel...

— Je comprends que ce camp a aussi une valeur symbolique pour toi.

— Oui, c'est ça.

— Et comme valeur réelle ?

— Ah ! Ça vaut à peine quelques milliers de dollars. Mais tu sais, je viens m'y réfugier pendant les quatre saisons. Dès que je trouve du temps.

Ils étaient arrivés au lac Gouat, long de plusieurs kilomètres, formant un plan d'eau rectangulaire, majestueux et profond, entre deux montagnes. Celle du côté sud — où passe le chemin menant aux camps principaux de l'ancien club Archibard — s'élève en pente modérée, tandis que celle du côté nord, haute de 300 mètres, forme une muraille granitique sans faille dont la base se termine dans le lac avec un angle de 90 degrés. Charles stoppa le véhicule sur le chemin de contour, vis-à-vis de la chute qui lèche de haut en bas l'impressionnante citadelle naturelle barrant l'horizon du côté opposé. Fabiola examina avec étonnement et admiration ce paysage de rêve. Puis, Charles remit l'engin en marche pour s'arrêter, à la fin de la route, près du *club-house* imposant mais défraîchi par les outrages du temps et des éléments. Détournant le regard, Charles montra plutôt à sa compagne, du côté est, l'étroit sentier qui pénétrait dans les sapins et les autres conifères plantés drus :

— Il n'y a qu'à suivre la piste… Tu ne peux pas te tromper, elle se termine au lac Jolicœur. Rendus là, j'ai un canot que nous devons prendre pour traverser le lac et nous rendre au camp.

Charles agrippa le petit havresac de son amie pour l'attacher au sien, mais elle en fut presque insultée.

— Je ne suis pas une mauviette. Je suis capable de transporter mes bagages, quand même !

Et ils entreprirent la montée.

— Les habitués de l'ancien Club Archibald l'appelaient « le sentier de Majel », parce qu'il était le seul à l'entretenir. Après la mort de Marsan, il n'y avait que mon père qui l'utilisait. Maintenant, les gens de la ZEC l'appellent « le sentier des Majel » parce qu'il n'y a que les p'tits Majel, c'est-à-dire Paul et moi, qui l'avons emprunté au cours des dernières années.

— Est-ce que ça veut dire que pas une femme n'y a mis les pieds dernièrement ?

— Hum ! Je ne peux pas trahir les secrets du sentier…

— Tiens, on se cache derrière le secret professionnel ?

— Pas vraiment, mais tu pourras voir les traces de celles qui sont venues parce que la tradition voulait autrefois que les invités gribouillent leur nom sur les poutres du camp… Aujourd'hui, j'ai un livre d'or où les visiteurs écrivent un mot. Mais je peux te dire que n'est pas invité qui veut à prendre ce sentier…

Ces remarques laissèrent Fabiola songeuse…

Charles s'attaquait à la montagne avec méthode. Il prenait son temps, regardait bien autour de lui, s'arrêtait souvent, humait l'air ambiant. Parfois, il restait immobile de longues minutes. Il ne pouvait s'empêcher de penser que, tout comme son père, il se butait aux mêmes roches, enjambait les mêmes corps morts pétrifiés de cette forêt vierge, portait le même regard sur ces lieux, ressentait les mêmes fatigues, éprouvait les mêmes plaisirs. En été, la montée pouvait prendre, à pas lents, une heure et demie. En hiver, c'était plus long en raison de l'abondance de la neige. Ce sentier était une pente qui, à la base de la montagne, pouvait atteindre un angle de 40 degrés. La première demi-heure de marche s'avérait astreignante, mais par la suite, la sente allait en s'adoucissant. Depuis son enfance, Charles s'arrêtait à des endroits précis, toujours les mêmes, non seulement parce qu'ils lui avaient été montrés par Majel, mais aussi parce que la configuration des lieux et l'effort qu'il fallait déployer amenait naturellement à prendre des moments de repos.

Un premier arrêt avait lieu devant l'antre du Renard, sorte de petite caverne qu'on devinait dans une anfractuosité de rocher, ainsi désignée parce que le Dr Marsan, lors de ses premières excursions avec Majel, y avait vu une famille de renards. Par la suite, chaque fois que Charles était monté avec Majel, celui-ci disait: «Regarde bien… Il y a peut-être un renard!» Charles, craintif en raison de la noirceur du réduit, n'en avait jamais vu un seul.

Un second arrêt avait lieu à un détour du sentier, sur un plateau rocheux, d'où l'on pouvait voir le lac Gouat en contrebas. Un troisième, au ruisseau, celui de la décharge du Jolicœur qui, en cet endroit, coulait lentement et se passait à gué, en sautant d'un caillou à l'autre. Il faisait bon s'y abreuver à même l'eau claire, limpide et froide. Depuis des décennies, la tasse de terre cuite placée là par Majel était accrochée au même piquet. Un quatrième arrêt avait lieu au pont suspendu enjambant un immense ravin qui, du côté sud, s'enfonçait dans les profondeurs ombragées menant à la vallée formée par le bassin du lac Pas-de-Poisson. Une station avait aussi lieu à la Savane Verte, endroit où le sentier était humide et composé uniquement de mousse et de fougère, alors que le sous-bois rappelait la forêt mystérieuse du Petit Poucet. Les marcheurs pouvaient s'asseoir, un peu en retrait du sentier, sur d'immenses arbres aux troncs vermoulus. La dernière pose, enfin, se trouvait à la fourche du sentier qui menait aux étangs du Ravage, des plans d'eau régulièrement fréquentés par les orignaux. Charles se souvenait qu'à partir de cet endroit, Majel imposait le silence. C'était ensuite l'arrivée au lac Jolicœur où, pendant quelques instants, il se prenait pour Champlain découvrant de nouveaux territoires tant ces lieux étaient déserts et sauvages.

Fabiola suivait son guide, partageant autant qu'elle le pouvait ses émotions. Elle ressentit la même crainte que Charles enfant, en vérifiant s'il y avait des renards dans la grotte. Elle vit les beautés du sentier parcouru et le lac Gouat, en contrebas, avec ses îles devenues petites. Elle but avec avidité l'eau fraîche du ruisseau à la coppe de Majel. Elle frissonna en traversant rapidement le pont suspendu au-dessus du ravin. Elle éprouva le bien-être, assise dans la mousse de la savane. Et Charles, à la fourche menant aux étangs, pour éviter d'apeurer les orignaux, lui fit signe de garder le silence.

Ils arrivaient au lac. Ils prirent encore quelques gorgées d'eau puisée dans la décharge. Le canot était intact dans son lit de broussailles. Près de la vieille digue fatiguée, ils s'arrêtèrent pour contempler le lac. Charles entendait encore son père lui dire : « Regarde toutes ces baies… C'est le plus bel endroit au monde et c'est à nous… ! »

Au niveau des épaules de la vanne, l'arrivant se trouvait de plain-pied avec l'immense plan d'eau qui s'étendait à la hauteur des yeux. Le spectacle était saisissant: sur la plus grande partie du lac scintillaient les reflets du soleil, comme si un géant avait répandu un immense coffre de pièces d'or. De cet endroit, l'œil ne pouvait réellement cerner les tenants et les aboutissants des pointes de terres hérissées de conifères qui se trouvaient de chaque côté du lac, laissant ainsi place à l'imagination. De petites îles aux chicots clairsemés, ressemblant à des bateaux aux mâts sans voiles, brisaient le panorama et venaient créer une diversion dans les zones d'ombre et de lumière. Fabiola, à son tour, songea que des paysages aussi envoûtants avaient dû s'offrir au regard des premiers coureurs des bois, l'horizon mystérieux de chaque lac agissant comme un aimant qui les attirait sans cesse à découvrir de nouveaux lieux.

Le canot glissait maintenant silencieusement sur l'onde. Chaque fois qu'il atteignait la dernière pointe de terre qui lui bloquait la vue, au moment où il pouvait enfin apercevoir son camp, Charles s'attendait au pire: vandalisme, toit défoncé par un arbre tombé, porte arrachée par un ours, amas de cendres à la suite d'un incendie causé par la foudre… Mais le vieux camp, fidèle sentinelle du temps, était encore là.

La bâtisse avait été construite en 1948. Elle avait donc résisté aux éléments des quatre saisons pendant plus de 50 ans. Les murs extérieurs, autrefois d'un jaune éclatant lorsque chauffés par les rayons du soleil, étaient devenus d'un beige terne, puis gris. Les intempéries avaient fait leur œuvre et il se révélait impossible d'entretenir les murs extérieurs, sous peine de briser le grain du bois, ce que

Charles ne voulait pas. Malgré leur teinte grisâtre, les billes de bois, protégées par un vernis translucide, étaient encore en excellente condition. Ainsi, même si l'apparence du camp semblait laisser à désirer, il demeurait tout ce qu'il y avait de plus étanche.

À la descente du canot, Fabiola ne dit mot, déçue. Voyant son visage déconfit, Charles dit :

— Ça fait 15 ans que je n'ai pas fait de réparations importantes. Je ne fais que l'entretenir, mais je vais bientôt avoir le temps de m'y mettre…

Cependant, dès qu'elle eut mis le pied à l'intérieur, elle changea d'avis. Le camp était fort propre, malgré son allure extérieure. Au cours des ans, Charles et Paul avaient nettoyé les murs et y avaient appliqué un vernis pâle. Elle trouva l'unique pièce rustique mais chaleureuse, avec son poêle à deux ponts, ses chaudrons accrochés au mur, sa boîte à bois avec la hache au manche luisant et, surtout, l'antique lampe à l'huile. Elle découvrit les cannes à pêche de Marsan et de Majel accrochées au mur du fond, ainsi que leurs fusils garnis de nombreuses encoches au niveau de la crosse, signes d'orignaux abattus. Les seules décorations ajoutées par Charles avaient été les quatre bougeoirs muraux en étain pur.

Fabiola ne mit pas grand temps avant de se mettre à déchiffrer les gribouillages qui apparaissaient sur les murs du camp. Elle put lire : « Marsan, chasse 1950, un *buck* et une femelle ; Une femelle, octobre 1955, Majel et Marsan ; Bruno Trépanier et Marsan, été 1960, pêche miraculeuse dans la baie des Amours ; Anna tue un *buck* pour la première fois ! Joseph Picard et Majel, chasse 1962 ; Majel et Joseph Picard, pêche 1964 ; Jos Picard et les invités Sioui, O'Bomsawin et Clark, chasse octobre

1973 ; Charles et Paul, virée entre frères 1964. » Comme le nom de Joseph Picard revenait souvent, Fabiola demanda qui était cet homme. Charles lui expliqua qu'il s'agissait d'un Huron de Loretteville, un ami que son père avait rencontré lors de voyages d'arpentage en Abitibi, dans les années 1938-1940.

— Ils sont toujours restés de bons copains. Ils s'entendaient si bien qu'à sa démission comme guide en chef de l'Archibald, mon père a insisté pour que son remplaçant soit Joseph Picard. Il vit encore et je le visite régulièrement. C'est lui qui me fournit en viande d'orignal...

Mais Fabiola s'attarda sur d'autres inscriptions.

— Qui est cette Johanne qui est venue ici avec toi en hiver ? Je lis : « Avons passé trois jours, février 1974... »

— Si ça peut te faire plaisir, c'est mon ex ! Nous étions encore mariés à ce moment-là. Alors...

— Ah ! C'est avant ton divorce... Je m'excuse.

Puis, elle continua à lire sur un autre mur : « Paul et Charles, avons réparé le camp, 1981 ; Mylène et Amélie : trois jours merveilleux à se laisser faire la cuisine par Charles... »

— Je suppose que ce sont deux petites cousines !

— Tu sais bien que non...

— Alors, j'imagine que ce sont de vieilles tantes !

— Non plus. C'étaient mes deux maîtresses ! dit Charles en riant.

— Ouais... Il a dû s'en passer de belles, ici...

— C'étaient de bonnes amies à moi... Tu sais, le fait d'être trois, dans une seule pièce, ce n'est pas l'idéal pour un Don Juan...

— Oui, je comprends ça. Mais Mylène, c'est un nom qui me dit quelque chose. Tu n'as pas déjà...

— Est-ce que l'enquête est terminée ?

Fabiola sentit que Charles ne voulait pas aller plus loin dans ce petit jeu qui pouvait s'avérer agaçant.

— Oui. L'enquête est terminée.

— Bon, merci...

— Pour aujourd'hui seulement...

Chapitre 6

Fabiola s'approcha de Charles, le prit par la main et l'amena à l'extérieur. Sur la galerie du camp, face à la baie des Amours, ils s'embrassèrent. Ils allèrent ensuite s'asseoir sur l'imposante roche plate qui s'avançait sur le lac, à la droite du camp.

Ils se rendirent au petit quai de bois amoché. Les pieds dans l'eau, ils apprécièrent la tiédeur du temps. Fabiola se sentit bientôt lasse et Charles lui apporta une couverture. Elle s'endormit sur le quai.

Charles, qui se sentait revigoré par l'air vivifiant des lieux, préféra parcourir un sentier qui menait à une baie située derrière le camp. La venue de Fabiola le troublait. Peu de femmes en effet s'étaient rendues au bout du sentier des Majel. En fait, à part Anna et Luce, il y avait ses anciennes dulcinées, Mylène et Johanne. Il ne put s'empêcher de faire des comparaisons entre celles-ci et Fabiola.

Il y avait d'abord eu Mylène, sa première flamme de jeunesse. Après la découverte des premières pulsions sexuelles de l'adolescence, ils s'étaient perdus de vue. Mais il n'avait jamais cessé de penser à elle, tout au long de sa vie. Il ne savait pourquoi, mais il avait le sentiment qu'il en avait été ainsi de son côté. À chaque moment marquant de son existence, alors qu'il avait ressenti une grande joie ou encore une grande tristesse, ses pensées s'étaient tournées vers elle. Il aurait aimé retrouver cette âme sœur qu'il n'avait en fait jamais bien connue. À chaque fois qu'il la croisait, elle avait quelqu'un dans sa vie. Puis, il y avait eu cette rencontre fortuite, alors qu'elle cherchait un chalet avec une amie, en 1983. Pour ne pas rater cette chance de la côtoyer de nouveau, il l'avait invitée avec son amie au camp. C'était en hiver. Il aurait tant voulu être seul avec elle. La flamme s'était ravivée, aussi vive qu'à l'adolescence. Puis il ne l'avait pas revue. En son absence, au fil des ans, il l'avait sans doute idéalisée. Était-ce là le lot réservé aux amours inachevées ? Il ne le saurait probablement jamais. Et lui, grand orgueilleux maintenant retraité, oserait-il l'appeler ? À l'heure où il avait tant besoin d'une présence, aurait-il le courage de la rejoindre et de lui dire qu'il l'avait aimée en secret toute sa vie ? Comment justifierait-il son silence pendant toutes ces années ? « Non, se dit-il, mes chances sont nulles... Mais pourtant ! Si comme moi, aujourd'hui, elle attendait un appel ? » Il se compara à un vieux chasseur d'orignal arpentant, d'année en année, le même territoire. Il a vu la proie magnifique qui s'enfuyait dans la forêt au soleil couchant. Mais il a raté sa chance. Puis il revient l'année suivante. Il voit des pistes. Croit les reconnaître. Elles sont semblables. La bête est encore là. Elle le nargue. Elle vient s'abreuver au lac pendant qu'il dort. Elle passe devant son camp quand il n'est pas là. La bête le hante. Il la voit dans ses songes. Pour sûr qu'une proie intelligente doit elle aussi rêver à son chasseur. Puis, un matin où il n'a pas de fusil, ou que la chasse est terminée, ou bien qu'il est trop vieux, il trouve, là, devant lui, la prise de ses rêves. « J'ai toujours été un mauvais chasseur. Je n'ai jamais su "caller". Comme disait Majel: Tu n'as jamais su faire sortir ton orignal du bois...»

Puis sa pensée le ramena à sa première rencontre avec Johanne, celle qui allait devenir sa femme. Leurs ébats amoureux. Le grand amour! Mais Paul et Luce avaient surpris toute la famille en annonçant leur mariage, pendant que lui, l'aîné, se traînait encore les pieds. Il s'était fiancé avec Johanne, un soir de Noël. Finalement, leur mariage avait eu lieu avant celui de Paul et Luce. Au début, la vie était belle. Lui, pensait aux enfants qu'ils auraient, à la maison qu'ils s'achèteraient, à ses succès professionnels. Elle désirait terminer son diplôme d'études supérieures en chimie. Il n'était pas contre. Puis, elle s'était mise à étudier le soir. Pendant longtemps il avait considéré son mariage comme une erreur de jeunesse. Quand Johanne l'avait quitté, c'est certain qu'il lui avait trouvé tous les péchés du monde. Il n'était pas retourné vers elle. Par amour-propre, bien sûr. Il ne voyait pas, alors, comment il aurait pu recoller cette fine porcelaine émiettée. Avec le recul, cependant, il conclut qu'ils avaient tous les deux été trop prompts. Pourtant, tout jouait en leur faveur. Il n'était pas certain que si les mêmes événements se produisaient aujourd'hui, chacun aurait la même réaction. Peut-être auraient-ils la sagesse de ne pas couper les ponts aussi facilement. Ils avaient tout de même connu des moments merveilleux. Les fréquentations pendant les années d'université. Les rencontres interdites dans sa chambre d'étudiant. La tournée des familles. L'élaboration des projets d'avenir. Le mariage. Le discours de Majel. Les voyages...

Puis la grande chicane était survenue: lui, avocat en ascension dont les exploits professionnels ne laissaient pas beaucoup d'oxygène dans la vie de sa partenaire; elle, bien déterminée à obtenir son doctorat avant de penser à avoir un enfant. Il s'était alors lancé à corps perdu dans le travail, au grand bonheur de ses patrons. Cette situation lui avait permis de devancer beaucoup de confrères. Il avait tout son temps, mettait deux fois plus d'énergie que ses concurrents sur un dossier. Puis, les succès professionnels étaient venus et avaient comblé pour un temps le vide dans sa vie. Obnubilé par les affaires, il ne s'était sans doute pas rendu compte que la vie commune aurait pu reprendre. En fait, il n'avait jamais sérieusement fait l'effort d'un premier pas. La vie de célibataire lui convenait. Mais les années passaient. De toutes les femmes qu'il avait connues, Johanne était celle qui partageait le plus ses valeurs. Comme le vieux chasseur auquel ses pensées revenaient. N'avait-il pas été trop rapide sur la gâchette? Il avait apeuré la bête. Pourtant, elle était revenue. Cela lui avait fait tout drôle, quand ils avaient de nouveau fait l'amour, lors d'un congrès des professeurs, plus de 14 ans après leur divorce. Mais elle avait ensuite disparu une fois encore. Ou il avait feint de ne plus la voir. Elle semblait libre comme l'air. Aurait-il dû se livrer à cette réflexion avant ce jour? Il avait senti qu'elle était devenue une femme épanouie dont les anciennes blessures étaient cicatrisées.

Depuis six mois maintenant, il y avait Fabiola. Avec elle, il avait connu les plaisirs les plus vifs de l'amour. Une relation immédiate entre adultes mûrs. Avec Fabiola, rien n'était pareil. Ils avaient convenu cependant de règles précises: tant qu'ils ne feraient pas vie commune dans la même maison, ils pouvaient se comporter en célibataires. Ils pouvaient sortir avec les partenaires de leur choix, faire des voyages, ils n'avaient pas de comptes à se rendre.

Malgré quelques poussées amoureuses au début, les conduisant tantôt chez lui, tantôt chez elle, ils avaient respecté leur entente à la lettre.

En ce mois de juin 1998, alors que Charles venait de prendre sa retraite, ils n'avaient pas encore parlé sérieusement de vivre ensemble. Mais des signes avant-coureurs pointaient: les clients de Fabiola étaient devenus moins importants dans sa vie, de telle sorte qu'elle avait dernièrement parlé de semi-retraite et de voyages à deux... Pour Charles, il n'y avait qu'une ombre au tableau: son amie estimait qu'il se consacrait trop à son neveu Clément et à sa nièce Margo. Fabiola, qui n'avait jamais été mariée, semblait quelque peu jalouse de l'amour qu'il portait aux enfants de son frère. Selon elle, il n'était pas leur père et n'avait pas à jouer ce rôle. Mais en tant que dernier fils vivant de Majel, il se sentait une certaine responsabilité envers eux. Ses neveux représentaient aussi sans doute, inconsciemment, les enfants qu'il n'avait pas eus. Elle n'avait pas connu Paul. L'eût-elle connu qu'elle aurait sans doute tout compris. En résumé, la partie n'était toujours pas gagnée. Il pensa encore une fois, malgré lui, à la chasse. «Majel me répétait souvent: il faut "caller" de la bonne manière, avoir le bon ton, aux bonnes heures, au bon endroit, pis pas trop longtemps. Mais y faut surtout pas se tanner. Si l'orignal est là, c'est sûr qu'un bon jour, y va venir voir...»

Chapitre 7

Pour beaucoup de gens, en ce mois de juillet 1998, il s'agissait d'une journée banale, un autre petit lundi matin que le travail volait à l'été si court du Québec. Pour Charles, c'était une journée mémorable : il commençait à vider son bureau ! « Quelle sensation spéciale, songea-t-il. J'ai l'impression de déserter la terre ancestrale ! » Mais, somme toute, il était prêt pour cette nouvelle vie. Pour passer le relais à ses associés, depuis plusieurs semaines déjà, il dictait des mémos de transmission de dossiers. Plusieurs de ses annotations suggéraient le nom spécifique d'un avocat susceptible de mener à terme le travail commencé, mais dans la plupart des cas, il laissait ce choix à l'administrateur de l'étude.

Ce matin-là, en plus de terminer ses notes de transfert, il devait commencer à « faire ses boîtes » et, si possible, à dresser une liste exhaustive des clients à remercier par écrit. Dans les jours suivants, il devrait aussi rédiger un plan de marketing, non seulement pour consolider sa clientèle dans le cabinet, mais aussi pour fournir à ses successeurs des idées innovatrices pour continuer à la développer. Enfin, il voulait laisser un mot personnalisé à chacun de ses collaborateurs et faire sa tournée d'adieu. Il en était à imaginer ses mémorandums quand sa secrétaire l'interrompit dans son monologue intérieur.

— Monsieur Roquemont, il y a un certain monsieur Wagis qui désire vous rencontrer.

— Mais vous savez bien que je ne peux plus accepter de rendez-vous !

— Je lui ai dit tout ça, mais il insiste.

Charles eut encore le réflexe de l'avocat qui travaille à son compte. Il était curieux de savoir qui était ce Wagis, et de connaître le genre de mandat qu'on aurait voulu lui confier. Les règles non écrites de ses ententes contractuelles voulaient aussi qu'il réfère à l'étude qu'il quittait les mandats s'apparentant à une suite logique de sa pratique.

— Dites-lui que je ne peux le recevoir. Mais offrez-lui de rencontrer Me Rémillard.

— C'est ce que je m'étais permis de lui offrir. Mais il insiste. Il dit que c'est une affaire importante et qu'il ne veut faire affaire qu'avec vous.

Charles se fit une raison. Il pensa que s'il s'agissait d'un mandat important, il pourrait convaincre le client de rester dans l'étude. « Ma dernière entrevue… », se dit-il.

— Bon ! Je vais le recevoir dans une demi-heure.

Dans l'antichambre, Wagis, un Amérindien, accompagné d'un dénommé Armstrong, se demandait comment ils seraient reçus. Il ne pouvait se permettre d'échouer. Pas seulement parce que cela constituerait un échec personnel, mais surtout parce que tous les Algoncris, communauté autochtone dont il était membre, se trouveraient dans une impasse concernant l'occupation de leur territoire.

Wagis, à peu près du même âge que Charles, était de grande taille et de forte carrure. Les cheveux noirs, le teint basané, il portait avec distinction un complet gris sur lequel détonait une cravate blanche. Malgré la force et l'assurance qu'il dégageait, ses mains, continuellement en mouvement, trahissaient sa nervosité. Il était le conseiller technique délégué par la communauté. Son compagnon Armstrong, le chef de bande, semblait plus calme. Comme un simple représentant de commerce qui a l'habitude de patienter dans des antichambres, il se permettait de faire l'inspection des lieux. Plus petit que Wagis, et aussi plus maigre, il portait un habit rayé brun qui lui donnait une allure sombre, en raison de sa peau bronzée. Il avait une allure svelte de sportif et le regard direct des gens sûrs d'eux-mêmes.

La secrétaire les avait avisés que Me Roquemont, malgré sa ponctualité coutumière, devrait les faire patienter quelques minutes. L'avocat avait décidé de se prêter de bonne grâce à cette entrevue en dépit de sa journée chargée. Au cours de la matinée, il devrait continuer son inventaire des dossiers actifs. L'après-midi, il assisterait à son dernier conseil d'administration du cabinet. Le contrat de société était formel, il devait accepter tous les mandats intéressants avant son départ, quitte à les transférer aux associés restants. Son obligation de référer des clients à l'étude s'étendait même au-delà de la fin de la convention, mais il s'agissait d'une obligation morale seulement. Par contre, il ne pouvait en aucun cas travailler pour un concurrent ou nuire d'aucune manière à son ancienne société.

C'était l'un de ces bureaux cossus de la Grande Allée. Le large comptoir de la réceptionniste, installé au pied d'un grand escalier qui donnait accès aux luxueux bureaux des seniors de l'étude, constituait un rempart contre ceux qui voulaient s'introduire sans invitation officielle dans la majestueuse salle de conférence au sévère portail d'acajou.

Les murs de la salle d'attente étaient recouverts de portraits de politiciens célèbres. Wagis reconnut les visages de sir Wilfrid Laurier et de Louis Saint-Laurent.

Armstrong scruta son compagnon. Celui-ci avait le visage inquiet et tenait son porte-documents à deux mains, comme s'il avait peur qu'on le lui arrache. Il s'apprêtait à lui poser une question quand Charles Roquemont descendit. La réceptionniste n'eut pas le temps de se lever avant que ce dernier tende la main à ses deux visiteurs.

Wagis le trouva plus jeune que sur les photos du journal, en particulier celle qui le montrait gagnant la cause des *Actionnaires minoritaires de la Easter Iron & Copper America Corporation*. Lorsqu'ils furent tous confortablement installés dans les fauteuils de cuir rouge de la salle de conférence, Charles Roquemont s'informa du but de leur visite.

Wagis avait décidé de suivre son plan de match. Tout d'abord vendre la cause pour son intérêt et son importance intrinsèque. Puis, convaincre l'avocat que ce dossier, en raison de son caractère particulier, ne pouvait être confié à nul autre que lui. Après avoir expliqué à l'avocat qu'il était le conseiller technique de la communauté des Algoncris, que son compagnon Armstrong était leur chef de bande et que tous deux avaient été mandatés pour le contacter, il entreprit, du mieux qu'il le put, d'expliquer leur démarche.

Même si Charles leur avait annoncé qu'il prendrait sa retraite dans quelques jours, l'autochtone l'avait imploré d'écouter son exposé jusqu'à la fin.

— En résumé, expliqua Wagis, il s'agit d'une question de revendication territoriale en plein cœur du territoire québécois. Les deux gouvernements sont donc impliqués.

La chose n'est pas nouvelle, me direz-vous, mais ce qu'il y a de singulier dans le présent cas, c'est qu'une partie du territoire que nous réclamons a déjà fait l'objet d'une entente avec les Cris dans le cadre de la Convention de la Baie-James. Mais, en plus d'une bataille contre trois adversaires, nous sommes persuadés que les deux gouvernements sont en possession de documents qui sont de nature à prouver nos droits sur le territoire revendiqué. Pour terminer, tout ce débat arrive à la veille d'un troisième référendum annoncé, alors que nous représentons pour les gouvernements la plus importante « poche de résistance amérindienne », si l'on peut dire.

Wagis prit un instant de répit pour voir l'effet de ses propos sur l'avocat. Celui-ci restait impassible. Armstrong lui lança un regard d'encouragement. Tous deux étaient bien conscients que si l'avocat ne trouvait pas l'affaire intéressante, jamais ils ne pourraient le convaincre de s'en saisir.

— Comment se fait-il qu'à un stade aussi crucial de négociations, votre bande n'a pas encore retenu les services d'un avocat ? demanda Charles.

— Nous avions Me O'Flanagan, mais il a dû se retirer du dossier en raison d'un conflit d'intérêts. Comme nos demandes touchent en partie des territoires reconnus aux Cris, cet avocat qui les a déjà représentés, ne peut continuer à s'occuper de notre dossier.

— Je vois, je vois…

— Puis le second avocat qui nous a représentés, Me Flaherty de Toronto, a été nommé juge par le gouvernement fédéral un mois après avoir accepté le mandat. Me O'Flanagan avait très bien travaillé. Nous avons des caisses de documents qui sont le fruit de ses recherches.

Lui aussi est persuadé que notre titre de propriété, en plus des droits ancestraux reconnus par la Constitution canadienne de 1982, remonte à une époque qui se situe avant la fondation de la Compagnie de la baie d'Hudson. Les indices que nous avons à ce sujet sont impressionnants. Toutes les données concordent en ce sens.

— Et quelles sont ces données ? demanda Charles.

— Nous ne pouvons aller plus loin dans nos explications, à ce stade. Nous devons nous assurer, avant de vous dévoiler toutes les informations que nous détenons, que vous acceptez le mandat de nous représenter dans cette délicate affaire.

— Vous savez que je suis tenu par le secret professionnel, leur dit poliment l'avocat.

— Nous pourrons vous en dire davantage si vous nous donnez quelque espoir d'accepter le mandat, lui répliqua l'Amérindien. Nous croyons qu'il s'agit d'une question de la plus haute importance, d'intérêt national. Non seulement un territoire est en jeu, mais c'est aussi tout l'avenir de notre peuple qui est en cause.

Charles Roquemont en avait vu bien d'autres dans sa carrière : des clients qui prétendaient avoir le dossier du siècle ; d'autres qui affirmaient avoir mis au point des inventions qui révolutionneraient la technologie moderne et changeraient le monde... La plupart du temps, avec ces illuminés, il y avait une constante : le cas était présenté de telle manière que l'avocat était censé devenir célèbre et millionnaire — en même temps que ses clients ! Plusieurs jeunes avocats naïfs avaient perdu leur chemise dans de telles aventures.

Il leur dit qu'il était extrêmement difficile pour un avocat d'accepter un mandat, surtout de cette importance, sans connaître les tenants et les aboutissants du travail à accomplir et du temps qu'il faudrait y consacrer. Aussi, il était incapable de les conseiller adéquatement avant de prendre connaissance de tout le dossier. Mais il tenta un essai, persuadé que ses associés pourraient être intéressés par un cas d'une telle envergure :

— Advenant que quelqu'un de notre étude accepte ce mandat, comment seront acquittés les honoraires et les déboursés ?

Les deux Amérindiens se regardèrent, surpris. En fait, ils avaient prévu le coup. Mais ils ne s'attendaient pas à ce que la question prenne place si tôt dans le débat. Comment demander à un avocat de les représenter et d'être payé uniquement avec les bénéfices de l'affaire une fois la cause gagnée, et qui plus est, au moment où il n'est pas encore convaincu de son importance ?

Armstrong parla pour la première fois :

— La bande a bien une réserve pour frais légaux. Mais honnêtement, nous ne croyons pas qu'elle pourrait suffire pour acquitter entièrement vos honoraires et déboursés. Nous avions pensé vous proposer une entente par laquelle la communauté vous paierait sur une période de quelques années après la fin de l'affaire. Vous savez, dans notre idée, nous ne voyons pas comment nous pourrions perdre cette cause. Si notre nation gagne son point, comme nous le croyons fermement, il nous sera possible d'emprunter et de vous payer comptant peu de temps après. Les territoires qui nous appartiendront alors officiellement valent à eux seuls des dizaines de millions de dollars.

L'avocat ne réagit pas. Il avait mille raisons de refuser un tel mandat. Elles lui venaient toutes à l'esprit en même temps. Pourquoi remettre sa retraite en question ? Il y aurait toujours des mandats intéressants. Il avait bien mérité ce repos qu'il s'apprêtait à savourer. Sans compter que ce genre de dossier pouvait s'étendre sur plusieurs années. Et il avait des ententes de mise à la retraite à respecter. Il ne pouvait pas décider impunément de continuer d'exercer le droit après l'âge prévu au contrat, tout comme il lui aurait été difficile de se défiler avant l'expiration de l'entente. Mais même s'il s'agissait d'un mandat strictement personnel, comme les deux hommes l'avaient laissé entendre, ne pouvait-il pas se permettre de le refiler à ses associés ?

Il regarda ses deux interlocuteurs d'une manière plus attentive. Il avait reçu des milliers de clients pendant ses 30 ans de pratique du droit. Il avait appris à se méfier. Mais il s'était rarement trompé sur les premières impressions ressenties lors d'entrevues initiales. Quelque chose lui disait que ces deux hommes étaient sincères. Il éprouvait aussi la curiosité intellectuelle du juriste qui se demande jusqu'à quel point il peut mener à bien ses arguments de logique juridique, surtout dans un cas relié à des droits historiques. Justement, en raison de sa formation d'historien, ce genre de cas l'intéressait au plus haut point. Jamais, pendant toutes ses années d'exercice, il n'avait pu dénicher le mandat idéal dont les connotations historiques auraient mis à contribution ses connaissances. C'était là l'une de ses seules déceptions à titre de juriste.

Pendant longtemps, quand il songeait à sa retraite, il avait pensé terminer en douceur, sans arrêt brusque. Par exemple, en ne travaillant qu'au tiers de son temps à de petits dossiers triés sur le volet ou à quelques dossiers de plus grande envergure. Et puis, il y avait aussi cet instinct du batailleur qui l'avait toujours habité, comme un réflexe qui remontait vite à la surface — une sorte de réaction physique de bagarreur qui ne peut retenir le geste spontané du jab en face d'un adversaire.

— Pourquoi moi ? Il y a des milliers d'avocats dans la province. Seulement à Montréal, il y a des dizaines d'études très bien structurées et qui possèdent des gens spécialisés, reprit Charles.

Encore une fois les deux interlocuteurs se regardèrent avant qu'Armstrong se décide à parler.

— Le conseil vous a choisi pour plusieurs raisons. Bien entendu, à cause de votre expérience. Aussi à cause de votre réputation d'honnêteté. Et puis vous semblez être un des rares avocats à ne pas avoir peur d'affronter le système en place. Vous acceptez des mandats difficiles, particulièrement contre les gouvernements. Nous savons aussi que la plupart des grands cabinets recherchent les mandats des gouvernements, des corporations de la Couronne, des communautés urbaines, des municipalités régionales de comté, des municipalités, des ZEC… Vous n'avez aucune attache. Vous avez été le conseiller principal dans l'affaire des Mispuchas de l'Alberta. Votre réputation rayonne même au niveau international. En somme, vous êtes la personne toute désignée !

Charles Roquemont avait toujours accepté ses dossiers d'une manière libre et volontaire. D'ailleurs, combien de fois avait-il dû refréner ses impulsions premières dans l'acceptation ou le refus d'une cause ? Bien que l'approche des Amérindiens fût flatteuse, ils n'avaient recours à aucun artifice ou autre argument racoleur. Mais l'avocat était beaucoup trop rationnel pour décider, sur un simple coup de cœur, de prendre une affaire qui reporterait sa retraite à une date indéterminée et remettait en cause toute une série d'engagements affectant des tiers, particulièrement ses associés, sans oublier évidemment Fabiola, qui avait manifesté le désir d'être plus présente.

L'avocat recula son fauteuil. À bien y penser, il devait éviter le piège du dernier mandat, somme toute intéressant, rempli de défis et taillé sur mesure qu'on lui offrait. Dans les premières années de sa pratique, l'incertitude entourant le paiement des honoraires aurait constitué une fin immédiate de non-recevoir. Mais maintenant qu'il était relativement indépendant de fortune, il pourrait se permettre cette aventure avec plaisir. Il se souvenait par contre avoir fait remarquer récemment à ses associés que rien ne lui déplaisait autant qu'une personne qui s'accroche alors qu'elle a fait son temps. Une telle volte-face de sa part, même pour le goût de l'aventure, serait mal interprétée par ses associés. En somme, tout militait pour un refus.

En homme respectueux, Charles ne voulait éconduire ceux qui venaient lui demander son aide. Certains de ses associés seraient certainement intéressés par ce genre d'affaire. Il reprit :

— Si le dossier était référé à un autre avocat de l'étude, un jeune loup dont j'ai le nom en tête, qu'en penseriez-vous ?

— Ce n'est pas exactement ce que nous avions envisagé, dit Wagis d'une voix plus sourde. C'est vous et votre réputation que nous avons choisis. Pas votre étude. Ni aucun de vos associés.

Charles Roquemont restait perplexe. En sortant de l'étude Roberge, Roquemont, Rémillard, où iraient ces gens ? Par quel hasard se présentaient-ils ainsi, lors de sa dernière journée au cabinet ? N'était-ce pas là une occasion pour lui de terminer sa carrière avec une affaire retentissante ? Qui aurait, même en cas d'échec et dans la pire des hypothèses, une influence certaine sur l'avenir de ce pays dont on tentait de terminer la construction en tendant la main aux Premières nations et à toutes les ethnies ? Et puis, il n'avait qu'à commencer le mandat, quitte, s'il s'éternisait, à le laisser à ses associés. Les clients pouvaient le croire irremplaçable, mais lui savait bien qu'il y avait une relève montante.

Charles décida qu'il valait la peine d'en savoir davantage. Ils étalèrent alors sur la table de la salle de conférence la carte représentant le territoire revendiqué. Les discussions et les explications prirent certainement une bonne heure. Après avoir vu l'ampleur de la tâche, Me Roquemont retourna s'asseoir au bout de la table, songeur. Wagis rompit le silence :

— Et puis, est-ce que l'on peut espérer une réponse positive de votre part ? fit-il, presque suppliant.

Dans un ultime geste de défense, l'avocat poursuivit :

— Si je refuse, qu'allez-vous faire ?

— Nous n'avons jamais envisagé que vous refusiez, dit naïvement Wagis.

Charles était aussi amusé qu'agacé par tant de candeur et de spontanéité. De leur côté, les Amérindiens se doutaient bien que leur manière directe de s'adresser à l'illustre avocat avait des chances de jouer en leur faveur. Mais il y avait aussi des limites à respecter. Ils se demandaient, chacun de son côté, si cette limite n'avait pas été atteinte.

— J'assiste à une réunion des membres de notre société légale cet après-midi. Je discuterai de cette affaire. Messieurs, si vous voulez bien revenir demain matin, à 9 heures, j'aurai une réponse pour vous. D'ici là, eh bien ! croisez-vous les doigts !

La rencontre prit fin sur ces remarques. Dans son for intérieur, Charles Roquemont avait décidé de refuser le mandat.

Chapitre 8

Me Jude Roberge, président de la réunion, avait accepté de déplacer les points au projet d'ordre du jour afin d'étudier en priorité « la question d'un mandat spécial qui pourrait échoir à un associé partant ». Dans un bref exposé, sans dévoiler le nom des mandants ni les questions particulièrement délicates reliées à l'affaire, Charles avait brossé un tableau qui tenait compte de toute la problématique du dossier. L'un des éléments à considérer était une poursuite contre les gouvernements fédéral et provincial, voire même contre les Cris. Un autre était le fait que les mandants étaient un groupe d'autochtones. Il y avait aussi lieu de tenir compte du fait que le mandat, manifestement personnel, même si on pouvait envisager son transfert à un autre associé en cours d'exécution après avoir gagné la confiance des mandants, n'en déborderait pas moins la fin des ententes contractuelles qui le liaient à la société. Enfin, il y avait la question des honoraires.

Charles était habitué à ce genre de réunions où on discutait de problèmes extrêmement complexes. Malgré cela, le meeting ne se passa pas comme prévu. Tout d'abord, l'un des plus jeunes associés de l'étude s'opposa à l'acceptation par la société d'une entente contractuelle de cette nature, sans une garantie monétaire équivalente aux déboursés et honoraires d'au moins 50 % des prévisions initiales, qui devraient être établies d'une manière formelle et d'un commun accord avant que tout service ne soit rendu. En cours de route, l'étude pourrait exiger des avances pour la poursuite du dossier, quitte à se retirer de l'affaire si les versements appropriés n'étaient pas respectés.

L'un des associés seniors émit l'opinion qu'il n'était peut-être pas sage d'accepter un mandat qui mettrait l'étude aux prises avec le gouvernement fédéral. Il fit remarquer que, même si l'étude ne recevait pas habituellement de mandat du fédéral, il n'en restait pas moins que parfois, le cabinet pourrait être sollicité pour agir à titre de correspondant pour des études légales des autres provinces. C'était là se priver d'une clientèle potentielle intéressante. Aucun associé, ni junior ni senior, ne fit d'autre commentaire sur ce point. Charles ne dit mot. Il n'était toutefois pas sans savoir que cet avocat tentait désespérément, depuis plusieurs années, d'obtenir des dossiers du ministre du Travail du Canada concernant les griefs dans la fonction publique fédérale. Ces mandats étaient émis avec l'approbation du ministre de la Justice, l'un de ceux qui seraient certainement mis en cause dans la poursuite éventuelle des Indiens.

Plusieurs exprimèrent, toutefois, des craintes vis-à-vis de la perte éventuelle d'une partie de la clientèle existante. En effet, si certains des clients volatils du cabinet apprenaient que celui-ci représentait des autochtones, ils seraient peut-être tentés d'invoquer ce prétexte pour déserter. Ils convenaient tous que, depuis la crise d'Oka en 1990, les revendications des Amérindiens étaient fort mal acceptées par la population en général, particulièrement par les petites gens qui tenaient pour acquis que les Indiens profitaient au maximum du système, sans accepter d'y participer. La goutte qui avait fait déborder le vase était cette campagne amorcée dans les journaux américains pour vilipender les « cruels Blancs usurpateurs du Québec », qui avait fait chuter les ventes des obligations d'Hydro-Québec. Certains États américains avaient même voté des lois refusant tout achat d'électricité provenant du Québec, sous prétexte que des territoires avaient été pris de force à des Amérindiens.

Charles crut bon de ne pas intervenir dans ce nouveau débat à saveur ethnique. Toutefois, il fut grandement déçu quand un associé intermédiaire, qui avait sans doute peur de perdre sa position avantageuse dans la hiérarchie du bureau, exposa l'idée que les contrats étaient faits pour être respectés.

— Quand une date de mise à la retraite est acceptée, celle-ci doit être honorée… La société respecterait son engagement en versant, à compter de la date déterminée, les tranches de capital prévues au contrat… Par contre, l'associé mis à la retraite se doit de quitter tel que prévu…

C'est alors qu'un associé junior prit la parole. Dans un premier temps, en termes polis mais fermes, il entreprit de démolir les avancés du dernier intervenant. Si le cabinet avait la réputation avantageuse qui la caractérisait aujourd'hui, c'était grâce à des avocats de l'envergure de Me Roquemont :

— Il faut reconnaître que la notoriété de Me Charles Roquemont a conduit le cabinet au succès à la manière d'une locomotive. Le mandat offert à notre associé est personnel. Il aurait pu le refuser. Au contraire, il tente d'en faire profiter l'étude qu'il est sur le point de quitter. C'est là tout à son honneur. Or, qu'a exigé le cabinet depuis de nombreuses années de la part de ses membres ? Que ceux-ci atteignent les sommets et fassent connaître l'étude afin qu'elle soit en constante progression. Le cabinet, au cours des ans, a bénéficié de cette compétence de Me Roquemont. Celui-ci a été cité en exemple aux jeunes qui arrivaient chez nous. Refuser un tel mandat, sous réserve de débattre les autres points accessoires, bloque la roue que des années de travail de toute une équipe a réussi à mettre difficilement en marche. À tout le moins, il relève de la dernière mesquinerie de refuser à un associé si talentueux, si efficace, si dynamique et si réputé, la prolongation temporaire d'une association pour une période de quelques mois, lesquels seraient suffisants pour effectuer si nécessaire un transfert de mandat.

Charles jubilait intérieurement. Ce jeune avocat qui s'exprimait avec tant de conviction était un stagiaire qu'il avait lui-même engagé quelques années plus tôt. Celui-ci, sans ménagement, continua sur sa lancée :

— Je considère comme un manque d'imagination de la part d'administrateurs collets montés le refus d'étudier les aménagements contractuels requis pour faire face à une situation *ad hoc*, somme toute plus facile à gérer, à ce que j'en sais, que bien des crises internes qui se sont déclarées au cours des ans.

Jude Roberge resserra sa cravate. Le junior continuait :

— Quant aux poursuites contre le gouvernement fédéral, elles ne diffèrent pas substantiellement de celles déjà entreprises par l'étude dans le passé. Cela a même apporté au cabinet une nouvelle clientèle qui était consciente que l'étude ne reculait devant rien dans l'exécution des mandats qui lui étaient confiés. Quant à la prétendue manne promise des cabinets correspondants des autres provinces, elle se fait attendre depuis 15 ans. Ne vaut-il pas mieux considérer un client existant plutôt qu'un client potentiel ? À moins que certains associés croient que leurs chances d'obtenir des dossiers du gouvernement canadien soient affectées ? Ou que certaines nominations à la magistrature ne soient reportées à cause de telles poursuites ? Mais il s'agit, vous en conviendrez, en grande part, d'intérêts personnels de carriéristes qu'on fait passer avant ceux du cabinet…

En prononçant ces dernières paroles, le jeune avocat avait balayé du regard le fond de la salle où étaient assis la plupart des avocats les plus âgés de l'étude. Mais il n'en resta pas là :

— Il reste la question des honoraires et celle de la réputation de l'étude si elle représente un groupe autochtone. Tout d'abord, la question des honoraires n'est pas une fin de non-recevoir. Il est vrai qu'il n'est pas bon de déroger aux règles administratives d'une saine gestion qu'il a fallu bien du temps à mettre en place afin de contrôler l'inconscience de certains avocats poètes. Mais le mandat, tel que proposé, peut s'avérer être un bon risque pour le cabinet si toutes les facettes en sont bien étudiées. En cette période de crise économique, il n'y a pas lieu de s'éloigner des balises de la rentabilité. Toutefois, il faut se demander si, en raison d'une prudence extrême, le cabinet n'est pas en train de passer à côté d'un mandat fort lucratif. Mandat qui peut lui donner une visibilité importante, elle aussi évaluable en termes de retombées. Donc, ce point est à revoir et à étudier avec le client potentiel lors de l'élaboration d'un mandat définitif.

En ce qui concerne, maintenant, « le fait de représenter des autochtones »… Il y a des années que l'étude cherche à obtenir une visibilité au niveau pancanadien. Pour une fois qu'elle pourrait l'obtenir, elle se défile. C'est de la foutaise de croire que les clients vont déserter l'étude si celle-ci représente des Amérindiens. Certes, les Québécois en ont ras le bol de ces Amérindiens qui profitent du système. Mais est-ce qu'ils désertent Provigo parce que les Amérindiens vont faire leur marché à cet endroit ? Est-ce que les Québécois refusent d'aller aux Caisses populaires Desjardins parce que les Amérindiens en sont membres ? Bien au contraire, l'étude sera encore plus respectée parce que, encore une fois, elle ne craindra pas la controverse. Elle acceptera de poursuivre non seulement le gouvernement du Québec, mais aussi le gouvernement fédéral. Et qu'arrivera-t-il, pensez-vous, si l'étude est victorieuse ? Croyez-vous vraiment que les clients déserteront ?

Tout au long du débat, Me Jude Roberge parut mal à l'aise. Il n'intervint toutefois pas directement, se contentant de parler à voix basse avec un autre associé senior assis à sa gauche. Cet avocat demanda le vote sur la question. Charles se retira de la salle de délibérations, non sans avoir remarqué un certain malaise entre jeunes et vétérans de l'étude.

En soirée, Charles tenta vainement de contacter Fabiola. Il lui laissa un message sur son répondeur, mentionnant tous les endroits où elle pourrait le rejoindre.

Chapitre 9

En entrant le lendemain matin, Charles trouva sur son bureau trois rangées de dossiers sur lesquels la secrétaire avait placé les mémos de transfert dictés la veille. Il y avait aussi plusieurs billets d'appels téléphoniques à retourner. Aucun cependant de Fabiola. Sur sa chaise, une enveloppe cachetée portant l'en-tête du cabinet. Il l'ouvrit. C'était une copie du procès-verbal de la réunion de la veille. À neuf voix contre sept, les associés lui refusaient l'autorisation d'accepter le mandat des autochtones. « Il n'est pas non plus dans l'intention actuelle du cabinet d'accepter un mandat de qui que ce soit qui représenterait, dans le contexte actuel, une occasion de poursuite contre le gouvernement fédéral. » Le mémo, signé par le président du conseil, comportait un *post scriptum* adressé directement à Charles : « Veuillez noter que tout mandat contre rémunération accepté par vous à l'intérieur des limites de la province de Québec, dans les 3 ans de votre mise à la retraite, ferait que la clause 27.03 de la convention de société devrait s'appliquer. En effet, vous serez alors considéré comme exerçant encore la profession d'avocat à l'intérieur des limites prohibées par la clause de départ, tant dans l'espace que dans le temps. De tels agissements occasionneraient alors immédiatement l'application de la clause en question qui prévoit une pénalité égale aux sommes de versement en capital qui sont dues. Il y aurait alors lieu pour l'étude de cesser de vous effectuer tous les versements prévus de remboursement en capital sur une période de 5 ans. »

Charles respira mieux. Cette décision lui pesait. L'acceptation d'un tel mandat aurait remis en cause ses projets à court et à moyen terme. Cela ne l'empêchait pas toutefois, si l'on considérait uniquement l'intérêt du cabinet, de trouver cette manière de procéder indélicate, mesquine et bornée. Mais cette décision lui facilitait la tâche. Il n'avait plus qu'à aviser messieurs Armstrong et Wagis d'aller consulter ailleurs. Le seul point positif de cette réunion était qu'il laissait au moins un bon poulain dans l'écurie. Il l'avait formé à son image et il ne le décevait pas.

À 9 heures pile, les deux Algoncris entraient dans la salle de réunion. Charles leur fit offrir du café et des brioches, geste qui aidait toujours à meubler les minutes difficiles à passer. Il les avait fait asseoir à une petite table ronde, dans un coin de la pièce, plutôt qu'à l'immense table de la salle de conférence.

L'avocat prit une grande respiration, s'apprêtant à leur annoncer la mauvaise nouvelle. Comme si son temps était compté, Wagis mit sa montre devant lui sur la table. L'avocat ne comprit pas le geste, inhabituel de la part d'un client. Il songea que cela aurait été beaucoup plus approprié qu'il exécute ce geste lui-même, son temps étant sans aucun doute plus rare que celui de l'Amérindien. D'autant plus qu'il s'apprêtait à perdre de précieuses minutes à leur expliquer pourquoi il ne pouvait pas accepter le mandat.

Après quelques échanges sur la température et quelques lampées de café, Charles y alla directement :

— Comme vous le savez, je ne pouvais pas décider seul de l'acceptation ou du refus d'un mandat tel que vous me le proposez. La question a été portée à l'attention du conseil d'administration. Malheureusement, la réponse est négative. Je regrette beaucoup… Le mieux que je puisse faire est de vous référer à des confrères membres d'autres études… Si vous le désirez, bien entendu…

L'avocat s'attendait à une certaine réaction de la part des deux Amérindiens. Il fut surpris du peu d'effet que sa réponse suscitait. Wagis prit la parole. D'une voix calme, il dit, en regardant son interlocuteur dans les yeux:

— Me Roquemont, je vous demande de reconsidérer votre décision…

Il glissa alors doucement la montre vers l'avocat. Sans la soulever. Celui-ci remarqua alors qu'il s'agissait d'une vieille Westclock couleur argent, sans vitre, au cadran jauni. Wagis expliqua:

— C'est la montre qui a appartenu à votre père, Majella Roquemont. Il l'avait donnée à mon père Joseph Wagis avant son accident survenu en 1938. La montre n'a pas fonctionné depuis le jour où mon père est mort noyé en tentant de sauver votre père tombé dans la rivière… Reprenez-la.

À son tour, Charles Roquemont regarda l'Indien dans les yeux. Pour la première fois depuis le début de leurs entretiens, il ressentit un étrange malaise. Puis il prit la montre. La tourna lentement dans ses mains. Cela pouvait bien être celle dont Anna lui avait parlé. Majel l'avait reçue de pépère Moisan avant son premier départ pour une mission d'arpentage.

L'Indien reprit d'une voix tremblante:

— Ma mère, aujourd'hui décédée, m'a dit: «L'homme que j'ai connu qui s'appelait Majel, c'était un homme d'honneur. Je suis sûre qu'il va revenir un jour pour aider notre peuple. Il a une dette envers mon mari. Il a une dette envers moi. Il a une dette envers mon enfant. Il a une dette envers les Algoncris! »

L'Amérindien ne crut pas bon d'ajouter les mots qui lui brûlaient la langue: « Ce moment est maintenant arrivé... C'est la survie de toute notre bande qui est en jeu... C'est possible de nous aider... Vous devez nous aider... Voilà l'occasion de payer la dette de Majel... »

Charles palpa de nouveau la montre avec douceur. Puis il recula son fauteuil, et ses yeux semblèrent fixer un lointain passé. Il dit:

— Majel m'a souvent parlé des Amérindiens qu'il avait connus dans le nord de l'Abitibi et de quelle façon courageuse votre père, Joseph, dans les rapides de Grandes Savanes, avait perdu la vie en le sauvant d'une mort certaine... Si Joseph Wagis n'avait pas sauvé mon père, moi, Charles Roquemont, je ne l'aurais jamais connu... Mon frère Paul n'aurait pas vu le jour... Je sais aussi que mon père, à l'époque, avait fait de nombreuses démarches pour retrouver la famille de l'Indien qui lui avait sauvé la vie. Mais il ne connaissait que leurs prénoms. Puis la famille, votre famille, circulait sur le territoire suivant les saisons...

— Bon... Moi, j'étais trop jeune à l'époque, je ne me souviens pas de ça, dit Wagis.

— Moi, je n'étais pas né, dit Armstrong.

Les trois hommes gardaient un silence religieux. Armstrong serrait maintenant tellement fort le bras de Wagis que le geste, pour un étranger, eût paru indécent.

Charles ferma les yeux, tout comme s'il faisait une prière. La réflexion dura un moment, suffisamment long pour qu'Armstrong relâche son emprise du bras de son compagnon et croise deux doigts derrière son dos.

— Messieurs, fit-il, puis-je vous demander un temps de réflexion supplémentaire ? Disons, quelques jours pour être plus précis ? Je n'étais pas préparé à ce genre de rencontre. Je vais voir ce que je peux faire.

Le lendemain matin, Charles n'avait pas encore déposé son parapluie dans le vestiaire que la secrétaire de Me Roberge lui fit savoir que celui-ci voulait le rencontrer immédiatement dans son bureau.

La veille, Charles avait promis aux Amérindiens qu'il les recevrait trois jours plus tard. Il se doutait bien du sujet de l'entretien sollicité par le président, mais le ton de la rencontre le surprit.

L'avocat senior ne lui offrit même pas une tasse de café avant d'attaquer le fond du sujet :

— Charles, tu as pris connaissance de la décision du comité exécutif concernant le mandat des Algoncris.

— Certainement.

— Je n'irai pas par quatre chemins. Dans notre cabinet, quand on verse le gros prix à des actuaires-conseils pour préparer des plans de retraite, on fait tout pour suivre les échéanciers fixés.

— Mais je n'ai pas couru après ce mandat. C'est arrivé comme ça, à ce moment-ci, c'est une coïncidence.

— Coïncidence ou pas, j'ai bien l'intention de faire respecter à la lettre les ententes signées. Je voulais t'avertir personnellement. Et ça, malgré le respect que je te dois…

Charles sentait la colère l'envahir. On invoquait le mot « respect » alors que la conversation elle-même se tenait dans l'irrespect. Qu'avait-il fait pour qu'on oublie aussi vite ses faits d'armes passés ? D'autant plus que son interlocuteur avait été davantage un répartiteur de dossiers dans sa carrière qu'un vrai juriste. Aux yeux de Charles, des bons *dispatchers*, cela pouvait se trouver dans n'importe quelle compagnie de transport ! Tandis que des juristes, des penseurs, des chercheurs, des auteurs de doctrine juridique et des plaideurs étaient plus rares. Il croyait avoir été l'un de ceux-là et même plus, un des piliers de cette étude. Il décida de passer à l'attaque :

— Tu es si pressé que ça de distribuer entre les associés la valeur participative de mes parts sociales ?

— Voyons, mon ami, reprit le président, d'une voix un tantinet plus basse, tu sais bien qu'il s'agit d'une question de principe !

Le senior, suivant son habitude lorsqu'une chose l'agaçait, resserra le nœud de sa cravate. Charles, dont l'instinct agressif du plaideur d'expérience prenait le dessus, ne laissa pas le temps à son adversaire de récupérer son souffle :

— Quand c'est une question d'argent, il me semble que tu appliques les principes plus vite et plus durement.

— Voyons, voyons, Charles, nous n'allons pas nous chicaner, tout de même.

Charles sentit que Roberge se repliait sur la défensive. Outré et, il faut bien le dire, malicieux, en homme sûr de lui, il continua :

— La vraie raison, c'est que si le bureau entame une procédure contre le fédéral, ça va mettre en péril ta nomination à la Cour supérieure !

Roberge était cramoisi. Il se leva d'un bond et donna un coup de poing sur la table.

— Qu'est-ce que tu vas chercher là ? hurla-t-il.

Charles ne pensait pas avoir visé si juste. Jamais, en plus de 20 ans d'association avec cet homme, il ne l'avait vu s'emporter de la sorte.

— Certaines rumeurs ne sont pas toujours sans fondement, reprit Charles. Tu prends de l'âge, tu as moins le feu sacré. Tu as été vice-président du Barreau il y a déjà 2 ans. Il faut que tu récoltes avant que les gens oublient ton «bénévolat». Comme la plupart des bâtonniers, des présidents et des vice-présidents de section. Vous êtes tous pareils…

Le président du cabinet ne savait plus si Charles se payait sa tête ou cherchait encore à l'asticoter; il tenta de clore la conversation sur un ton neutre.

— C'est certain que chacun tente d'avoir un cheminement professionnel intéressant. Mais je peux t'assurer que je ne suis pas en conflit d'intérêts dans cette affaire-là.

— Si je comprends bien, résuma Charles, la décision de la société est irrévocable: si j'accepte le mandat des Algoncris, le cabinet invoquera la rupture de la clause de non-concurrence incluse au contrat de société et mettra fin immédiatement aux versements mensuels échelonnés sur 5 ans représentant la somme totale de 450 000 $ et des grenailles? C'est bien toi qui as signé ce mémo-là!

— C'est bien ça, fit le bedonnant Roberge, touchant de nouveau son col.

Des gouttes de sueur perlaient maintenant sur le front du senior. Charles n'attendit pas que son interlocuteur mette fin à la réunion. Il tourna les talons et sortit du bureau sans le saluer. Il retourna dans son bureau dont les classeurs étaient à demi vides. Il s'assit.

Trois mots martelaient son esprit: «*Stop-look-listen!*»

Après s'être assuré que Charles avait bien réintégré son bureau, Me Roberge ferma la porte du sien. Contrairement à son habitude, il composa personnellement un numéro de téléphone.

— Je voudrais parler au sous-ministre de la Justice, s'il vous plaît. Dites-lui que c'est Me Roberge et que c'est urgent.

Il attendit à peine quelques instants et prononça ces mots :

— Ah ! Bonjour Monsieur. Je vous appelle, tel que convenu, dans l'affaire des Algoncris… Aucun avocat de notre étude n'acceptera ce mandat, je peux vous l'assurer… Quant à Me Roquemont, je…

Chapitre 10

Avant de quitter le bureau, Charles put rejoindre Fabiola pour l'inviter à souper. Il choisit le *Michelangelo*, l'un des plus prestigieux restaurants italiens de la Vieille Capitale. « Le décor aidera à la discussion », songea-t-il. Il s'assit à sa table habituelle, une bonne heure à l'avance. Comme avant toute réunion d'affaires importante, il prépara sa stratégie. Il se demanda comment présenter à Fabiola la possibilité qu'il ne prenne pas immédiatement sa retraite. Ils ne vivaient pas encore en couple, mais la question se poserait bientôt. Comprendrait-elle bien sa situation ? Cette réflexion fit remonter en lui les souvenirs de leur première rencontre, six mois plus tôt.

C'était lors d'un colloque sur la fiscalité tenu à Toronto. Il était difficile de ne pas la remarquer puisqu'elle dirigeait un atelier. Le carton placé devant elle sur la table indiquait « Fabiola Harton ». Elle s'exprimait dans un anglais impeccable. Il crut même, à prime abord, qu'elle était anglophone. Mais comme il l'apprit par la suite, elle était bien une Canadienne française native de Charlevoix. L'aisance avec laquelle l'animatrice dirigeait les débatteurs, la plupart étant des hommes spécialistes de questions économico-fiscales, était simplement remarquable.

Le sujet traité était passablement complexe : *Les grands courants mondiaux des législations fiscales contemporaines*. Loin de chez lui, Charles se sentait un peu en vacances. Il posa son crayon, n'écouta plus les propos de la conférencière, mais la détailla à loisir : jolie femme, bien proportionnée ; tailleur saumon avec chemise en V ; aucune bague, aucun bijou, sauf de minuscules boucles aux oreilles, subtilement assorties. Ce qui se dégageait d'abord du visage était ce regard lumineux, appuyé par un sourire omniprésent. Sans doute ses cheveux noirs coiffés au-dessus des oreilles et son front dégagé ajoutaient-ils une touche indéfinissable au brillant tableau qu'elle offrait. Voix juste, timbre parfait, ton posé, une impression de charisme émanait de toute sa personne. Allure calme et désarmante pour une fiscaliste qui devait traiter un sujet si aride. Elle semblait en pleine possession de ses moyens. En somme, une vision fort plaisante pour un congressiste !

Charles se souvenait avoir pris les moyens nécessaires pour la rencontrer au cocktail de fermeture. Puis le hasard les avait réunis sur le même vol d'Air Canada pour le retour à Québec. Ils firent alors plus ample connaissance. Bien entendu, comme deux adultes sages, ils parlèrent en premier lieu de leurs activités professionnelles. Elle, de ses expériences dans la comptabilité et la fiscalité ; lui, dans le domaine du droit et de l'histoire. Ils convinrent de se rencontrer de nouveau « pour discuter au niveau professionnel de dossiers connexes »…

Charles trouvait ce contact avec Fabiola enrichissant. Vivifiant. Cette femme irradiait tant d'énergie. Et puis, il y avait ce regard magique, hypnotique, qu'il aurait aimé approfondir davantage. Une fin de journée, où ils avaient travaillé ensemble sur un difficile dossier de fusion d'entreprises, il décida de l'inviter à souper. Il se souvenait encore de la scène. Il avait les mains moites tant il redoutait un refus. La secrétaire venait de faire signer le dernier document terminant le dossier. Il s'était raclé la gorge. À sa grande surprise, Fabiola avait parlé la première :

— Charles, je t'invite à souper ce soir si tu es disponible.

Un instant, il eut le vertige. Il crut avoir rêvé. C'était extraordinaire ! Pour la première fois, une femme prenait les devants pour lui lancer une invitation. Il se souvenait encore de la phrase stéréotypée que lui, en macho bien orgueilleux, avait expulsé de sa bouche comme par instinct :

— On peut toujours arranger ça !

Puis, le sourire de Fabiola avait fait le reste.

Ce premier repas en tête-à-tête fut des plus chaleureux. Ils se connurent vraiment ce soir-là. Il apprit qu'elle était fille unique d'un marchand de La Malbaie, où ses ancêtres allemands étaient venus s'établir comme mercenaires dans l'armée anglaise. Le premier Harton faisait partie du régiment Anhalt-Zerbst qui, en 1777, avait établi ses quartiers dans la seigneurie de Murray Bay, aujourd'hui La Malbaie. Elle avait été élevée dans un milieu de commerçants, ce qui l'avait tout naturellement dirigée vers des études en administration et en comptabilité. Par la suite, pour percer, elle s'était spécialisée en fiscalité, ce qui lui avait permis d'obtenir un poste traditionnellement réservé aux hommes. Elle avait bien eu quelques amants, mais sa profession avait pris le dessus. Elle s'était ainsi valorisée dans un milieu masculin. Elle croyait avoir réussi. Fabiola avait constaté avec les années que sa remarquable carrière attirait certains hommes et en faisait fuir d'autres...

La suite était connue des proches de Charles. Tous se doutaient qu'il n'avait aucune femme exclusive dans sa vie. Mais Fabiola semblait bien s'accommoder de cette situation. Elle était souvent à l'extérieur pour des événements d'ordre professionnel. Charles, de son côté, était sans cesse occupé par ses importants dossiers.

⁓

Le repas au *Michelangelo* fut moins long que prévu. À peine assise, Fabiola lui demanda d'en venir au véritable but de la rencontre.

— Quand tu m'invites ici, c'est toujours important, dit-elle d'entrée de jeu.

Quelque peu fatigué, il expliqua peut-être mal toutes les implications émotives reliées à l'affaire. Il eut beau lui répéter qu'il voulait son avis sur cette décision difficile à prendre, elle prit la mouche sans véritablement l'écouter.

— Pourquoi m'as-tu demandé d'étudier ton projet de retraite au point de vue fiscal ?

— Mais je voulais prendre ma retraite. Je le veux encore. Tes chiffres me seront fort utiles de toute manière…

— Comment se fait-il qu'au premier client qui se présente, tu remettes immédiatement en question une décision mûrement réfléchie depuis des mois ?

— C'est une coïncidence que ça arrive ainsi…

— Tu ne penses pas à moi ? Ça ne me servira à rien de prendre une semi-retraite !

Il se demanda s'il ne devait pas déplacer le débat sur un autre terrain : la grandeur de la mission qu'il pouvait remplir auprès des Algoncris démunis.

— Si tu avais à choisir entre avoir un enfant et être l'inventrice d'un carburant non polluant pour les automobiles, ou l'auteur de toute autre trouvaille importante pour l'humanité, que déciderais-tu ? lui demanda-t-il.

— Je ne sais pas, dit-elle d'une voix hésitante. Mais ne cherche pas à me posséder avec tes idées de valeurs universelles. Dans ton cas, si tu acceptes ce mandat, cela ne représentera ni la naissance d'un enfant, ni une invention révolutionnaire !

De guerre lasse, finalement, Charles battit en retraite. Il se dit qu'il valait mieux suivre sa première idée, celle de rencontrer sa belle-sœur Luce et ses enfants. En fait, n'étaient-ils pas encore ses seuls véritables confidents ?

Chapitre 11

Luce l'invitait à la maison régulièrement, mais Charles déclinait fréquemment, en raison de ses horaires trop chargés. Cette raison ne tiendrait plus dans le futur. Charles lui avait mentionné que, pour cette fois, il rencontrait la famille par intérêt, pour obtenir son point de vue sur une décision difficile à prendre. Il s'était bien assuré que Margo et Clément soient aussi présents. Kevin, inscrit à un cours d'été en anthropologie à l'université, était aussi de passage. Prise de court, Luce n'avait pas eu le temps de préparer une recette des grandes occasions et s'en excusa.

Charles expliqua l'affaire du mandat et la problématique reliée à sa retraite. Luce questionna :

— Ça semble évident que si tu acceptes le mandat, tu vas perdre un joli montant d'argent qui te revient de plein droit… Tu ne peux pas trouver un autre moyen d'aider les Algoncris sans prendre toi-même le mandat ?

— Non. Le contrat est formel : aucune entente contractuelle reliée à un mandat, de façon directe ou indirecte, répondit Charles.

— Tu ne pourrais pas être uniquement consultant, et conseiller un autre avocat ? demanda Clément à son tour.

— Il ne faut pas se le cacher, ce qui est défendu, c'est le transfert d'expérience, d'expertise… L'utilisation des connaissances acquises, quoi ! Et cela, ce serait encore agir indirectement, continua Charles.

— Même si tu offres tes services gratuitement ? demanda Kevin.

— Oui, même si c'est du bénévolat. Il faut comprendre que, dans le cours normal des affaires, le but recherché par de telles clauses est que l'avocat partant ne s'en aille pas travailler ailleurs et emporte avec lui la clientèle et l'expertise qui ont été développées sur une longue période et souvent à grand frais. En somme, un cabinet s'assure toujours qu'un membre qui part n'ira pas travailler dans ses plates-bandes et lui faire perdre des acquis.

— Mais dans ce cas, soumit Margo, l'étude ne veut même pas prendre ce mandat ! C'est donc qu'on détourne l'utilisation de cette clause à d'autres fins…

— Tu as probablement raison, continua Charles, mais comme tu peux le voir, l'intérêt du cabinet est constitué de l'ensemble des intérêts majoritaires de ses membres. Or, il y a eu un vote. Tout ça a été discuté. Et la clause ne fait pas de distinction.

— Mais avec une clause comme ça, un jeune qui change de bureau ne pourrait jamais gagner sa vie ! Ça n'a pas de bon sens !

— Les tribunaux ont retenu cette argumentation pour un jeune qui change de travail, expliqua Charles. Par contre, pour un senior qui prend sa retraite, ces clauses-là ont été reconnues comme parfaitement légales…

Luce, aidée par Kevin qui transportait les plats, invita les convives à attaquer le buffet froid qu'elle avait préparé en hâte :

— Servez-vous !

La discussion se poursuivait, mais Charles décida de faire dévier le débat.

— Ce que je veux de vous tous, ici, c'est votre avis sur la rationalité d'une telle décision. C'est certain que si j'accepte, je ne fais pas une bonne affaire au niveau monétaire. Je me demande encore si je ne ferais pas une erreur pure et simple en représentant les Algoncris…

Clément, qui n'était pourtant pas le plus volubile, sentit le besoin de parler le premier :

— Il me semble que tout favorise un refus de ce mandat. D'abord la question d'argent. Ensuite, les autres intérêts divergents. Il ne faut pas minimiser les difficultés à rencontrer dans l'exécution du mandat. Il faut aussi considérer la durée, qui peut s'avérer beaucoup plus longue que prévue. Moi, je dis que la vraie question est de savoir, mon oncle, si tu as le cœur à la bagarre. En fait, es-tu prêt à te lancer dans une telle aventure alors que tu es en train de fermer les livres, comme on dit ?

Charles ne répondit pas. Il se tourna vers Luce qui voulait à son tour exprimer son opinion :

— Je crois que Clément pose les bonnes questions. Si on fait l'addition des avantages et des désavantages, il me semble que tu te lancerais dans quelque chose d'assez problématique. Je me souviens, pas plus tard qu'il y a deux mois, tu me parlais de tes projets de voyages, d'écriture, de ton camp… J'ai toujours compris que tu voulais maintenant t'occuper un peu plus de toi… Je ne veux pas m'infiltrer dans ta vie privée, mais… en as-tu parlé à Fabiola ?

Charles n'aimait pas, en effet, que l'on parle de ses affaires de cœur. Avant tout, il n'appréciait pas que la personne à qui il posait une question réponde par une autre question. Mais à Luce, qu'il affectionnait particulièrement, il laissait tout passer. Imperturbable, il répondit :

— Tu sais bien que je lui en ai parlé. Elle m'a donné une réponse de fiscaliste. Et je vous consulte à votre tour.

C'est clair que toute cette affaire dérange mes plans... Mais vous êtes ma famille. J'aime entendre ce que vous avez à dire.

Kevin sentit la chaleur de cette réunion. Lui, un Américain, simple ami de Margo, on le considérait déjà comme un membre de la famille. Il regarda sa compagne, qui n'avait pas encore parlé. Elle lui fit un petit sourire qui semblait signifier : « Allez, donne ton idée, toi aussi... »

— Dans la vie, il faut choisir soi-même et non pas se faire dicter par les autres ce qu'on veut faire, dit Kevin. Mais quand la décision est prise, il faut vivre avec et ne pas mettre les malheurs qui surviennent sur le dos des autres. Moi, je n'ai pas encore de travail. Le plan de match de ma vie se concrétise peu à peu. Je suis encore dans l'incertitude. Je ne suis pas à votre place. Peut-être que j'opterais pour la sécurité financière. Toutefois, ce qui fait vivre est souvent la décision la plus irrationnelle, celle qui nous nourrit et nous permet d'aller plus loin. Je serai donc de ceux qui vous appuieront si jamais vous décidez de faire ce que certains peuvent appeler une folie...

Charles se tourna vers Margo.

— Je pense que tout a été dit, commença-t-elle. C'est clair que la solution la plus facile est de refuser le mandat. Mais après mûre réflexion, à condition de croire au destin, je me demande si toute ta vie ne t'a pas préparé à l'exécution d'un tel mandat. Le fait qu'il soit accompli gratuitement ou que tu perdes beaucoup d'argent, peut-il un instant devenir secondaire ? Moi, je suivrais mon cœur. Personne n'a parlé ici encore de la dette de grand-papa Majel aux Algoncris. Moi, je trouve que la clef est là. Tu peux décider de dire oui en suivant ton cœur ou de dire non, en suivant ta raison. Mais ensuite personne ne sera autorisé à te faire de reproches.

Charles avait écouté avec grande attention. Il vit que Luce et Clément voulaient encore s'exprimer.

— Je veux te dire, Charles, que quoi que tu décides, nous t'appuierons, dit Clément. Je voulais ajouter cela pour te faciliter la tâche…

— Quant à moi, reprit Luce, je constate que la plupart des retraités, après avoir voyagé, lu et écouté de la musique, cherchent des occupations comme bénévoles, question de revaloriser leur existence. Il est donc important, si on met la question de l'argent de côté, que tu fasses des choses qui t'intéressent. Je suis d'accord pour que tu rembourses la dette de ton père Majel, mais c'est à toi de juger si le prix à payer n'est pas exorbitant.

Charles serra affectueusement la main de Luce. Il les remercia tous pour la franchise de leurs opinions. Pour détendre l'atmosphère, il s'informa de leurs activités courantes. Cependant, cette diversion ne réussit pas; ils revinrent vite au sujet principal.

La discussion, amicale, voire fraternelle, se poursuivit jusque tard en soirée.

— Il semble clair que ce qu'ils veulent avant tout, c'est mon expertise à titre d'avocat dans un dossier fort complexe. Je ne vois pas que cela puisse se remplacer par une somme d'argent…

— Mais tu pourrais faire accepter le mandat par une autre étude légale et les assister comme avocat-conseil, dit Clément.

— Tout ça est prévu dans notre contrat de société: c'est prohibé et c'est comme si je pratiquais à mon compte. Dans un cas comme dans l'autre, j'ai la liberté d'agir, mais je perds les avantages de versements en capital prévus au contrat.

— Est-ce indiscret de demander ce que cela peut représenter ?

Luce sembla trouver la question déplacée. Charles n'en continua pas moins :

— Disons que ça représente, à l'œil, plus de 400 000 $ brut... Moins les impôts, c'est une perte de 225 000 $...

— Ouf ! firent ensemble Clément et Margo.

— Ne peux-tu pas exiger des Algoncris des honoraires équivalents à la somme que tu perdrais ? dit Luce.

— C'est une possibilité théorique. Mais je ne crois pas vraiment que les Indiens soient capables de seulement payer les honoraires au tarif horaire que j'avais l'habitude de commander...

— C'est certain que si ce Joseph Wagis n'avait pas sauvé notre grand-père, nous ne serions pas au monde aujourd'hui... dit Margo.

— Mais le prix à payer pour aider ces gens sympathiques, dit Clément, me semble tellement élevé ! Démesuré, même !

— On ne va tout de même pas commencer à calculer ce que valait la vie de grand-papa, dit Margo, courroucée.

— Non, c'est pas ce que j'ai voulu dire... reprit son frère.

— Eh bien ! Je vous remercie. Toutes ces discussions ne sont pas inutiles. Je vais donc prendre une décision.

Il se leva, prêt à quitter la maison. Margo sentit le besoin d'ajouter :

— Tu pourrais te demander ce que Majel aurait fait à ta place...

En la quittant, Charles demanda à Luce :

— Et, ce monsieur Lebrun, t'a-t-il impressionnée ?

— Nous devons dîner ensemble cette fin de semaine, répondit-elle en rougissant quelque peu.

Chapitre 12

Le jour suivant, Charles ne fut pas surpris de recevoir un appel téléphonique du vice-président du Barreau et son invitation à dîner. Comme pendant sa pratique, il avait exercé aussi en droit de la déontologie, il était persuadé que celui-ci lui parlerait du poste de syndic de la corporation qui était ouvert. C'était une fonction de pouvoir et de prestige, réservée à des personnes expérimentées et au dossier professionnel impeccable. Même si le vice-président ne lui fit pas part du but précis de la rencontre sollicitée, Charles le voyait venir de loin avec son offre et il jugea inopportun d'en discuter au téléphone. En raison des difficultés reliées aux tâches de syndic, il n'avait pas du tout l'intention d'accepter un tel poste, même à temps partiel. Ce fut donc par politesse qu'il accepta l'invitation. Comme convenu, ils se rencontrèrent au restaurant *Le Caucus* du *Hilton*.

— Je dois partir pour Ottawa cet après-midi, nous ferons un *quick lunch*, si tu veux bien, lui dit le collègue avocat.

— Pas de problème, moi aussi, je veux entrer tôt au bureau. Tu sais, je suis en train de terminer le transfert de mes dossiers aux associés…

— Oui… je sais. Pas trop pénible, cette sortie ?

Charles chercha une réponse intelligente et non compromettante. Il n'eut pas le temps de formuler une réponse qui, de toute évidence, ne semblait aucunement intéresser son interlocuteur. Celui-ci continua :

— J'irai directement au but. Voilà. Euh… Je suis confidentiellement chargé par un membre du cabinet fédéral de te faire la proposition suivante : le ministère de la Justice t'offre le poste de président de la Commission d'enquête sur les drogues douces. Le salaire est équivalent à celui d'un juge de la Cour d'appel. Ça frise les 250 000 $ par année. Le mandat serait d'un an. Un concours s'ouvrira d'ici 15 jours par une publication dans les journaux. Mais le poste t'est réservé à l'avance. Il te suffit de remplir les formulaires et de les faire parvenir au ministère.

— Pardon ? Ai-je bien compris ?… Un poste réservé ?

— Tu as bien compris, Charles. Un poste réservé, répéta-t-il en le regardant bien dans les yeux.

— Mais… Que me vaut ce privilège ? Tu sais bien que je n'ai jamais postulé, même si pour un avocat c'est toujours valorisant de terminer ainsi sa carrière…

— Il y a évidemment une condition…

— Ah ! Ça ne me surprend pas, dans les circonstances… Laquelle ?

L'homme, cette fois, baissa les yeux, comme s'il avait consulté un dossier invisible devant lui. Il reprit, d'une voix basse :

— Tu dois refuser d'accepter de quelque manière que ce soit un mandat concernant les revendications des Algoncris…

Charles sentit immédiatement une chaleur monter en lui. Il reposa sur la table la tasse de thé qu'il s'apprêtait à porter à ses lèvres. « C'est donc ça », se dit-il. Sa grande expérience des tribunaux, alors qu'il était soumis à des chocs émotionnels intenses, lui avait appris à manifester une grande retenue dans de telles occasions. À son tour, il regarda l'émissaire du ministère dans les yeux. Celui-ci, homme public habitué aux confrontations, soutenait également son regard. Charles reprit, sans le laisser voir, le contrôle des pensées fulgurantes qui l'assaillaient. Il savait qu'il avait la compétence requise pour la charge offerte. Mais eût-il postulé pour ce poste que ses chances d'être choisi auraient été nulles, car il n'avait jamais fait de politique active et n'avait jamais été bâtonnier Et voilà qu'on lui offrait cette fonction pour des motifs stratégiques ! Comme devant toute affaire extraordinaire, il décida de jouer la carte de la pondération.

— C'est une offre inespérée. Je ne m'attendais pas à cela. Mais…

— Tu ne dois poser aucune question. Si tu refuses, je nierai avoir fait une telle offre… Tu comprends que…

— Oui, je comprends, fit Charles, d'une voix entendue.

La serveuse apportait les plats. Tous deux gardaient le silence. Charles pensa à son associé, Me Jude Roberge, un ancien vice-président du Barreau local, qui attendait une telle occasion depuis plusieurs années. Au même moment, le téléphone cellulaire de son interlocuteur sonna.

— Excuse-moi, fit-il en se levant pour répondre à l'écart, avant de revenir et de poursuivre : je dois partir immédiatement. Tu dois me rappeler d'ici 48 heures. Officiellement, je t'ai parlé du poste de syndic-adjoint du Barreau au salaire annuel de 85 000 $… Au fait, fit-il moqueur, ce poste t'intéresse-t-il ? Voici mes numéros…

Pendant un long moment, Charles resta seul à la table, à la fois insulté et choqué. Ses mains tremblaient légèrement ; son cœur battait plus fort qu'à l'accoutumée. Avant de quitter le restaurant, il appela son confrère d'université et ami Me Vincent Leclerc, avocat compétent, renommé, de bon conseil et aussi spécialiste des affaires autochtones. Dès qu'il put se libérer, celui-ci se rendit à Saint-Nicolas, dans la résidence de Charles.

La marée était haute, et la vue splendide. Le soleil, encore rouge au-dessus des Laurentides, se déplaçait vers son lit de la nuit, à l'ouest. Charles expliqua à son ami la situation qui se présentait à lui, s'attardant d'abord sur les avantages que son contrat de société comportait pour sa retraite ; puis sur les inconvénients qu'il devrait affronter s'il refusait de la prendre, étant donné que les papiers de règlement avaient été signés. Il insista sur la pénalité importante qui lui serait infligée s'il effectuait un retour à la pratique du droit.

Familier de ces problèmes, Vincent ne posa aucune question. Puis Charles entama la partie dite émotionnelle du sujet, celle qui concernait la réponse à donner aux Algoncris. Il évoqua aussi le refus catégorique de son associé senior Jude Roberge de collaborer un tant soit peu.

— Ça ne me surprend pas de lui, commenta sobrement Vincent.

Charles continua. Il croyait ébranler son ami en lui faisant part de l'offre qu'il venait de recevoir du sous-ministre de la Justice par l'intermédiaire d'un membre éminent du Barreau.

— Je dois donner ma réponse dans les 48 heures !

Vincent se leva. Remplit de nouveau son verre de scotch. Se racla le fond de la gorge. Charles sentit que son compagnon semblait en savoir plus qu'il ne le croyait à prime abord.

— Mon ami, commença Vincent, rien de ce que tu viens de me dire ne me surprend.

Charles était estomaqué. Son collègue continua :

— J'en sais encore un peu plus. Évidemment, je ne connaissais pas l'offre de la nomination qui t'a été faite, il y a à peine quelques heures. Mais, par une coïncidence heureuse, j'ai été mis au courant il y a quelques mois de tractations entre les gouvernements fédéral, provincial et les Cris. Il serait question d'une discussion concernant certains droits miniers. Il y aurait des milliards en jeu ! Je ne peux pas t'en dire plus. Tout ce que je sais, c'est que ça brasse. Et les deux gouvernements n'ont aucunement besoin qu'un avocat futé et réputé intervienne dans un dossier qui touche actuellement le territoire conventionné de la Baie-James.

— Mais les deux gouvernements ont pris des engagements de négociations…, répliqua Charles.

— Écoute, je sais qu'il y a des multinationales derrière ça. Je ne veux pas partir de rumeur, mais… Pourquoi crois-tu que Me Flaherty, qui représentait les Algoncris, a été nommé juge ? Il était sur le point de faire aboutir le dossier. Pourquoi veulent-ils te nommer juge ? Encore pour gagner du temps et surtout pour éliminer un adversaire redoutable. Les deux gouvernements te connaissent. Ils savent que si tu acceptes ce mandat, ils devront travailler fort pour arriver à leurs fins. Ils savent que tu es coriace, compétent et efficace. C'est pour ça qu'ils veulent t'écarter. Je peux aussi avancer la thèse qu'il y a peut-être une faille dans leur argumentaire.

— Que ferais-tu à ma place ? demanda Charles.

— Cela dépend… Comment te sens-tu ? Es-tu prêt à te battre ?

— En fait, je suis prêt à prendre ma retraite…

— C'est un pensez-y bien, continua Vincent. Avec l'attitude de Jude Roberge, tu perds 100 000 $ brut par année pendant 5 ans. Pareille somme n'est pas à dédaigner…

— C'est un choix difficile à faire. Fabiola, quant à elle, ne veut rien savoir.

— Et la présidence de la Commission sur les je-ne-sais-trop-quoi, tu pourrais accepter ! En plus des 500 000 $ que tu recevras de tes anciens associés, soit approximativement 275 000 $ net, tu irais te chercher un autre revenu à partir duquel tu pourrais déduire d'autres dépenses !

— Imagine-toi, mon cher, que pour faire ce calcul, je n'avais pas besoin de te consulter.

— Je le sais, mais c'est tout de même l'abc de ta réflexion. Si tu brises ta retraite…

— Mais, ai-je besoin d'une retraite qui viendra assombrir toute ma carrière ?

— Ce n'est pas briser une carrière que de terminer juge ou président d'une commission ! Tu te sens l'âme d'un missionnaire, soudainement ?

— Non, certes pas. Mais me vois-tu accepter une sorte de cadeau, surtout pour ne pas remplir une obligation morale de mon père ? Ce serait être un profiteur ! Non, je ne me sens pas investi d'une mission. Mais ça vient de l'intérieur. Un appel du cœur. Ou des tripes… Mais toi, comment te sentirais-tu à ma place ?

Vincent se rapprocha du bar une autre fois, se servit un second verre avant de se tourner vers son ami.

— Je serais bouleversé, Charles.

— Moi, reprit Charles, je me sens bousculé, remué à l'intérieur… Comme lorsque les garçons du village avaient rossé le fils Girard dans la cour de l'école. J'aurais voulu l'aider, mais le groupe était trop fort. Ce jour-là, pour la première fois de ma vie, j'ai ressenti l'injustice… Que ferais-tu à ma place, Vincent ?

— Je ne suis pas à ta place. Ma situation familiale et financière est différente.

— Mais si tu étais dans ma situation financière et sociale ?

— Euh… Je crois que… Cela me tenterait beaucoup, si je me fiais à mon cœur. Mais ma raison me dit que je ferais peut-être une erreur en acceptant. Je fais peut-être aussi une erreur en te parlant de la sorte. L'immense disproportion entre ce qui s'offre à toi et ton sentiment te met face à un débat cornélien.

— Je te remercie, Vincent. Ton cœur bat au même rythme que le mien. C'est pour ça que je t'ai demandé conseil.

— En tous cas, Charles, je ne peux pas te dire que ma raison te conseille d'accepter ce mandat-là…

En quittant la maison de son ami, Vincent lui serra la main. Il lui sourit en disant :

— Mais si tu acceptes le mandat, tu peux compter sur mon aide. Et sans limites à part ça !

Le lendemain matin, Charles fut réveillé par le téléphone. C'était Isabelle, en émoi. Elle devait faire admettre son mari à l'hôpital, parce que la situation empirait de jour en jour. Mais on lui faisait encore des misères et les délais ne cessaient de s'allonger. Charles promit de s'en occuper.

Dans l'après-midi, il voulut rappeler Fabiola, mais le message de son répondeur disait qu'elle serait absente trois jours. Il lui demanda de le rappeler le plus tôt possible.

En début de soirée, Charles descendit au sous-sol. Il ouvrit un classeur où il gardait ses papiers importants. Sur une chemise apparaissait la mention « Succession Majella Roquemont ». Il l'ouvrit et déposa sur la table les quelques documents qui restaient après le ménage fait quelques années auparavant.

Il regarda longuement le premier chèque de pension de vieillesse souscrit par le gouvernement du Canada à l'ordre de son père. Le chèque n'avait pu être encaissé, son père étant décédé les jours précédents. Il y avait toute la paperasse relative aux tribulations survenues pour la possession du camp du lac Jolicœur, ainsi que les papiers de vente de la boulangerie et des livres de comptes. Enfin, il mit la main sur un petit cahier à la couverture rouge.

Dans celui-ci, son père avait écrit quelques notes à la main. Il était peu instruit, mais avait noté des phrases ou des pensées qui, sans aucun doute, l'avaient marqué :

Le cœur a ses raisons que la raison ne connaît point…
Quand les gens ne sont pas satisfaits du message, ils tirent sur le messager…
Le chemin le plus court n'est pas toujours le moins long à parcourir…
Dans la vie, que reste-t-il en dehors des choses que l'on est fier d'avoir accomplies, surtout quand rien ne paraît…
Le plus petit trou peut vider le plus grand réservoir…

Il en lut une autre qui était raturée, puis reprise. Le premier texte se lisait :

La vraie liberté, c'est de pouvoir partir quand on veut…

Celui retenu finalement était le suivant :

La vraie liberté, si difficile à utiliser, est la suivante : c'est de pouvoir décider de rester quand on peut partir…

Charles pensa que, dans l'esprit de son père, un coureur des bois, cette phrase avait quelque chose d'héroïque.

Le disque écarlate avait maintenant disparu dans le creux des montagnes, tout juste à l'ouest du mont Bélair. Une longue striée de rouge et de noir fermait l'horizon, comme si un Rouault en colère avait soudainement donné un violent coup de pinceau sur ce fond de montagnes mauves. Sur le fleuve, un paquebot illuminé passait. De la terrasse, on entendait une musique de bal musette et on distinguait vaguement des ombres qui semblaient danser sur le troisième pont, comme si un monde irréel, insouciant des vrais problèmes, défilait devant lui.

Charles imagina une scène où Fabiola, en furie, le tançait vertement. Puis, il se souvint de Margo, la veille, toute souriante, lui disant : « Prends la décision que Majel aurait prise… »

Il s'avança sur la terrasse, songeur. Cette phrase du cahier de Majel lui revint à la mémoire : *La liberté, c'est parfois de pouvoir décider de rester quand on peut partir…*

Il essaya une dernière fois le numéro de Fabiola. Toujours le répondeur.

Il était maintenant minuit trente. Il prit le téléphone et composa un autre numéro. « À n'importe quelle heure ! », avait-il dit. On décrocha. Charles dit à Wagis :

— Soyez à ma résidence de Saint-Nicolas après-demain, à 10 heures…

Chapitre 13

Lors d'une rencontre préparatoire tenue à la fin de juillet 1998, Charles régla avec Wagis et Armstrong les points relatifs à l'engagement d'adjoints de recherche, la question des honoraires et des déboursés, la durée du mandat ainsi que la manière d'aborder le dossier et de mener les pourparlers.

Comme Charles savait qu'il aurait besoin de support, aussi bien se faire aider par des personnes compétentes et en qui il avait confiance. Margo était assistante de recherche à temps partiel auprès d'un professeur d'histoire de l'Université Laval et avait offert avec plaisir d'aider son oncle. Quant à Kevin, il avait travaillé un temps pour l'Alcan à titre d'étudiant stagiaire en ethnologie, ce qui lui avait permis de diriger une recherche sur les peuplades autochtones du Québec. Ce poste l'avait amené à côtoyer des gens de plusieurs ethnies amérindiennes et à se former un réseau de connaissances et d'amis parmi les Montagnais et les Attikameks. Puis il avait amorcé une thèse de doctorat traitant d'un sujet apparenté à son expérience: *La perception que se font les autochtones de leurs compatriotes*. La rédaction de son travail de recherche était fort avancée et il pouvait en reporter le dépôt de six mois sans compromettre l'obtention de son diplôme. Charles avait aussi pensé à Clément, mais sa formation en informatique ne le rendait pas très utile dans les circonstances.

— Si jamais vous avez une recherche pointue à faire, ce qui n'est pas exclu, je pourrai toujours vous donner un coup de main, avait-il dit.

La première véritable assemblée de préparation du dossier des Algoncris se tint au début d'août 1998. Dans sa résidence de Saint-Nicolas, ce matin-là, pour la mise en marche de l'affaire, Charles accueillit Wagis, Armstrong, Margo et Kevin. Les Algoncris, fort conscients des inconvénients et des pertes monétaires que son engagement signifiait pour le célèbre avocat, étaient à ce point enchantés de compter sur ses services, qu'ils s'étaient pliés à toutes les exigences posées. Charles acceptait de mener les négociations à terme, et cela gratuitement, mais à la condition que ses adjoints soient Margo Roquemont et Kevin Mitchener et que les 30 000 $ prévus, selon un nombre d'heures travaillées et facturées, peu importe le résultat, soient versés à ces derniers. Les décisions stratégiques devraient se prendre en équipe et toutes les démarches, recherches et actions prises ou appréhendées demeurer strictement confidentielles. Il n'était pas question que le mandat perdure indéfiniment, un horizon prévisible du dénouement étant basé sur une période approximative de 18 mois.

Une large table ronde avait été installée dans le sous-sol de la résidence, transformée pour les circonstances en salle de travail. Charles prit la parole :

— C'est la première réunion d'une affaire très importante pour nous tous et je souhaite que nous réussissions dans nos démarches. Pour ce faire, j'applique une méthode éprouvée par de nombreuses années passées à régler des problèmes complexes : il est primordial de procéder avec discipline et coordination. Il faut débuter par une prise de connaissance parfaite des faits et du droit. Ensuite seulement, nous pourrons établir une véritable stratégie de négociation. Après nous tenterons de la mettre en application et de la modifier, le cas échéant, à mesure que les événements se présenteront. Aujourd'hui, nous nous informons. Chacun de vous a devant lui les documents suivants : un résumé des opinions émises par les anciens procureurs des Algoncris, Me O'Flanagan et Me Flaherty ; une copie de la lettre qui est adressée ce jour aux ministres de la Justice du Canada et du Québec ainsi qu'au ministre des Affaires municipales du Québec et au Grand Conseil des Cris du Québec. Cette lettre réitère la demande déjà déposée par Me O'Flanagan, en y ajoutant certaines précisions quant au territoire réclamé. Vous pouvez voir sur la carte affichée au mur l'emplacement réclamé et sa superficie, qui tranchent sur la carte du Québec. Vous trouverez aussi un dossier complet sur la problématique autochtone au Canada et au Québec, lequel comprend les 28 décisions les plus importantes rendues sur la question par la Cour suprême du Canada depuis la Confédération. Vous avez les 6 volumes du *Rapport Dussault-Erasmus* publié en 1996 par la Commission royale sur les peuples autochtones, lesquels contiennent plus de 100 recommandations aux différents paliers de gouvernement du pays. Dans la pochette rouge vin, vous trouverez une copie intégrale de la Convention de la Baie-James et du Nord québécois intervenue entre les gouvernements, les Cris et les Inuits. Y a-t-il des questions ?

— Oui, dit Kevin. Pourquoi expédier une mise en demeure aujourd'hui alors que nous n'avons pas encore étudié tout le dossier?

— Il s'agit tout simplement de remettre en marche le plus rapidement possible le processus suspendu à la suite de la nomination à la magistrature de Me Flaherty. En fait, nos demandes sont extrêmes, c'est-à-dire que nous ne pouvons pas, si nous sommes de bonne foi, réclamer plus. Par ce document, nous avisons toutes les parties de ma présence au dossier et nous ajoutons comme partie mise en cause le Grand Conseil des Cris, ce qui n'avait pas été fait auparavant. Pendant les quelques semaines que nous prendrons à digérer tous les documents que je viens de vous fournir, la partie adverse devra tenir compte de notre demande modifiée. Ainsi, le temps jouera en notre faveur, et quand nous arriverons à une première séance de négociations, personne n'aura de surprise, à tout le moins pas les interlocuteurs en présence.

Tous les auditeurs se dirent d'accord. Charles continua:

— Pendant le mois qui vient, étudiez tous les documents fournis. Chacun doit être au courant du dossier de A à Z. Pour vous permettre cependant de bien assimiler les notions factuelles et légales, je vais moi-même vous exposer les revendications en cours dans le contexte de ma compréhension de la problématique autochtone globale.

Après une pause de quelques minutes, Charles, sans document, exposa l'affaire telle qu'il la voyait:

— C'est peut-être complexe, mais j'ai préparé un texte que je vous remettrai ensuite. Je désire donc que nous soyons tous sur la même longueur d'onde. Dans un premier temps, j'exposerai la problématique amérindienne spécifique à tous les autochtones du Canada; dans un second temps, celle des autochtones du Québec et, enfin, celle qui m'apparaît particulière aux Algoncris.

« Ce que l'on qualifie aujourd'hui de "droit autochtone" est la somme des données légales compilées au cours des siècles. Or, le droit a beaucoup évolué depuis l'arrivée des Européens en Amérique du Nord, moment que les historiens et les juristes appellent "le contact". C'est ici qu'entrent en ligne de compte les différentes conceptions des droits nationaux qui se sont entrechoquées. Ainsi, quand les Français foulaient un territoire inconnu, ils en prenaient possession au nom du roi de France et s'en déclaraient propriétaires. En regard d'une appropriation, ils appliquaient la théorie dite de la *terra nullius*[1] pour certains territoires. Ainsi, ceux qui étaient très peu habités et très peu exploités étaient considérés, par le droit de l'époque, comme n'appartenant à personne ; ils devenaient la propriété du découvreur. Il s'ensuit que lorsqu'ils décidaient de s'y établir et d'exploiter ces terres nouvelles, ils procédaient par concessions et par privilèges émanant du roi. Les Amérindiens, qu'ils appelaient les "Sauvages" étaient considérés comme des êtres nettement inférieurs, un peu moins s'ils se convertissaient au catholicisme. On conçoit donc facilement que, si les Européens arrivaient dans une contrée grande comme le Canada actuel et qu'ils n'y trouvaient que quelques milliers d'Indiens, ils pouvaient, à leur guise, interpréter qu'il s'agissait d'une *terra nullius*. À l'inverse, quand les Anglais prenaient possession d'une terre déjà occupée, même très faiblement, ils préféraient signer des ententes ou, si vous voulez, des traités. Bon, je résume : il y a peut-être des exceptions, mais, actuellement, une revue historique des revendications des

1. Terre sans propriétaire.

aborigènes au Canada démontre que la France n'aurait jamais signé de traité avec les Indiens et que l'Angleterre en a signé des centaines. J'ajouterai qu'une véritable conquête par les armes était autre chose. Mais très souvent aussi, un traité officiel faisait suite à une victoire militaire.

« C'est ici qu'intervient, en 1759, la prise de Québec par les Anglais. Puis, l'année suivante, la prise de Montréal, la paix avec les nations autochtones et, enfin, le traité de Paris et la Proclamation royale de George d'Angleterre, en 1763.

« En somme, à compter de ce moment, toute la partie située au nord des États-Unis, tel qu'on connaît ce pays aujourd'hui, tombait sous la férule des Anglais et par conséquent du droit public anglais. Depuis le traité d'Utrech, en 1713, il était reconnu que toute la partie située au nord de la Nouvelle-France et concédée à la Compagnie de la baie d'Hudson appartenait à l'Angleterre. Par la suite, on le sait, l'empire britannique s'est étendu dans tout le nord-ouest de l'Amérique du Nord, jusqu'à la Colombie-Britannique actuelle. C'est ainsi qu'aujourd'hui, avant la Convention de la Baie-James et du Nord québécois signée en 1975, on ne trouve aucun traité territorial avec les autochtones du Québec, alors qu'on en trouve partout ailleurs, dans l'ouest, dans le nord du Canada et dans les provinces maritimes actuelles.

« Depuis la fondation du Canada actuel, en 1867, des droits ont été reconnus aux Amérindiens. Mais il faut dire qu'au début, une relation paternaliste, voire de type tutélaire, comme entre supérieurs et inférieurs, a pris place. Par exemple, la première loi sur les Indiens s'appelait la *Loi sur les Sauvages*... Bon, je vous ferai grâce de toute la question des réserves, du statut individuel des Indiens vivant à l'intérieur d'une réserve ou non, des inscrits et des non inscrits et du débat sur les Métis. Pour le moment, seuls les droits généraux ancestraux par rapport au territoire nous intéressent. Depuis la Confédération, les tribunaux judiciaires ont été amenés à circonscrire ces droits, à commencer par le Conseil privé de Londres, puis la Cour suprême du Canada. La plupart des décisions ont été rendues à la pièce, c'est-à-dire sans une volonté ferme des politiciens de régler dans leur ensemble tous les problèmes autochtones. Il y a bien eu, au cours des ans, au moins cinq commissions royales d'enquête pour proposer des solutions. Mais les politiciens ne montraient aucune intention réelle de règlement, devant le peu de poids que représentaient ces peuplades désorganisées. Tout dernièrement, soit en 1996, la Commission royale d'enquête sur les peuples autochtones a émis une panoplie de recommandations aux autorités gouvernementales. En substance, en regard des seules revendications territoriales, il a été retenu qu'une toute nouvelle approche devait être mise en place dans un processus de négociation continu, à l'intérieur de certains délais précis, et cela devant des instances spécialement prévues à cet effet. Ces recommandations ont été émises à partir de la Loi constitutionnelle de 1982 et ses amendements, laquelle reconnaît l'existence des droits ancestraux, sans les définir toutefois. Elles font suite aussi à toute une série de décisions de la Cour suprême du Canada, qui a commencé à définir ces droits et à en préciser aussi les limites. Pour compliquer le problème, disons que le Québec n'a pas encore ratifié cette nouvelle constitution…

« Si aujourd'hui je plaidais devant la Cour suprême, le langage que je devrais tenir se résumerait à deux points de droit. Premièrement, dans la décision Van der Peet, la

Cour suprême a statué que, pour constituer un droit ancestral, “une activité doit être un élément d’une coutume, pratique ou tradition, faisant partie intégrante de la culture distinctive du groupe qui revendique le droit en question”, et cela, avant le contact avec les Européens. En second lieu, suivant les enseignements de la décision Delgamuukw, la condition essentielle de l’existence d’un titre aborigène réside dans l’occupation du territoire. Cette occupation peut se manifester par une présence physique exclusive sur le territoire ou un lien substantiel avec la terre au moment de l’affirmation de la souveraineté de Sa Majesté…

« Dans le cas sous étude, il faut préciser que les Algoncris que nous représentons sont approximativement 1500 et habitent tous aux alentours du lac Wisnac. Cette communauté a été formée à partir d’éléments appartenant à la nation algonquine et à la nation crie. Cette communauté n’a pas actuellement la reconnaissance officielle d’une bande au sens de la *Loi sur les Indiens*. Mais elle bénéficie d’une reconnaissance de facto et le gouvernement fédéral accepte de négocier avec des entités locales, quand elles sont bien définies et occupent un territoire précis, ce qui est le cas des Algoncris de Wisnac. Si nous n’avons mis en cause que le Grand Conseil des Cris et non pas les Inuits, c’est parce que le territoire que nous convoitons se situe en entier sur le territoire conventionné qui a déjà fait l’objet de la Convention de la Baie-James et du Nord québécois, mais desquels les Algoncris n’avaient, à l’époque, pas été jugés comme partie prenante. En d’autres mots, ils n’ont jamais été consultés. Ils étaient, à ce moment, moins de 500 habitants à Wisnac, une quantité négligeable en comparaison des 9 communautés cries qui représentaient environ 12 000 membres.

« Quant au territoire réclamé, je vous prie de bien regarder la carte. Vous voyez que le lac Wisnac se situe au niveau du 50e parallèle, au nord de Waswanipi et au sud de Nemiscau, deux villages cris. L'autre communauté crie la plus rapprochée au nord-ouest est Waskaganish, autrefois connue sous les noms de Fort Rupert et, auparavant, Fort Charles. Le quadrilatère réclamé représente une superficie approximative de 14 400 kilomètres carrés, ce qui est bien peu par rapport au territoire conventionné total. »

Charles fit une pause et se versa un café.

— Avez-vous des questions ? demanda-t-il.

Armstrong et Wagis voulurent parler en même temps, tant la langue leur piquait. Ce fut Armstrong qui parla le premier :

— Dans notre cas, le territoire se trouve dans le secteur qui appartenait autrefois à la Compagnie de la baie d'Hudson... Si je comprends bien, c'est le droit anglais qui va s'appliquer ?

— La réponse là-dessus n'est pas claire. Parce que je crois que c'est plutôt le droit international relié au droit autochtone *sui generis* canadien actuel. En mots simples, un droit particulier développé avec des notions mélangées... Disons que, d'après moi, les dernières décisions de la Cour suprême vont assez loin pour que les droits ancestraux des Amérindiens prévalent sur ceux conférés, par exemple, par le roi Charles en 1670 à la Compagnie de la baie d'Hudson. Manifestement, la Couronne d'Angleterre, en concédant ces terres, tenait pour acquis, ce qui était faux, qu'elles étaient non habitées et surtout non exploitées, soit des *terra nullius*...

— C'est intéressant ! J'aurais dû me faire avocate, dit Margo.

— Il y a là beaucoup de travail pour un ethnologue, affirma Kevin, qui semblait emballé par les études qu'il aurait à faire.

La réunion terminée, chacun emporta avec lui sa caisse de documents. Charles ajouta :

— La semaine prochaine, pour savoir de quoi l'on parle au juste, nous allons faire une visite à Wisnac. Un avion d'Air Creebec viendra nous chercher à l'aéroport de Québec le 24. Quant à la date de la prochaine réunion d'équipe, elle est prévue le 9 septembre prochain.

Chapitre 14

Bien entendu, ni Charles ni Margo ni Kevin n'avaient auparavant mis les pieds à Wisnac. Il s'agissait d'une communauté dispersée aux alentours d'un lac immense aux multiples baies, qui s'étendait sur des dizaines de kilomètres, un endroit agréable et fidèle à la démesure des paysages situés à cette latitude.

La visite du territoire, avec Wagis et Armstrong comme guides, avait permis aux membres de l'équipe de constater à quel point cette communauté était démunie. Tout autour du lac, ce n'étaient pas des routes, mais des sentiers, — avec plus de nids de poule que de surfaces égales. Il était manifeste que ce territoire avait été développé à la va-comme-je-te-pousse. En bout de piste, les habitations étaient reliées par des tortilles de terre battue.

Il n'y avait aucun système public d'aqueduc ou d'égout. Le seul reflet d'une organisation locale était la salle communautaire, que l'on trouvait bien assise au centre de la plus grande baie du lac. En somme, il s'agissait d'un endroit de rêve, mais qui manquait de ressources. Charles était convaincu qu'une simple reconnaissance des gouvernements à titre de corporation municipale était de nature à régler une bonne partie des problèmes de Wisnac.

En effet, contrairement aux autres territoires autochtones qu'il avait visités, celui-ci présentait une communauté d'intérêts et des forces vives allant toutes dans la même direction. La preuve en était qu'en ce samedi matin, sur les 1500 habitants de Wisnac, plus de 700 se trouvaient présents dans la salle communautaire pour accueillir et appuyer les négociateurs. Les professeurs de l'unique école — de niveau primaire seulement, les élèves devant s'installer à Matagami, située à plus de 400 kilomètres au sud, pour poursuivre leurs études — avaient organisé un rassemblement d'appui et tous les élèves avaient été mis à contribution.

Il y eut d'abord des chants et des danses traditionnels. Puis, Armstrong prit la parole. Après un discours sur les négociations prochaines, il présenta Charles, Margo et Kevin. Applaudis, ceux-ci furent surpris d'être accueillis comme des « héros avant le temps ». Armstrong demanda à Charles de prononcer quelques mots et il improvisa un discours digne de ses capacités, affirmant qu'il ferait l'impossible pour que les droits des Algoncris soient reconnus. Puis, dans l'enthousiasme que lui transmettait cette foule chaleureuse, il se permit d'ajouter :

— Un temps, qui n'est pas si lointain, viendra où vous, Algoncris habitants de Wisnac, ferez partie d'une communauté reconnue et, à ce titre, bénéficierez du vent de renouveau qui souffle sur tout le monde autochtone depuis le *Rapport Dussault-Erasmus*. D'ici quelques années, il y aura ici une piste d'atterrissage adéquate, des infrastructures municipales dignes de ce nom et vous serez véritablement associés au développement du Canada moderne... Alors vous pourrez accueillir vos frères québécois et les étrangers avec fierté...

La rencontre s'était avérée très fructueuse et motivante pour les trois étrangers. Il leur restait un peu de temps avant de repartir. Wagis insista pour leur faire visiter sa maison. Pendant que Margo discutait avec Armstrong et Kevin, Wagis, sans un mot, tira Charles par la manche. Il le conduisit prestement dans une pièce attenante où il présenta son hôte à une vieille femme.

— Je te présente Daphnée, dit Wagis.

Charles était surpris. La vieille femme, assise sur une chaise droite, le dévisageait. Charles se rappelait avoir entendu parler d'elle. Il n'avait pas oublié cette photo dans l'album de Majel, prise par Tinomme à Grandes Savanes, où l'on voyait une jeune et jolie Indienne en équilibre sur le flotteur de l'hydravion de Walsh. Mais surtout, ses souvenirs s'attachaient aux crises de jalousie chroniques de sa mère qui, fielleuse, lançait à son père : « Si t'es pas content, t'as qu'à aller retrouver ta sauvagesse ! »

La vieille Indienne, au teint hâlé et aux rides profondes, avait une allure digne et fière. Sans aucune retenue, elle regarda Charles directement dans les yeux, comme si elle voulait fixer en sa mémoire l'image du visiteur. Comprenant l'importance du moment, Wagis se retira. La femme plissa les yeux puis, stupéfaite, se massa des deux mains le visage de haut en bas, disant d'une voix émue :

— Mon Dieu ! Tu as le même front, les mêmes yeux, la même démarche solide ! Oui, tu es bien le fils de Majel !

Charles, gardait le silence, troublé que la dame se souvienne non seulement du nom de son père, mais qu'elle le tutoie, surtout en utilisant ce ton familier. La vieille continua, d'une voix douce et traînante :

— J'ai bien connu ton père… J'ai bien connu Majel…

— Ça remonte aux années d'avant-guerre, je crois ? dit poliment Charles.

— Oui, il y a bien longtemps de cela… Il a été le premier homme blanc que j'ai rencontré… Nous avions beaucoup discuté… C'est à cause de lui que je suis retournée à Moosenee, que j'ai étudié et que je suis devenue infirmière.

Devant la vive émotion manifestée par l'Indienne, Charles aurait aimé en savoir plus sur la relation qu'elle avait entretenue avec son père. Une certaine gêne l'empêchait toutefois de poser des questions, mais il sentait qu'elle avait encore des choses à dire. Au même moment, avec étonnement, il aperçut, sur une petite vanité, une photo de Majel, Anna, Paul et lui, dans la trentaine avancée. Il s'approcha davantage et s'assit près d'elle. Sa surprise n'avait pas échappé à l'Indienne, qui poursuivit :

— Je vais te raconter, si tu veux…

— Oui, j'aimerais savoir…

— J'ai rencontré Majel seulement quatre fois dans ma vie, mais dès la première rencontre, ma vie n'a plus jamais été pareille… Je n'ai jamais pu oublier ton père… Je n'ai jamais vraiment aimé d'autre homme… Ni parmi les miens ni parmi les Blancs…

Des larmes coulaient lentement sur ses joues décharnées. Charles déplaça sa chaise devant elle, lui prit les mains.

— La première fois que je l'ai vu, c'était en 1937. J'étais avec mes parents pour l'été et, comme d'habitude, nous faisions la pêche, en nomades. William avait un an. Puis, un groupe d'arpenteurs est venu. Joseph, mon père, m'avait prévenue. Je ne devais pas soutenir le regard d'un Blanc. Mais pour Majel, je n'ai pas pu.

Elle montra le bracelet qu'elle portait à son poignet, où l'on pouvait difficilement lire, gravé dans le cuir, le mot « *FORTITUDE* ».

— C'est ton père qui me l'a donné. Dans son paqueton, il avait des présents pour mes parents. Pour moi, il n'avait rien. Avant de partir, il a enlevé son bracelet et me l'a remis. Pour m'apprivoiser, sans doute... Puis, je l'ai revu l'année suivante. Là, nous avions encore beaucoup jasé. De la civilisation, de tout. J'étais complètement en amour. J'ai voulu l'embrasser. Il s'est défendu. Il m'a dit: «J'ai une femme... Je peux pas... Elle est enceinte...» Puis, le même été, est arrivé le terrible accident où mon père s'est noyé en sauvant Majel...

— Oui, j'ai su par la suite...

— Nous ne l'avons plus revu... Moi, comme je ne savais pas d'où il venait, quand j'ai été rendue à Moosenee, je lui ai envoyé une lettre à Val-d'Or, à tout hasard, ainsi adressée: «Monsieur Majel, de l'équipe des arpenteurs qui sont venus en avion...» Sans surprise, je n'ai jamais eu de ses nouvelles.

— Je sais que mon père a cherché la famille de l'homme qui l'avait sauvé, mais il n'avait que le nom de Joseph et le vôtre, pas vos noms de famille ni d'endroit précis où vous retrouver. Mais qu'est-il arrivé ensuite? Vous avez dit quatre fois...

— Je suis allée étudier parce que je trouvais que je ne pouvais pas passer ma vie dans les bois, à mener la vie de nomade. Je suis devenue infirmière. À 31 ans, je suis tombée enceinte. Le père était un médecin anglophone de passage que je n'ai pas cherché à revoir... J'ai accouché d'une fille que j'ai prénommée Murielle. Mais j'avais toujours en tête, quand j'étais morose, la pensée de Majel. J'ai trouvé la force d'élever seule mon enfant. Mais c'est pas rare, chez les Algoncris.

— Quand avez-vous revu Majel?

— Longtemps après... Avec ma petite Murielle, je suis déménagée à Waskaganish en 1950. Là, j'ai été la première infirmière autochtone en charge du dispensaire qui venait d'ouvrir. Beaucoup d'hommes voulaient sortir avec moi. Mais je ne pensais qu'à Majel. Le temps a passé. Ma fille a connu un Indien. Elle est partie vivre en Ontario. À un moment, l'Hydro-Québec a demandé des infirmières pour son chantier de LG-2. En 1972, j'ai été affectée là à temps partiel. Lors d'un remplacement de fin d'année, un des employés de la compagnie pour qui travaillait Majel a été blessé. C'est au moment où on fermait la porte de l'hélicoptère qui devait amener le pauvre homme à Montréal que Majel m'a reconnue. Il m'a appelée par mon nom. Ce fut le plus beau moment de ma vie, je crois... Mais on n'a pas pu se parler. Je savais que j'allais le revoir parce que j'ai pris des informations. Il travaillait pour CGL comme contremaître et son contrat n'était pas terminé. Mais quand je suis revenue à LG-2, il était parti pour Québec. Ce n'était donc qu'une question de temps pour qu'on se revoie.

— Et puis...

— Nous nous sommes rencontrés dans les mois suivants, au début de 1973, quand il est revenu pour la fin de son contrat, mais dans quelles circonstances dramatiques ! Alors que je pensais pouvoir lui parler, le serrer dans mes bras, lui dire que, pendant toutes ces années j'avais pensé à lui, il m'est arrivé un bon jour sur une civière... Il était bien amoché. On nous a dit qu'il était tombé d'un échafaud. Il était encore conscient. Il m'a reconnue, mais il ne pouvait pas parler. Son cas était grave. Il a pressé ma main. Je l'ai réconforté du mieux que j'ai pu. Mais il a eu une chute de pression. Je lui ai donné de la morphine. J'ai demandé au pilote de l'amener à Québec plutôt qu'à Montréal... parce que je pensais qu'il allait mourir. Je voulais qu'il soit près de sa famille. Et je ne l'ai plus revu...

— Et la photo de notre famille que vous avez… ?

— Il me l'a fait parvenir l'année suivante, car il avait pu retrouver mon adresse. Il m'a écrit un petit mot pour me remercier d'avoir pris soin de lui lors du transport en avion. Dans sa lettre, il disait qu'il avait souvent pensé à moi au cours des ans, mais qu'il avait une bonne femme et de bons enfants… La photo de famille était dans l'enveloppe. Il m'a aussi fait part de ses nombreuses recherches pour nous retrouver. Il demandait de mes nouvelles. Je ne lui ai jamais écrit par la suite, pour ne pas le troubler. Mais j'ai vu dans le journal qu'il était mort en 1976. Après je suis déménagée ici, à Wisnac, m'occuper du dispensaire. Sois sans crainte, Charles, si tu permets que je t'appelle par ton prénom, ton père a toujours été un homme fidèle. Mais comme je l'ai aimé !

Charles constatait maintenant toute l'émotion qui habitait cette femme.

— Et votre fille, qu'est-elle devenue ?

— Elle aussi a eu un enfant. Une autre fille, Rachel. Elle a maintenant 19 ans. Elle vient souvent à Wisnac. C'est grâce à elle que ma vie continue à être belle. Elle est actuellement à Ottawa. Elle étudie le droit. Je suis bien fière d'elle.

William, qui était revenu à la porte, fit signe à Charles que l'heure du départ avait sonné. Daphnée Wagis se leva. Elle serra fortement Charles dans ses bras. Elle lui dit :

— Toi, Charles Roquemont… Le fils de Majel ! Qui aurait dit ? C'est lui qui t'envoie, j'en suis certaine ! Merci pour tout ce que tu fais. Pour tout ce que tu feras. Je sais que tu vas réussir. Tu seras le sauveur de Wisnac !

Charles reprit l'avion, encore troublé par cette rencontre. Certes, sur la photo de Daphnée prise en 1937, on discernait bien le petit bracelet. Mais jamais son père n'avait dit qu'il s'agissait d'un cadeau de sa part. Et puis, il avait toujours déclaré n'avoir rencontré Daphnée que deux fois… William lui avait longuement parlé de l'aura que dégageait Daphnée, celle que l'on surnommait la «Fée du Nord». Charles se sentait tout drôle. Comme si une nouvelle force l'habitait. À ce moment, pour la première fois, il ressentit que, quoi qu'il arrive, il avait pris la bonne décision en acceptant le mandat de représenter les Algoncris.

Chapitre 15

Même si les pensées de Charles tournaient encore autour de Daphnée, il dut, en arrivant chez lui, s'occuper des affaires courantes. Il trouva deux messages sur son répondeur. Le premier avait été laissé par la secrétaire de Me Hutchison, du ministère de la Justice du Canada : « Je suis mandatée pour vous aviser qu'une première rencontre informelle de discussion dans l'affaire des Algoncris pourrait avoir lieu avec votre accord, bien entendu, le 15 du mois prochain, à Hull. Bien vouloir me rappeler pour fixer les... »

Le second, plus sec, était de Fabiola : « J'aurais aimé que l'on discute encore avant que tu acceptes de représenter les Algoncris... J'ai appris la nouvelle par les journaux... » Le combiné avait été raccroché sans plus de cérémonie.

Charles trouva effectivement, dans *La Presse* de la veille, un article consacré à la question. On pouvait y lire : « Le célèbre avocat Charles Roquemont a accepté de représenter les Algoncris dans leurs revendications territoriales. Le dossier est actuellement entre les mains de Me Fortier, sous-ministre en charge des affaires autochtones du Québec. »

En vue d'une préparation plus adéquate pour la première séance de négociations qui approchait, le travail avait été réparti d'une manière précise. Kevin montait toute la preuve documentaire touchant la reconnaissance, au cours des ans, de la nation algoncrie. Margo compilait toutes les données prouvant l'occupation continue du territoire. Charles s'occupait de la présentation finale du document d'argumentations en se référant aux données fournies par ses acolytes. Enfin, Wagis et Armstrong ratissaient toutes les archives gouvernementales propres à fournir des munitions additionnelles aux raisonnements déjà élaborés par les avocats.

Le 9 septembre, toute l'équipe était réunie dans le soussol de la maison de Saint-Nicolas. La seule tâche de prendre connaissance de la documentation pertinente avait été colossale. Mais un premier tour de table fit voir que chacun semblait y avoir consacré tout le temps nécessaire.

Après plusieurs heures de discussions et d'échanges, il fut convenu que la présentation verbale, fixée au 15 octobre, serait axée en tout premier lieu sur les droits ancestraux, gardant la question du traité intervenu entre les Blancs et les habitants de Wisnac comme moyen subsidiaire. Charles avait jugé que l'avenue des droits ancestraux semblait, à prime abord, plus solide que la seconde :

— Cette proposition a aussi le mérite d'être plus facile à reconnaître par les négociateurs adverses. Il sera toujours temps, si la première voie s'avère bloquée, de tenter une jonction par la seconde. C'est ce qu'on appelle, en termes juridiques, un argument principal et un argument subsidiaire.

Chapitre 16

En ce 15 octobre 1998, dans l'avion qui les conduisait à Ottawa, Charles était assis entre Kevin et Margo. Il avait été convenu qu'il valait mieux s'abstenir de discuter de leur dossier dans des lieux publics, par souci de discrétion. Pendant que Charles avait les yeux fermés, ses compagnons feuilletaient les journaux fournis par l'hôtesse.

Brisant soudainement le silence, Kevin dit :

— Une affaire comme ça, ça me fait suer ! « Un neurologue gagne 500 000 $ à la *Roue de Fortune*... »

— T'as bien raison ! renchérit Margo. Au moins, si ça tombait sur un pauvre...

Charles prêta l'oreille. Kevin reprit :

— Dire que les parents essayent d'éduquer leurs enfants au travail et à l'effort et que, pendant le petit déjeuner, devant des millions de téléspectateurs, une personne se voit attribuer, net d'impôt, en utilisant son petit doigt, un montant que la plupart des gens sont incapables de mettre de côté pendant toute une vie active !

— Maman ne voulait pas qu'on regarde cette émission le matin, pendant le déjeuner. « Si Paul voyait ça, il serait furieux ! Et moi j'aurais été d'accord avec lui », qu'elle disait.

Charles décida de mettre son grain de sel :

— C'est pas beau la jalousie, mes amis ! Dans le fond, vous enviez ce gars-là. Il a acheté un billet et il a gagné. Vous êtes frustrés parce que vous n'avez pas eu sa chance, voilà tout…

— C'est peut-être de la frustration, reprit Kevin. Mais il y a aussi une question de valeurs…

— Quand on achète un billet de loto, enchaîna Charles, on s'assure pour la chance ! En fait, c'est le contraire d'une assurance sinistre ordinaire où l'on paye une prime pour se prévenir contre une calamité, un vol, un incendie. Dans un cas, si l'événement survient, on n'est pas perdant, dans l'autre, si le bon billet sort, on est gagnant !

— Vu sous cet angle, ça peut avoir du bon, dit Margo.

— Si ça arrive à un pauvre, ça peut aussi être un facteur de partage de richesses qui autrement ne serait pas survenu, ajouta Kevin.

— Je suis d'accord avec vous, ça titille toujours notre sens de la justice quand c'est un millionnaire qui gagne ! Mais on ne peut pas leur défendre d'acheter des billets…, dit Charles croyant avoir mis fin à la conversation.

Ce fut au tour de Margo de lire une manchette : « Kevin Garnett : 126 000 000 $ pour 7 ans ! »

— Voilà une autre affaire qui me fait sauter les plombs, dit Kevin. Je suis persuadé que ce joueur de basketball, qui vient probablement d'un ghetto, n'a même pas fini l'équivalent d'un cours secondaire ! Margo et moi avons chacun deux diplômes universitaires et on est sans emploi. On ne peut même pas retirer du chômage !

Charles fronça les sourcils, sentant que ce débat pouvait devenir fort animé, mais il se contint.

— Ces salaires-là n'ont aucun bon sens, continua Margo. Il paraît que le joueur le mieux payé de la Ligue nationale de hockey gagne 50 000 $ par période, et ça, même s'il ne joue pas... Sans compter une prime de 10 000 $ par but pendant toute la saison !

— Encore une fois, comment éduquer des enfants dans un tel contexte de démesure, comment ne pas être révolté tout court ? ajouta Kevin.

— Il y a du vrai dans ce que vous dites, émit Charles qui ne pouvait pas ne pas réagir. Mais toute cette flambée des salaires est reliée au phénomène de la propriété intellectuelle et des médias...

— Qu'est-ce que tout ça a à voir avec la propriété intellectuelle ? demanda Margo.

— Les images des exploits de ces sportifs sont copiées et distribuées à travers le monde entier. Par exemple, en 1930, un joueur qui évoluait à Cincinnati n'était vu que dans cette ville. Par la suite est arrivée la télévision. Dans les années 1950, la même partie de base-ball pouvait être vue par des centaines de milliers de téléspectateurs. Dans les années 1990, avec les satellites, la même partie est vue par des dizaines de millions de gens. Partout sur la planète, il y a des commanditaires qui font de l'argent avec des réclames publicitaires. En fin de compte, les propriétaires d'équipes touchent des millions de dollars avec un seul match. C'est donc normal que les joueurs partagent...

— Le point de vue est intéressant, dit Margo. Mais il reste que c'est complètement fou qu'une personne gagne plusieurs millions de dollars par année en s'amusant à tirer des balles sous les applaudissements d'un public en délire...

— C'est certain que tout ça devient débile, répondit Charles. Mais moi, je ne vois pas vraiment de problèmes à ce qu'une seule personne empoche des millions pour quoi que ce soit, si tout est fait dans les règles, sans fraude, etc. Là où je vois plutôt un problème, c'est dans la redistribution de cet argent. Alors que des milliards de personnes vivent dans la misère noire, je crois que ces privilégiés de la société devraient partager. Certains le font, d'autres pas… Tu es devenu muet, Kevin ?

— Non, Charles, mais je pensais à Léonard de Vinci, à sa *Joconde*… Si les droits d'auteur avaient existé, à l'époque, il aurait été le Bill Gates de son temps !

— Tu as raison. C'est un bel exemple ! À cette époque, il n'y avait pas les moyens de reproduction que nous avons aujourd'hui, avec la photo, la reprographie…

— Celui qui a inventé la photographie, il a dû devenir riche ? demanda Margo.

— Oui, mais pas autant qu'il le serait aujourd'hui si la photographie restait à inventer.

Charles, qui était féru d'histoire, sentit le besoin de faire un petit transfert de nature culturelle à ses deux jeunes adjoints :

— C'est Nicéphore Niepce qui a inventé la photographie, dans les années 1820… Il s'associa par la suite à un autre inventeur français, Jacques Daguerre, vers les années 1830. Vers 1840, ils furent capables de fixer des images sur du métal. Puis, le gouvernement français, dans un geste à la fois novateur et visionnaire, acheta tous les droits reliés à cette invention et publia les manières de procéder dans les journaux de l'époque…

— C'est extraordinaire d'avoir fait ça ! s'exclama Kevin.

— Est-ce que ça pourrait s'appliquer aux nouveaux médicaments qui sortent sur le marché, par exemple ceux qui pourraient guérir le sida ? questionna Margo.

— Oui, certainement, dit Charles. Mais c'est un autre débat. Ici, on joue sur le terrain de jeu du capitalisme pur et dur. Actuellement, les Américains essaient de breveter certaines composantes d'organismes vivants !

Ce débat fort intéressant, qui pouvait s'avérer sans fin, fut interrompu par le pilote qui annonça l'atterrissage imminent.

~

La première rencontre de négociations se tint dans un édifice du gouvernement fédéral, à Hull. Toutes les parties avaient accepté que Me Rampling, un conciliateur indépendant, conduise les débats. Le gouvernement fédéral était représenté par Me Hutchison, celui du Québec par Me Huot et la nation crie par Me Oliwash.

D'entrée de jeu, le conciliateur demanda si des positions de principe ou des admissions pouvaient être faites concernant la demande écrite déposée devant lui par les Algoncris, rédigée initialement par Me Flaherty, telle qu'amendée par Me Roquemont.

Me Oliwash prit la parole. Il soumit que la position officielle des Cris était qu'ils n'entendaient pas contester comme telle la présence des Algoncris sur le territoire revendiqué ni leur occupation du territoire de manière permanente, depuis des temps immémoriaux. Ils admettaient que les Algoncris faisaient partie de la nation crie et n'en avaient jamais été détachés et que, dans les circonstances, la Convention de la Baie-James et du Nord du Québec, qui couvrait le territoire réclamé, avait été légalement signée et devait continuer à s'appliquer. Si toutefois les gouvernements arrivaient à la conclusion que cette partie litigieuse du territoire conventionné devait faire l'objet d'une reconnaissance particulière, il y aurait lieu de procéder par amendement à la Convention de la

Baie-James, ce qui constituerait une amélioration des conditions pour une partie des Cris dont les Algoncris. En somme, dans la mesure où aucune modification à la baisse des conditions contenues dans ladite convention n'était accueillie par les gouvernements et qu'aucune des communautés reconnues ne voyait ses droits diminuer, ils pouvaient garder une position neutre sans prendre une part active aux débats. Les Cris étaient donc prêts à considérer Wisnac comme une treizième communauté participante à la Convention de la Baie-James. Le procureur déposa à l'appui dc sa position une lettre d'approbation provenant du président de l'Assemblée des Premières nations.

Me Roquemont et les représentants des deux gouvernements prirent acte de cette prise de position qui semblait présenter un avantage intéressant, soit celui de débattre les points litigieux de faits et de droit à trois plutôt qu'à quatre, ce qui était de nature à économiser temps et énergie.

Me Rampling, s'adressant à Me Oliwash et à Me Roquemont, demanda :

— Dans les circonstances, comment se fait-il que les Algoncris ne soient pas représentés par le même avocat ?

— Avant le dépôt de la demande écrite par Me Flaherty, il y avait un autre avocat au dossier qui représentait les Algoncris, soit Me O'Flanagan. Il a été obligé de se retirer du dossier parce qu'il représentait tous les Cris, déclara Me Roquemont. Ainsi, dans la mesure où les droits des Cris signataires de la Convention de la Baie-James ne sont pas remis en question, comme le souligne Me Oliwash, il n'y a pas de problème. Mais ce sont les nouveaux débats qui vont nous démontrer si vraiment il y a conflit. On ne peut donc pas courir le risque de compromettre le processus de négociation.

— Je suis d'accord avec cette position, reprit Me Oliwash.

— Je comprends mieux maintenant, dit Me Rampling. Y a-t-il d'autres interventions préliminaires?

Me Hutchison prit la parole:

— La position adoptée par les deux gouvernements, le fédéral et le provincial, est conjointe. Suivant la loi, la doctrine et la jurisprudence, nous sommes d'opinion que pour réussir dans sa démarche, la partie requérante doit prouver les points suivants: premièrement, que les Algoncris constituent une communauté autochtone reconnue; deuxièmement, que le territoire revendiqué a été acquis par traité ou convention, ou encore qu'il a fait l'objet d'une possession paisible, continue et publique avant le contact avec les Européens. Nous sommes prêts à admettre, pour les fins de la discussion seulement, que les Algoncris présentent « les caractéristiques d'une communauté autochtone reconnue ». En effet, depuis quelques années, la position des gouvernements s'est assouplie en regard de la reconnaissance d'une entité ayant la capacité de négocier des droits ancestraux. Nous reconnaissons que les héritiers des droits ancestraux sont davantage les communautés locales que les actuels regroupements d'autochtones connus qui, souvent, n'existaient pas comme tels autrefois et n'ont été formés que récemment. Toutefois, nous ne reconnaissons aucunement que le territoire revendiqué a pu avoir été transféré soit par une cession, soit par un traité ou autrement, comme, par exemple, par une occupation continue susceptible d'avoir créé ou validé des droits ancestraux identifiables.

Me Roquemont, réprimant sa satisfaction, resta impassible. Le fait de reconnaître que les Algoncris pouvaient constituer une communauté autochtone reconnue lui enlevait une épine du pied. Car, en droit autochtone, tout repose sur du terrain mou.

Me Rampling s'adressa aux représentants des deux gouvernements :

— Si je vous comprends bien, Me Hutchison et Me Huot, nous pouvons commencer à étudier le fond de la question quant au territoire, soit à partir d'une concession, soit à partir d'une occupation ?

Me Huot parla pour la première fois :

— C'est bien ça… Seulement, nous vous avisons dès à présent que notre position commune est que, même si la preuve s'avérait positive dans un cas comme dans l'autre, soit une concession soit une occupation, les droits éventuellement reconnaissables à titre de droits ancestraux, ou par convention ou traité, peu importe leur étiquette, ont été éteints par la renonciation expresse contenue dans la Convention de la Baie-James.

Tous se retournèrent vers Me Oliwash.

— Notre position sur le sujet d'une renonciation aux droits ancestraux n'a pas à être exprimée à ce stade. Elle le sera en temps et lieu, si jugé nécessaire. Une prise de position immédiate est prématurée.

Un long silence se fit. Tous juristes chevronnés, les participants n'exigeraient pas de Me Oliwash qu'il ouvre son jeu. Il était connu qu'un fort mouvement était déjà en marche dans toutes les communautés autochtones signataires de la Convention de la Baie-James pour rouvrir cette entente historique. Celle-ci était intervenue en 1975, après que le juge Malouf eut accueilli une injonction suspendant les travaux à la Baie-James. Cette décision marquante concernant les droits des aborigènes avait été suivie par plusieurs autres entre 1975 et 1998. En d'autres mots, ces décisions subséquentes étaient venues reconnaître aux autochtones des droits considérables qu'ils n'étaient pas certains de se voir accorder par la négociation, au moment de la signature de la Convention de la Baie-James.

Me Rampling suspendit la séance afin de permettre aux parties d'ajuster la présentation de leur preuve aux admissions faites.

Après des discussions entre les membres de l'équipe des Algoncris, il fut décidé que le plan de match déjà envisagé serait suivi : la présentation porterait principalement sur l'utilisation des droits ancestraux, réservant pour plus tard le dépôt de la preuve sur la possession par titre, ce qui faisait l'affaire de Charles parce qu'à son avis, en gagnant ainsi du temps, cette partie du dossier pouvait certainement être bonifiée.

À la reprise de la séance, Me Roquemont, sans sourciller, demanda à Kevin de distribuer aux autres participants les documents prouvant l'occupation du territoire bien avant le contact européen. Chacun des représentants, y compris le conciliateur, eut droit à sa caisse de documents. Ceux-ci avaient été répertoriés, numérotés et inclus dans 15 imposants albums boudinés. S'y trouvaient, entre autres, les témoignages assermentés d'aînés de la bande, des lettres provenant de la Compagnie de la baie d'Hudson, des documents d'archives remontant au Régime français, des extraits d'écrits des jésuites, des documents d'archives canadiennes d'après la Conquête, des archives américaines et ontariennes et, enfin, un dossier monté par la congrégation religieuse des oblats de Marie-Immaculée, qui avaient pris en charge l'apostolat dans la région depuis plus de 150 ans, soit avant la Confédération.

Me Hutchison intervint :

— Si je vous comprends bien, Me Roquemont, vous placez le débat, non plus au niveau d'un traité, mais bien au seul niveau des droits ancestraux ?

— Non, ce n'est pas ça, cher collègue. Pour ne pas vous faire de cachotterie, je crois que notre argument premier est celui des droits ancestraux. Quant au second, il est tout aussi solide. Mais, comme il faudra sans aucun doute traiter des deux points, aussi bien en vider un en premier.

— Nous apprécierions que le dossier soit complet afin d'en faire une étude exhaustive, renchérit Me Huot.

Pour ne pas laisser entrevoir quelque subterfuge, Me Roquemont sentit le besoin d'ajouter :

— Puis-je vous dire aussi que j'attends d'une semaine à l'autre plusieurs documents importants susceptibles de compléter, à l'avantage de tous, croyez-moi, la preuve au niveau du titre allégué…

Me Rampling intervint. Se tournant vers les avocats gouvernementaux, il dit :

— Vous pouvez sans doute exiger un dépôt de tous les documents. Mais ne pensez-vous pas que c'est un bon début ? Pourquoi ne pas commencer par étudier la masse de ceux qui viennent d'être déposés ? Puisque, c'est certain, vous devrez prendre connaissance de tout ça avant de penser répliquer, n'est-ce pas ?

Après quelques autres échanges, le président demanda à Me Roquemont de soumettre les prétentions des Algoncris quant à leurs droits ancestraux. Celui-ci, dans une plaidoirie de trois heures, reprit l'exposé historique qu'il avait déjà servi aux membres de son équipe le mois précédent, excluant les notions de base qui étaient déjà connues des participants. Référant à chaque occasion à l'un ou l'autre des 15 cahiers, il exposa avec patience de quelle manière les Algoncris avaient occupé le territoire et exercé leurs droits d'utilisation des ressources naturelles et cela, sans contestation, bien avant l'affirmation de la souveraineté britannique et jusqu'à ce jour. Il termina en soulignant que, malgré la méconnaissance des droits ancestraux et le report du second argument relatif à un titre, la prescription acquisitive du Code civil du Québec pouvait finalement s'appliquer, puisque la Couronne du Québec n'avait finalement pas plus de titres que les autochtones eux-mêmes. Si cet argument était rejeté par le conciliateur, il est évident que dans une contestation à venir, la *Loi déterminant la propriété des terres de la Couronne* allait être attaquée comme étant non constitutionnelle.

À la fin de l'exposé, Margo et Kevin, peu habitués à ce genre de débat, étaient enthousiastes, enflammés. Ils se gardèrent cependant d'applaudir, même s'ils en avaient le goût. Armstrong et Wagis étaient souriants. Ils se levèrent pour serrer la main du plaideur. Margo et Kevin l'imitèrent. Me Hutchison, imperturbable, continuait à écrire dans son carnet. Me Oliwash, sans manifester ouvertement son assentiment, n'y alla pas moins de petits hochements de la tête significatifs. Me Huot, quant à lui, voulut faire le paon en terminant sur un ton cynique. S'adressant à Me Roquemont, mais regardant le président Rampling pour obtenir son approbation, il s'exclama :

— Bon ! J'espère pour vous que les documents déposés correspondent aux affirmations que vous venez de faire !

Me Rampling, le regard neutre, voulut rapidement conclure :

— Si je comprends bien, messieurs, il vous faudra étudier tout ça et prendre une position, fournir une argumentation contraire ou, de toute manière, continuer les discussions… Je suggère une prochaine rencontre.

Il fut convenu que les parties se reverraient dans la même ville, le 8 novembre, dans un endroit à déterminer. Avant de quitter la pièce, Me Huot, l'air narquois, s'adressa à Charles :

— Le sous-ministre Fortier, mon supérieur immédiat, persuadé que vous aviez pris votre retraite, me demande de vous transmettre ses salutations les plus distinguées...

— Je vous remercie. J'avais entendu dire que son ministre devait le nommer juge à la demande de son père... Mais bon... Veuillez aussi le saluer bien bas de ma part, cher collègue, répondit Charles sur un ton enjoué.

Ses compagnons ne saisirent évidemment pas tous les sous-entendus de ces propos. Charles crut bon de préciser à leur attention :

— Le sous-ministre Fortier et moi sommes des compagnons d'université. Mais le torchon brûle entre nous parce que nous avons souvent croisé le fer et que j'ai eu le dessus plus souvent qu'à mon tour...

Kevin se souvenait vaguement avoir entendu parler d'un représentant du ministre de la Justice du Québec qui ne s'était pas présenté à la fête donnée en l'honneur de Charles. D'une voix inquiète, il demanda :

— Est-ce que vos conflits peuvent affecter l'issue des négociations ?

— Je sais que Fortier a la mémoire longue... Mais rien n'empêche un incompétent d'être intègre !

Devant son air sceptique, Charles ajouta :

— Ce Fortier a aussi un patron. Lui est de bon calibre et je peux lui faire confiance. T'en fais pas avec ça !

Chapitre 17

Il était convenu que seul Charles retournerait en fin de séance à Québec, les autres continuant à éplucher les archives du ministère des Affaires indiennes à Ottawa. À l'aéroport Jean-Lesage, en attendant ses bagages, Charles remarqua une silhouette qui ne lui était pas inconnue : une femme blonde, à l'allure énergique, cellulaire à l'oreille. Quand elle se retourna, leurs yeux se rencontrèrent.

— Charles ! s'écria-t-elle.

— Mylène !

Ils se firent une bise à la française, ne s'effleurant que les joues.

— Dis donc, il y a des lunes…

— Tu veux dire des siècles ! Tu as l'air de tenir la forme, ma foi !

Ils convinrent de souper au restaurant, question de se rappeler le bon vieux temps. Charles était un peu remué. Cette femme ne lui rappelait que de bons souvenirs. Mais surtout, elle faisait remonter à la surface toutes les folies et les fantasmes qu'elle avait provoqués chez lui au cours des ans. Après son divorce, quand il avait connu des difficultés, il s'était demandé si la présence de Mylène à ses côtés y aurait changé quelque chose : immanquablement, sa pensée revenait vers elle, avec qui il n'était finalement jamais allé jusqu'aux confins de l'intimité. Cette femme, sans le savoir, l'avait accompagné pendant une grande partie de sa vie. Le taxi roulait sur l'autoroute de la Capitale.

— Sais-tu, Charles, qu'on peut compter sur les doigts d'une main les fois où nous nous sommes rencontrés?

— Bien… Oui… Par contre, je me souviens de chacune d'elles… Je peux te les rappeler si tu veux…

— C'est bien toi, toujours aussi précis… Moi aussi je…

— La première fois, c'était en 1956, quand tu étais serveuse au casse-croûte de l'OTJ, à Saint-Raymond… Tu portais une petite robe à pois avec un chemisier que j'aurais aimé un peu plus décolleté, mais qui t'allait si bien…

— Et la fois suivante? demanda Mylène, le regard doucement moqueur.

— Je suis certain que tu t'en souviens toi aussi… J'avais promis de te faire découvrir le barrage de La Lumière, sur le Bras-du-Nord. Ça, c'était un prétexte. Nous avions déniché un renfoncement dans les aulnes de la rive. Nous nous étions caressés. Nous nous étions embrassés. Tu avais 17 ans, j'en avais 18…

Elle afficha d'abord une moue incrédule, puis le regarda en souriant. Elle enserra affectueusement sa main, en silence, démontrant par là qu'elle en avait gardé un excellent souvenir. Charles dit ensuite:

— La fois suivante, je t'ai vue avec cet étudiant en foresterie… Tu avais l'air de l'aimer…

— Oui, assez pour que je le marie… On en reparlera…

— Puis, je t'ai revue à l'hôpital où tu étais infirmière. Je m'étais blessé à une jambe et tu étais de garde… Tu m'avais tâté le genou…

— Souvenir plus vague… C'était à l'urgence, je crois… Mais je me souviens de la fois suivante, continua sa compagne. C'était à l'enterrement de ton père Majella.

— Oui, je m'en rappelle. Ta présence m'avait fait plus de bien que tu aurais pu l'imaginer…

— La fois suivante, ce fut quelque part vers 1983…

— Non, en 1978, corrigea Charles. Tu fêtais avec des amis dans un restaurant de la Grande Allée…

— Puis il y a eu 1983. Cette fois-là fut mémorable.

— Oui, tu peux le dire. J'abonde… Mais nous étions quand même restés sages.

Charles lui reprit la main. Elle la tint avec fermeté cette fois. Ils observèrent un long silence. Ils étaient arrivés au restaurant. En descendant de la voiture, il ajouta :

— Il y a eu aussi cette fois, au congrès des hôpitaux, il y a 4 ans, alors que nous avions joué au tennis. Ce soir-là, nous devions…

Il n'eut pas le temps de terminer sa phrase ; elle lui avait délicatement appliqué une main sur la bouche.

— Et il y a aujourd'hui, dit-elle d'un ton enjoué.

Ils entrèrent à l'*Aviatic Club*, restaurant huppé de la Basse-Ville : décoration rétro, banquettes de cuir rouge, lumières tamisées, musique douce. Comme par hasard, l'endroit se prêtait bien à des retrouvailles.

Ce n'était plus la Mylène de son adolescence, déjà superbe. Mais quelle prestance elle avait maintenant ! Sa chevelure blonde était abondante et bien mise, et nul n'aurait pu dire si sa couleur était naturelle. Vive, alerte, le regard audacieux, avec son éternelle fossette et son sourire, elle en imposait. Qu'avait-elle vécu au cours des ans ? Avait-elle pensé à lui aussi souvent qu'il avait pensé à elle ? Que seraient-ils devenus s'ils avaient vécu ensemble ? À quoi auraient ressemblé leurs enfants s'ils en avaient eus ?

Tout simplement, l'avait-elle aimé ? Tout à ces pensées, il fut surpris de l'entendre dire :

— Nous avons des choses à nous dire…

— Nous nous connaissons peu, en fait…

— Mais j'ai le sentiment qu'au cours des ans, nous avons eu beaucoup de pensées communes…

— Tu veux dire des pensées que nous avons eues, mais pas en même temps.

— Oui, quelque chose comme ça. Des pensées dans les moments difficiles. Sur ce qui aurait pu se passer entre nous…

— Qu'en sais-tu ?

— Je l'ai senti au cours des ans.

— À quoi cela servirait-il d'évoquer ces rêves parallèles ?

— Pour en trouver la fin, peut-être ? Reprendre où nous avions laissé en 1983…

Le serveur leur versait du vin, lentement, avec précaution.

— J'aimerais que tu me précises, demanda Charles, ce que signifie « où nous avions laissé en 1983 » ?

— Tu le sais bien… C'était après mon divorce. Tu m'avais invitée à ton camp du lac Jolicœur en hiver, avec une de mes amies. Nous avions monté le sentier de Majel en raquettes. Nous nous étions embrassés, mais à cause de l'exiguïté du camp, nous devions tous dormir dans la seule pièce… Tu ne sais pas comment je t'ai désiré ce soir-là…

— Et moi donc ! reprit Charles en la fixant résolument.

Mylène regarda l'heure.

— Je m'excuse, Charles, mais je suis attendue, je dois partir.

Le visage de Charles s'assombrit. Elle crut bon de préciser :

— Ce n'est pas ce que tu penses… J'ai une fille de 29 ans qui reste toujours à la maison. Je lui ai promis d'être là tôt. Elle est travailleuse sociale, mais n'a pas encore déniché d'emploi. Je suis à la retraite depuis six mois. Je n'ai pas de copain sérieux… Et toi?

— Moi, je suis retraité depuis quatre mois, mais je n'ai pas arrêté de travailler. Imagine-toi que j'ai accepté une affaire importante, un dossier autochtone…

— Oui, j'en ai pris connaissance par les journaux. Il s'agit des Cris, je crois…

— Non, les Algoncris… Euh… En fait, je suis passablement occupé…

— Tu veux dire que tu n'es pas libre?

— Non… Non… Je veux simplement dire que ce travail est prenant et nécessite de nombreux déplacements… Dans ma vie privée, je suis toujours célibataire… Je vis seul dans ma maison de Saint-Nicolas… J'ai de bonnes amies…

— Ah! Moi, je suis retournée vivre à Saint-Raymond. J'ai acheté la maison de ma mère.

— Et tes loisirs?

— Je joue au tennis quelques fois par semaine, puis l'été, je fais aussi de la bicyclette.

— Tu joues toujours au tennis? On pourrait s'appeler pour faire un simple, un de ces quatre?

— Pourquoi pas un de ces deux? dit-elle en inscrivant ses coordonnées sur le napperon.

Chapitre 18

Tel que prévu, les équipes de négociation étaient présentes dans un hôtel de Hull, en ce 8 novembre 1998.

Me Rampling donna la parole à Me Huot, qui représentait le Québec. Celui-ci fit remettre aux participants un factum et la copie d'une lettre, dont il remit l'original à Me Roquemont. C'était la réponse officielle à la réclamation des Algoncris.

— Lors de notre première rencontre, vous nous avez soumis que votre proposition première était que le gouvernement du Québec devait reconnaître aux Algoncris des droits de propriété ancestraux, soit un titre aborigène. La réponse officielle du gouvernement, qui est contenue dans le document que vous avez entre les mains, est la suivante: «La théorie des droits aborigènes ancestraux ne peut être reconnue aux Algoncris parce que ce territoire, non seulement a fait l'objet d'une convention avant le dépôt de la réclamation, mais aussi parce que le gouvernement détenait, bien avant la réclamation, un titre de propriété en bonne et due forme des terres convoitées…»

— De quelle convention parlez-vous? demanda Me Rampling.

— Je parle de la Convention de la Baie-James et du Nord québécois signée en 1975, et de ses 11 ajouts. Permettez-moi de vous soumettre les motifs factuels et juridiques qui nous amènent à cette conclusion, dit Me Huot.

Comme il s'agissait d'un document hautement technique et comportant de nombreuses dates, l'avocat du gouvernement du Québec prit le soin de le lire, sautant à l'occasion certains paragraphes.

— En résumé, si le Québec n'avait pas de titre avant 1975, les Cris, dont font partie les Algoncris, ont renoncé aux droits ancestraux auxquels ils auraient pu prétendre en signant la Convention de la Baie-James. De plus, le gouvernement prétend aussi qu'il avait, bien avant 1975, des titres immobiliers sur cette partie du territoire convoitée par les Algoncris, laquelle se situe au niveau du 50e parallèle.

«Je vous suggère de prendre le document numéro 12 et de suivre la chaîne de titres. La preuve déposée ne nous permet hélas pas de reconnaître une occupation avant le contact pour cette partie du territoire. Donc, partant de la première occupation prouvée par les Algoncris, qui remonte aux années 1680, il faut reconnaître que ces terres, qui faisaient partie de la portion est des terres de Rupert, avaient été concédées à la Compagnie de la baie d'Hudson — Radisson, Des Groseilliers et leurs compagnons — par une charte corporative émise en 1670. En 1686, Fort Charles, aujourd'hui Waskaganish, était détruit par les Français. Mais les Anglais reprirent tout le territoire de cette contrée par le traité d'Utrech, en 1713. Ces territoires, au moment de la prise de Québec par les Britanniques, en 1759, et au moment du traité de Paris, en 1763, n'ont pas été conquis par l'Angleterre parce qu'ils avaient été concédés à la Compagnie de la baie d'Hudson qui en était déjà propriétaire. Ceci est d'ailleurs reconnu dans la Proclamation royale de 1763, émise par le roi

George d'Angleterre, qui ne décrit pas la terre de Rupert dans les possessions conquises. Ensuite, en 1821, intervint la fusion entre la Compagnie du Nord-Ouest et la Compagnie de la baie d'Hudson. La formation officielle du Canada ne se produisit qu'en 1867. À ce moment-là, le développement de l'Ouest canadien était encore embryonnaire. La nouvelle entité, toujours connue sous le nom de Compagnie de la baie d'Hudson, en 1868, acceptait de rétrocéder à la Couronne britannique la terre de Rupert en échange de terres à développer dans les provinces de l'Ouest. En 1870, la Couronne britannique transférait la propriété en question au Dominion du Canada. Par la suite, en vertu de différentes lois et accords de nature territoriale, documents qui sont annexés aux présentes, la province de Québec a vu entrer officiellement dans son giron le territoire en question… »

Me Rampling fit un tour de table. Me Hutchison, représentant du gouvernement fédéral, assura qu'il endossait pour le moment la position du Québec et qu'il n'avait aucun commentaire à formuler. Me Oliwash affirma que les Cris, sans accepter comme telle cette position, n'entendaient pas intervenir à ce stade. Quant à Me Roquemont, il exprima le désir de prendre connaissance de toute la documentation fournie. Les parties convinrent d'un commun accord de se revoir en avril 1999.

À la fin de la rencontre, Armstrong et Wagis semblaient déçus. L'inquiétude se lisait aussi sur les visages de Kevin et de Margo. Charles, rompu à ce genre de joute en plusieurs périodes, dit :

— Je ne m'attendais pas à ce qu'ils reconnaissent quoi que ce soit à ce stade. Je pense qu'ils veulent connaître tout notre jeu avant d'abattre le leur.

— Rien ne nous garantit qu'ils feront preuve d'ouverture plus tard… dit Kevin. Il me semble que leurs arguments sont solides, du moins à prime abord…

— J'ai déjà de bonnes réponses à leurs arguments, continua Charles. Mais je dois étudier plus à fond certains points des documents fournis dont aucun, soit dit en passant, ne m'était inconnu. Pour le moment, je crois que nous devons compléter notre plan B au plus vite.

Après de longues discussions, une nouvelle répartition des tâches, encore plus pointue, fut déterminée. Armstrong et Wagis s'occuperaient de poursuivre leurs vérifications dans la communauté algoncrie, dans les archives cries, algonquines, provinciales et fédérales, afin de trouver, si possible, des preuves précises d'occupation antérieure à l'année 1680. Ils devraient vérifier toute la documentation déposée lors de la Convention de la Baie-James, et particulièrement les pièces soumises à la Commission royale d'enquête sur les peuples autochtones, dont les auditions s'étaient tenues entre 1993 et 1995.

Margo devrait faire de même, mais en se référant à la piste dite « des oblats ». Lors de la visite du territoire de Wisnac, un des vieux sages de la communauté avait incité l'équipe de recherche à dépouiller une autre section des archives de cette communauté religieuse, à Ottawa. Quant à Kevin, il irait en Angleterre et à Paris pour compléter la preuve déjà déposée. Il devrait vérifier la documentation relative aux cessions faites par la Compagnie de la baie d'Hudson, depuis sa charte en 1670, et toute la documentation politique déposée lors des traités intervenus entre la France et l'Angleterre depuis l'établissement des Européens. Il jetterait plus précisément un œil attentif sur les cartes utilisées lors de la signature du traité d'Utrech en 1713, lequel touchait le territoire en question. Quant à Charles, il composerait un texte de réponse à la fin de non-recevoir qu'on venait de leur asséner.

Chapitre 19

Il avait été convenu que Margo, Kevin et d'autres proches se retrouveraient au Centre d'hébergement pour rencontrer Anna, le 24 décembre 1998. Ce jour-là, Charles passa devant la demeure de Mylène, dans le boulevard Saint-Cyrille. Il ralentit, mais comme il n'y avait aucun véhicule dans la cour, il continua son chemin.

Dans le corridor qui menait à la chambre de sa mère, Charles rencontra Louis Gauvreault qui en sortait, tout souriant.

— Savais-tu que j'ai gagné mes élections?

Charles, avec les préoccupations de son mandat, n'avait pas eu le temps de suivre de près la politique régionale. Devant son froncement de sourcil, l'autre poursuivit:

— Oui, dans Portneuf, j'ai fait élire mon candidat!

— Ah! Qui est passé? Je...

— Roger Bertrand, du Parti québécois. Il a été réélu! Il a battu Gilbert, le libéral.

— Mes félicitations! On voit que vous suivez toujours la politique. Il en faut, des gens comme vous qui s'impliquent.

— Oui, c'est certain. Tu te souviens de la *Loi des mesures de guerre*, en 1970, quand j'avais été emprisonné?

— Si je m'en souviens! J'étais jeune avocat. Je n'avais pas réussi à vous faire sortir avant les autres... Je n'étais pas fier de moi. Faut dire qu'on se battait contre plus fort que nous. La peur s'était installée... Faut dire aussi que mon vieil ami Fortier ne m'avait donné aucune chance!

— Mais c'est du passé. Aujourd'hui, la démocratie se porte bien au Québec...

Charles, qui ne voulait pas commencer une discussion politique de fond, le salua poliment.

Dans la chambre d'Anna, se trouvaient Isabelle, Kevin et Margo. Chacun avait apporté une babiole en cadeau, car il ne fallait pas venir chaque fois avec des objets encombrants, la chambre étant petite et déjà pleine à craquer. Sur la crédence, il y avait des cartes de Noël provenant d'Ange-Aimée, de tante Agathe, de Thérèse, de la compagnie d'assurances La Laurentienne. Anna était joyeuse et contente de recevoir de la visite. Elle se laissa embrasser par Charles qui lui remit une rose.

— Pourquoi Fabiola n'est-elle pas avec toi?

— Elle est allée dans sa famille... dans Charlevoix... Elle a promis de venir vous voir bientôt.

Charles, en vérité, était sans nouvelles précises, chacun s'étant laissé à tour de rôle des messages sur répondeur. Il changea rapidement de sujet en se tournant vers Isabelle:

— Et vous, ma tante, comment ça va?

Celle-ci se mit à pleurer doucement sur son épaule. La voix chevrotante, elle expliqua que la condition d'Alfred avait encore empiré. Finalement, son entrée au CHUL avait été acceptée, dans l'aile des Anciens combattants. Elle devait l'y conduire en fin de journée. Charles s'offrit, mais Kevin l'avait devancé. Charles lui promit alors de visiter son mari dans les prochains jours.

— Je te remercie de ton intervention comme avocat. Sans toi, j'aurais dû le garder à la maison. Et j'suis plus capable...

— C'est ça, ma tante, vous allez pouvoir penser à vous, maintenant…

Margo et Kevin avaient apporté un album de photos neuf dans lequel ils inséraient de vieilles photos de famille qu'ils sortaient une à une d'une boîte vide de chaussures. Toute excitée, Anna les commentait avec force détails:

— Ça, c'est Majel, à l'époque de ses voyages d'arpentage! Ici, il pose à côté d'un avion. Le pilote ne parlait que l'anglais…

— Il était bel homme, votre Majel! dit Kevin.

— J'te crois bien… Il a fait tourner bien des têtes… Mais je l'ai marié avant qu'y s'éparpille trop… dit-elle en ricanant.

— Une beauté comme ça, chez les Roquemont, c'est habituel, poursuivit Isabelle qui avait repris de l'aplomb. Prenez mes enfants, Conrad et Sophie…

— Il y a Charles aussi! continua Anna, en lui tapotant affectueusement la main.

— Et moi, dit Margo, je suis une Roquemont aussi…

Kevin serra Margo dans ses bras en signe d'assentiment. Isabelle sortit d'autres clichés de la boîte. L'un d'eux montrait Anna habillée en amazone.

— Ça, c'est quand j'étais allée avec Majel à la construction des camps… C'est écrit « 1943 » en arrière… Ici, c'est quand nous étions montés toute la famille passer l'hiver au lac Charlot, en 1944… Celle-là, c'était en 1945, Charles avait 7 ans… C'est moi qui lui apprenais à lire et à écrire. Quand on descendait au village, je montrais ses cahiers de devoirs au frère directeur, pis il lui donnait toujours des bonnes notes. Y faisait une exception pour nous autres… Les frères pouvaient pas faire ça avec tout le monde!

— Et celle-ci?

— Je suis habillée en chasseur devant le camp du Dr Marsan, au lac Jolicœur : c'est moi qui avais abattu le *buck* sur le bord du lac. Toute seule, à part ça ! Celle-là, c'est une photo de toute la famille devant la boulangerie... On pensait bien faire... Mon Majel était toujours parti... Pis là, on s'était dit : « Enfin, on va être ensemble tout le temps ! » Mais y fallait travailler tellement fort que finalement on était toujours fatigués...

— Celle-là, grand-maman, c'est quoi ? demanda Margo.

— Ça, c'est la cour à bois de l'entreprise Gaudot que Majel a achetée après la vente de la boulangerie... Y en avait, des rangées de bois ! À perte de vue. Pis y fallait toujours faire attention au feu... C'était pas assurable. À chaque fois que le téléphone sonnait, on pensait que quelqu'un nous appelait pour nous annoncer un incendie...

— Regardez celle-là, dit Charles.

Kevin ne put deviner de quoi il s'agissait.

— Ça, mon gars, c'est parmi les plus beaux souvenirs de mon enfance, dit Charles. Toute la filée de chevaux qui sont sur l'accotement de la rue, c'était la descente du chantier de mon père... Le petit bonhomme au sourire Pepsodent que tu vois, assis sur la *sleigh* repliée en deux, c'est moi, à côté de papa... Je tiens les cordeaux du cheval... C'était toute une responsabilité ! Surtout devant tous les gens qui nous regardaient passer... Mes amis étaient jaloux ! L'autre, c'est quand le *snowmobile* Bombardier, un B-12 de la Brunswick Lumber, était venu nous chercher pour aller à la messe de minuit, au chantier du lac Jobin. C'est la première fois que j'ai essayé un *snow*. Le siège du conducteur était placé au centre, comme celui d'un avion. Puis, il y avait les fenêtres en forme de hublot, de chaque côté... Tout ça faisait futuriste et moi, quand l'engin s'était mis en marche avec son bruit assourdissant, j'avais l'impression de vivre une bande dessinée de Jack le Matamore[1], dans une fusée qui s'envolait vers la Lune…

La conversation s'étira dans les souvenirs de famille. Anna dit :

— La journée a passé bien vite !

Puis elle fit son exercice de la journée en allant, à l'aide de sa canne, les reconduire chacun son tour à la porte de sa chambre. Quand ils l'eurent quittée, elle versa quelques larmes difficiles à interpréter : fallait-il les mettre sur le compte de la mélancolie ou de la peur de l'ennui ?

Dans les jours suivants, Charles se rendit au CHUL où avait été admis Alfred Bergeron. Pour atteindre l'aile réservée aux Anciens combattants, il fallait emprunter un long corridor, prendre un ascenseur et passer dans un autre édifice en empruntant un passage surélevé. Dans l'ascenseur, il vit un homme assis dans un fauteuil roulant accompagné d'une infirmière. Les cheveux blancs, il portait des lunettes à monture argent qui lui donnaient une allure sévère. Charles se dit qu'il connaissait cet homme, sans être toutefois capable de mettre un nom sur son visage. Il nota le numéro de la chambre où la garde le conduisit, au 2007 ; il s'informerait à la réception plus tard.

Il put constater par lui-même la description qu'Isabelle avait faite de son mari. Bergeron faisait vraiment pitié à voir : depuis l'amputation de sa jambe droite, chaque nouveau diagnostic s'avérait être une calamité. Il était devenu à ce point souffrant qu'il devait continuellement

1. Personnage de bande dessinée futuriste.

prendre des calmants. S'il en était privé, sa douleur était telle qu'il gémissait constamment. Il ne reconnut pas Charles. Ses balbutiements incompréhensibles ne permirent aucune communication significative entre eux.

Isabelle était là, accompagnée de ses deux enfants, Conrad et Sophie. Après une brève visite parce que le malade s'était endormi, Charles se retira. La famille avait apprécié sa venue. Il put discuter dans le corridor avec Isabelle et ses deux enfants. Conrad était maintenant vice-président chez CGL tandis que Sophie travaillait toujours dans le marketing à Montréal. Avant de partir, Isabelle s'épancha en lui disant qu'elle trouvait la maison du rang du Nord bien grande. Malgré le temps qui lui faisait défaut, Charles promit de revenir.

Avant de partir, toutefois, il remarqua, non sans une certaine émotion, une photo qu'Isabelle avait fait laminer. Extraite d'un journal, elle montrait le général de Gaulle serrant la main de Bergeron. Celui-ci affichait un large sourire et, à l'épaulière, la mention « Régiment du rang du Nord ».

En passant près de la réception, il s'enquit du nom du pensionnaire du 2007.

— Mark Perras, lui répondit la préposée.

— Bon. Je croyais connaître cette personne, mais…

— C'est un religieux. Un frère des Écoles chrétiennes : frère Mark.

Charles fit claquer ses doigts.

— Oui, oui, je le connais ! Merci Madame.

Il reprit l'ascenseur. Il avait d'abord pensé surgir dans la chambre comme le frère Mark le faisait, quand il entrait brusquement dans une salle de cours, en créant un effet de surprise au son de ces trois mots : « *Stop-look-listen !* » Mais il se rendit vite compte qu'il avait bien fait de s'abstenir.

Là, devant lui, dans le grand lit blanc, reposait celui qui avait été son professeur d'anglais, à la petite école. Sans lunettes, il présentait des yeux hagards; l'absence de dentier expliquait un creux dans le bas de son visage. Ses cheveux, sans doute à cause de l'éclairage, semblaient encore plus blancs que dans l'ascenseur, une heure auparavant. L'homme toutefois remit ses lunettes avec agilité.

— Vous êtes bien le frère Mark?

Avant de répondre, celui-ci prit la peine de remettre ses dentiers.

— Oui, oui, répondit l'homme d'une petite voix sourde mais égale.

— Je suis Charles Roquemont, autrefois de Saint-Raymond... Vous avez été mon professeur d'anglais.

Le frère Mark se redressa dans son lit. Charles vit à ce moment le visage du religieux reprendre forme, avec son petit sourire presque narquois, des fossettes aux joues et un petit plissement d'intelligence au niveau des paupières.

— Vous savez, monsieur Roquemont, j'ai fait un calcul et je crois avoir enseigné à 1500 étudiants dans ma carrière...

— Mais...

— Rassurez-vous! Je me souviens de vous... Puis de votre père aussi, Majella... Je lui ai donné des cours du soir. Majel était un peu plus vieux que moi. Je venais à peine d'arriver à Saint-Raymond. C'était en... 1935, 1936... J'avais environ 20 ans.

Après cette entrée en matière, la rencontre, de réservée qu'elle était, devint soudainement plus chaleureuse. Charles s'approcha du lit. Frère Mark lui apprit qu'il revenait d'Afrique. Parti de Saint-Raymond en 1948, il n'y était jamais revenu. Maintenant âgé de 83 ans, il était atteint d'un cancer prétendument incurable. Selon l'avis des spécialistes, il ne lui restait que quelques mois à vivre. Il se souvenait de son séjour au collège Saint-Joseph de Saint-Raymond comme du meilleur moment de sa vie de professeur et de sa vie tout court. Il fut heureux d'apprendre que Charles, parfaitement bilingue, avait tout au long de sa vie mis en pratique son enseignement percutant du «*Stop-look-listen!*» dans les moment importants. Il y eut un moment de silence. Charles demanda:

— Votre cancer, c'est...

— Un glioblastome au cerveau! Il paraît que ça ne pardonne pas...

— Comment vous sentez-vous? Est-ce souffrant?

— Euh, pas vraiment... Mais c'est au niveau mental que c'est... disons, difficile...

— Je sais que vous êtes un Franco-Américain. Est-ce que vous avez de la famille, des gens qui sont près de vous... Qui vous...

À ce moment, le visage de l'homme s'assombrit. Il hésita avant de parler. Ses lèvres tremblotèrent:

— Quand on est frère depuis l'adolescence, on n'a plus de famille... Notre famille, c'est la communauté, mais pour moi, c'étaient surtout mes élèves. Mes derniers sont en Afrique. Pour ce qui est de mon passé au Québec, 1948, c'est bien loin... Vous êtes le seul élève qui ayez pris la peine de venir me voir...

Charles lui serra la main en disant:

— Ça va bien aller, frère Mark... Je vais revenir...

Des larmes coulaient sur les joues du vieil homme, qui ne tenta même pas de les retenir. Charles sortit de la chambre au moment où une garde se présentait. En le voyant, elle lui demanda s'il était un parent ou un ami. Il apprit alors qu'il était la première personne à visiter son patient depuis son arrivée à l'hôpital — il y avait plusieurs mois déjà — et que même les membres de sa congrégation semblaient l'avoir oublié.

Le 27 décembre, Charles reçut un appel de sa tante Thérèse. Celle-ci, à 88 ans bien sonnés, était toujours alerte. Dans la famille, on l'appelait « la femme forte de l'Évangile » parce qu'elle avait vécu la plus grande partie de sa vie à s'occuper seule de la ferme ancestrale. Il y avait quelques années qu'ils ne s'étaient pas rencontrés. Aussi fut-il surpris de l'avoir au téléphone. Que pouvait-elle bien lui vouloir ?

— Bonjour Charles, ça va bien ?

— Oui, ma tante. Et vous ?

— Bien... Euh... J'aimerais te rencontrer au plus tôt. C'est pour quelque chose d'important.

— Si j'étais chez vous à l'heure du midi, demain, ça irait ?

— Oui. Très bien. Je t'invite à dîner.

— Je serai là.

Le lendemain, Charles était dans la résidence de Thérèse, à Saint-Augustin. Charles n'avait pas encore enlevé son manteau que la tante Thérèse abordait immédiatement le vif du sujet :

— Tu sais, Charles, que la police ne m'a jamais dit que le dossier de la disparition de mon mari était fermé. Ils m'appellent chaque année pour me demander si j'ai des développements, si j'ai appris du nouveau, ou bien si j'ai trouvé des documents ou des indices quelconques permettant de continuer l'enquête.

— Bon. Tout ça me semble normal… En fait…

— Mais, ça s'rait plutôt à moi de les appeler pour voir s'ils n'ont pas trouvé quelque chose de nouveau…

— C'est pas pour me dire ça que vous m'avez fait venir ?

— Non, bien sûr… Voilà… Je vais être franche, je dois te dire que le mois passé, en faisant le ménage dans la remise du jardin, une planche pourrie du plancher a défoncé et j'ai trouvé des papiers en dessous. Des notes écrites à la main…

— Et que contiennent ces documents ?

Joignant le geste à la parole, elle sortit de sa commode un calepin de couleur brune, ayant à son endos les tables de calculs que l'on trouvait sur les cahiers d'école des années 1940. Trois pages subsistaient. Charles lut :

Si E.B. continue à toucher à ma fille, il va en manger une maudite ! Je le jure ! Ce… 1939

Je l'ai encore averti cette semaine et il m'a promis qu'il arrêterait. Mais je l'ai à l'œil. Je laisse ces notes parce qu'il m'a menacé de son côté. Il m'a dit qu'il me noierait dans la fosse à purin si j'arrêtais pas de me mêler de sa vie de couple. Ce… 1939

Là j'en peux pu, il lui a encore fait perdre un enfant cet automne. Je promets de rien si je me retiens pas. Mais j'ai aussi peur de lui. Pis ma femme itou… 1939

— Avez-vous reconnu cette écriture, ma tante ?

— C'est celle de mon père, même si c'est pas signé. Je la reconnais.

— Qu'est-ce que cela veut dire, à votre avis ?

— Ben… Euh… J'pense que mon mari menaçait mon père. Pis que mon père menaçait mon mari…

— Oui, ça ressemble à ça…

Après quelques instants de silence, Charles questionna de nouveau :

— Parlons pour parler… Il faut conclure que, menace contre menace, ce n'est pas votre père qui a disparu, mais votre mari !

— Oui, j'ai bien réfléchi à ça. Mais les deux ont aujourd'hui « disparu ». Mon mari en 1940… Et mes parents sont morts noyés dans le parc en revenant de ton mariage, tu t'en souviens, en 1965 !

— Assez, oui ! Ça avait gâché tout notre plaisir. On a même cru à une malédiction rattachée à notre mariage…

— J'me souviens que cette année là, les journalistes parlaient de « nouvelles preuves », et que la police voulait réactiver le dossier… La noyade de mes parents est arrivée quelques mois plus tard… On peut maintenant se demander si c'était pas un suicide…

— À moins que votre mari se soit caché et, avant de s'évaporer dans la nature, les ait fait se noyer dans le grand lac Jacques-Cartier…

— Tout ça reste des hypothèses… Jamais personne ne va croire ça !

— Oui, vous avez bien raison, ma tante. Par contre, si la Sûreté du Québec mettait la main sur ces papiers-là, ils retiendraient que votre père a proféré des menaces de mort immédiatement avant la disparition d'Hector, ce qui en ferait un témoin important. Par la suite, sentant la soupe chaude, il se serait suicidé. Même que si votre mère était au courant, ça aurait pu être un double suicide… Sinon, votre père aurait amené volontairement votre mère dans la noyade…

— Penses-tu que la police pourrait en arriver à de pareilles conclusions ?

— Comme les morts ne parlent pas, la Sûreté du Québec se ferait peut-être un malin plaisir de fermer le dossier en trouvant un coupable potentiel qui avait, à l'époque pertinente, proféré des menaces de mort. La meilleure manière de fermer un dossier, quelque 60 ans plus tard, serait de laisser planer le doute sur un suicide de vos parents. Les morts ont toujours tort...

— Je me souviens des remarques finales du coroner, à la suite de l'enquête...

— Oui, reprit Charles. Je m'en souviens aussi. Il avait trouvé étrange que le véhicule n'ait pas laissé de traces entre la chaussée et l'accotement qui se trouvait juste sur la rive du lac. Mais à l'époque, il n'y avait pas de raison de suspecter un suicide...

Charles garda un long silence avant de reprendre :

— Quand vous m'avez appelé, tante Thérèse, appeliez-vous votre neveu ou bien un avocat ?

— J'appelais mon neveu qui est avocat...

— Je retiens que vous m'avez appelé parce que j'étais un homme de loi ?

— C'est ça. Parce que je veux un conseil. En un mot, qu'est-ce que je fais avec ces papiers-là ?

— Pour tout vous dire, ma tante, je suis en situation de conflit d'intérêt. Vous y pensez ? Ces papiers peuvent démontrer que votre père a assassiné votre mari ! Bien plus que ça, on pourrait conclure qu'il a aussi provoqué la noyade de votre mère. Par la même occasion, vos parents se trouvent être mes grands-parents du côté maternel... Puis, maman n'a pas besoin de ce genre de problèmes !

— Qu'est-ce que je fais, alors ? Je peux les brûler, les jeter dans le poêle à bois...

— Je ne peux vous conseiller de faire ça. Vous savez, les avocats sont en quelque sorte considérés comme des officiers de justice. Ainsi, notre code de déontologie ne permet pas que nous fassions disparaître des preuves qui pourraient être utiles pour le règlement d'une affaire judiciaire. Surtout dans un cas de disparition comme celui de votre mari.

— Comme ça, y faut que j'appelle la police?

— Pas si vite, pas si vite. Vous allez attendre un appel téléphonique de Me Slagenger, un criminaliste que je connais bien et vous allez le rencontrer. Lui, il va vous conseiller, vous dire quoi faire. Pour le moment, vous cachez les papiers et vous attendez l'appel de l'avocat. Vous ne les montrez qu'à lui, d'accord?

— D'accord.

Le soir même, Charles appelait son collègue et ami Me Slagenger. Il passa pratiquement une heure à lui exposer l'affaire de long en large: sa tante Thérèse avait été une femme battue; ses deux grossesses s'étaient soldées par des fausses couches à la suite de mauvais coups; la disparition d'Hector Boissonault en 1940; la mort tragique des parents Robitaille en 1965; le règlement de la succession du disparu en 1968 en vertu des règles sur l'absence du Code civil du Québec; le fait que la veuve Thérèse avait pu à ce moment toucher aussi les prestations d'assurance et prendre finalement possession de la ferme de ses parents; les nombreuses enquêtes policières infructueuses; le dossier en suspens depuis plus de 58 ans et jamais résolu; la découverte des derniers documents qui constituaient sans aucun doute des menaces de mort réciproques.

L'avocat s'empressa de demander à Charles quelle était sa position. Il lui répondit:

— Mon ami, je te l'ai dit, je suis en conflit d'intérêt… Mais…

— Oui, je t'écoute très attentivement, Charles…

— Euh… Je suis toujours d'opinion que « les morts doivent enterrer leurs morts ! »

— Que veux-tu dire par là ? répliqua Me Slagenger.

— Si tu ne comprends pas, tu peux lire des Agatha Christie ou encore des Simenon…

Intrigué, le collègue mit fin à la conversation de guerre lasse :

— J'ai tout compris. Je vais me débrouiller tout seul !

— C'est ça mon ami. Je ne veux pas être mêlé de près ou de loin à ta décision…

Chapitre 20

Après les Fêtes, il fallut mettre les bouchées doubles pour continuer le dossier des Algoncris. On en était à la mi-janvier. Charles avait pris des nouvelles de Wagis et d'Armstrong. Ils avaient trouvé quelques documents dignes d'intérêt dans les pièces déposées devant la Commission royale d'enquête sur les peuples autochtones. Ce qui avait particulièrement retenu leur attention était une étude anthropologique effectuée sur le territoire conventionné, mais restait à savoir si ces analyses portaient directement sur Wisnac. Quant à Kevin, il était parti pour Londres et n'avait pas encore donné de nouvelles. Margo, qui suivait la piste des oblats, se trouvait à la maison mère de la communauté, à Ottawa.

Charles était en train de relire avec sa loupe, pour la énième fois, la Proclamation royale de 1763 afin de rédiger son argumentation pour la réunion du mois d'avril, quand il reçut un appel téléphonique de Margo.

— Bonjour Charles, je t'appelle de Winnipeg…

— Comment ça, Winnipeg ? Tu ne devais pas plutôt aller à Ottawa ?

— Oui, dit-elle en riant, j'y suis allée. J'ai épluché les documents fournis par les pères oblats. Ça m'a amenée ensuite aux archives de la Queen's University à Kingston. De là, je suis allée aux Archives nationales d'Ottawa. Puis j'ai trouvé un filon et je me suis rendue au Musée du Manitoba...

— Qu'est-ce qu'ils peuvent bien avoir là qui n'est pas à Ottawa?

— Tu ne savais pas que toutes les archives originales de la Compagnie de la baie d'Hudson ont été transférées d'Angleterre au Musée du Manitoba?

— Non, je ne savais pas...

— Bon. Je vais te laisser sur ton appétit. Mais je crois avoir trouvé des choses intéressantes...

— Comme quoi, par exemple?

Mais elle ne voulut en dire plus.

~

Dans les derniers jours de janvier, question de se distraire quelque peu du dossier des autochtones, Charles décida de s'offrir une soirée de détente en assistant à un concert de l'Orchestre symphonique de Québec. En sortant du Grand Théâtre, il se dirigeait vers le stationnement quand il reconnut Johanne, son ex-épouse. La dernière fois qu'il l'avait rencontrée remontait à une dizaine d'années. « Une rencontre mémorable, songea-t-il. Foi d'avocat, ce ne sont pas tous les divorcés qui se rencontrent une quinzaine d'années plus tard pour faire la paix dans une auberge. »

Elle marchait devant lui et ne l'avait pas encore aperçu. Il pressa le pas. Malgré son allure toujours svelte, elle taquinait la soixantaine. Toujours aussi soigneusement vêtue, elle marchait d'un pas énergique, sans toutefois marquer d'empressement. Sa coiffure châtaine, relevée au-dessus des oreilles, donnait à son visage un air dégagé et serein. Elle avait toujours cette petite marque attirante sur la lèvre inférieure. Il l'accosta :

— Si ce n'est pas Johanne Tremblay…

Elle le reconnut. Ses yeux noisette rieurs éclairèrent son visage.

— Si c'est pas mon… mon ami Charles…

Et ils s'embrassèrent sur la joue, comme de vieux amis, parmi les passants.

Il n'était pas tard. Ils décidèrent de prendre un café au bistrot de l'hôtel *Concorde*. Ils n'étaient pas du genre à utiliser l'entrée en matière classique en parlant de la pluie et du beau temps. Charles nota la bonne condition physique de Johanne, qui lui dit qu'elle s'entraînait au club Nautilus trois fois par semaine. De son côté, elle sut qu'il jouait encore au tennis. Puis elle s'informa d'Anna, de Thérèse et de toute la parenté : tante Agathe, Victor, Isabelle, son mari, leurs enfants. Comme elle avait été très près de son ex-belle-sœur Luce, elle demanda comment cette dernière se portait. Charles lui expliqua qu'ils se visitaient régulièrement et que ses enfants allaient bien. Ce qui les amena à parler du dossier médiatisé des Algoncris, et aussi de Margo et de son ami Kevin qui travaillaient avec lui.

Il s'informa à son tour de sa parenté et de leurs amis communs. Toujours célibataire, elle était installée à Cap-Rouge, dans une maison sur la falaise.

— C'est curieux, dit-elle. Je me suis rendue compte que nous restions presque l'un en face de l'autre, de chaque côté du fleuve, juste après avoir signé l'acte d'achat. Je te le jure !

— Il faudrait bien que tu me fasses visiter ça un jour…

— Bien oui. Pourquoi pas ! D'après les photos que tu m'as montrées, je pense être aussi bien installée que toi.

Puis, elle parla de sa vie professionnelle. Depuis quelques années, elle était professeur titulaire en chimie à la Faculté des sciences de l'Université Laval. C'est à ce titre qu'elle était chargée d'organiser un colloque conjoint entre les facultés des sciences, de médecine et des sciences sociales concernant l'apport des nouvelles connaissances sur le génome humain dans l'identification des races d'une manière plus scientifique.

— À mon avis, c'est un sujet qui pourrait intéresser les aborigènes…

— Bien… Ça dépend de ces nouvelles données… Jusqu'à ce jour…

— Tu serais surpris, Charles. D'ici quelques années, on va pouvoir identifier les individus par une simple goutte de salive ou encore un simple prélèvement de peau, voir même d'un seul cheveu !

— Et tu crois qu'on pourrait identifier les différentes races en remontant dans le temps ?

— C'est ça : tout part d'une suite logique d'atomes qui se perpétuent…

— C'est très intéressant. Tu me feras signe.

— Ça sera en septembre prochain.

Puis la conversation en revint à des échanges plus intimes. Le sujet, un temps tabou, remonta à la surface : avaient-ils pris une mauvaise décision en se séparant ?

Johanne voulut faire dévier le débat :

— Nous n'aurons jamais la réponse…

— Moi, je n'ai pas d'objection à parler des bons moments que nous avons eus ensemble…

— Veux-tu parler de notre sauterie de retrouvailles dans Charlevoix, en 1989 ?

— Non. Ça, c'est arrivé après… C'était bon, mais… J'aime mieux parler d'avant…

— Bon. Allons-y avant, d'abord... Nos fréquentations... Quand nous allions faire du *necking* aux chutes du rang Bourg-Louis...

— Oui. Oui, ça, c'était le bon temps... Puis la noce... Nous avons eu une belle noce...

— Le discours de Majel où mes parents avaient pleuré... Événement vite assombri par la noyade des parents de ta mère dans le Parc des Laurentides, à leur retour...

— Oui. Tu peux le dire... Comme si notre mariage avait été placé sous le signe du malheur.

— Cette tempête sur la mer, dont parlait ton père dans son discours, nous l'avons vécue...

Elle fit une pause que Charles respecta, conscient du choc que l'événement avait causé dans leur vie et dans celle des deux familles. Puis elle continua :

— Mais le plus beau souvenir... Non, pas le plus beau, mais le plus important, celui qui revient tout le temps, c'est quand nous étions montés, seuls tous les deux, en hiver, au camp de Majel, au lac Jolicœur... J'y pense souvent.

Charles, attendri, prit une gorgée de café. Il l'écoutait attentivement discourir, comme si elle racontait un rêve et non un événement qui leur était réellement arrivé. Elle poursuivit :

— C'était en février, 1973 ou 1974, je ne me souviens plus... Nous avions passé les Fêtes chez tes parents. Ton père n'était pas encore rétabli de son accident. Devant ta mère, Luce m'avait demandé pourquoi je ne voulais pas d'enfant... Notre mariage commençait à s'effilocher. Pour la première fois, je montais au camp de ton père en hiver. Nous sommes partis de Saint-Raymond chacun sur notre motoneige. Nous les avons laissées au pied de la montagne. Nous avons chaussé nos raquettes. Nous nous sommes reposés à la grotte au Renard, puis sur la plate-forme du rocher. Tu m'as fait peur sur la passerelle, au-dessus du ravin. Nous avons mangé notre lunch à la Savane verte qui était devenue blanche. Finalement, nous sommes arrivés au lac. Un vent du nord-est soufflait. Nous avons marché comme deux astronautes, nous tenant par la main, avançant avec difficulté. J'ai pris la clef accrochée derrière le vieux hangar pendant que tu dégageais la neige devant la porte. Nous avons allumé un feu. La chaleur était bonne, tout le décor était parfait. C'était dans notre tête que les choses allaient mal. Nous avons discuté du fait d'avoir un enfant ou pas. De notre profession. De nos petites difficultés quotidiennes…

— Oui. Te souviens-tu du « tableau des pour et des contre » que nous avons fait ensemble ? La grande rangée des points positifs qui nous unissaient ?

— Si je m'en souviens ! C'était bien nous, ça. Rationnels, comme toujours. Il y avait surtout cette grande colonne qui représentait les points négatifs… Puis, c'est là que nous avons décidé de nous séparer pour un temps… Avant de partir, comme si nous ne savions pas ce que nous voulions vraiment, nous avons décidé de faire l'amour pour une dernière fois. Je me rappelle de tes paroles : « Au cas où ça serait vraiment notre dernière fois… » Nous avons retraversé la surface glacée, sans nous tenir par la main cette fois. Nous avons redescendu la montagne sans parler. Lentement… On aurait dit que le bois était plus silencieux encore qu'à la montée… Le sentier plus long aussi… Tu t'en souviens ?

— Oui, je m'en souviens très bien…

— Et des fois, comme ce soir, je me demande bien si nous avons pris la bonne décision… Nous avons réussi tous les deux dans notre profession… Sans enfant… En aurions-nous eu ? Qui auraient-ils été ? Que seraient-ils devenus ? Seule dans ma belle maison de Cap-Rouge, je me pose souvent la même question.

Des larmes coulèrent doucement sur les joues de Johanne. Charles était remué. Johanne lui prit la main gauche qu'il serra à son tour fermement. Il lut le message des petits yeux noisette, qui, rieurs l'instant précédent, furent soudainement assombris par une légère brume. Il ne s'attendait pas, après une simple soirée de détente improvisée, à vivre de telles émotions. Délicatement, il relâcha son étreinte, reprenant d'une voix qui se voulait sereine :

— Sais-tu qu'aujourd'hui le chemin pour se rendre au lac Brûlé, qui s'appelle maintenant le lac Gouat, est ouvert même en hiver ? Plus besoin d'utiliser une motoneige pour se rendre au sentier de Majel, on débarque de l'auto, on met ses raquettes, puis on monte…

Un long silence prit place. Ils se regardèrent dans les yeux. Johanne reprit :

— Est-ce une invitation, Charles ?

— La clef du camp est toujours au même endroit, accrochée en arrière de la vieille *shed* à bois… Là, je suis bien occupé… Mais je pourrai te faire un petit signe quand j'irai…

Curieusement, Charles se sentit dans une zone de confort, comme lorsque, encore jeune homme pensionnaire au collège Saint-Laurent, il revenait à la maison après plusieurs longs mois d'absence. Ils continuèrent à échanger quelques propos tout en se dirigeant vers le stationnement. Il la reconduisit jusqu'à son véhicule, une rutilante Mustang jaune. Avant de le quitter, Fabiola osa lui poser quelques questions additionnelles qui la taraudaient :

— Et toi, Charles, ta vie sentimentale ?

— Euh... J'ai quelques bonnes amies... Mais, pour le moment, rien de véritablement stable...

— Que veux-tu dire par « stable » ?

— Personne ne vit avec moi dans ma maison. Ce qui ne m'empêche pas à l'occasion de...

— Oui, je comprends... Tu es encore un homme libre...

— Chaque soir, je n'ai pas à me rapporter à qui que ce soit...

— Tu es donc un homme retraité et libre !

— C'est ça...

En montant dans sa voiture, elle lui dit qu'elle le mettrait sur sa liste d'invités comme auditeur libre pour son colloque de l'automne suivant.

Au volant de son véhicule, sur le chemin de la maison, Charles n'ouvrit pas la radio comme à son habitude. Depuis 1974, il avait souvent repensé à ces tendres moments vécus au lac Jolicœur avec celle qui avait été sa femme. Il était pour le moins troublant qu'elle aussi, après tant d'années, y attache encore autant d'importance. Elle n'avait pas « refait » sa vie. Elle aussi n'entretenait pas de liaison sérieuse. Elle était toujours aussi pétillante, gardant la forme, active dans de nombreuses associations sportives et professionnelles.

Quand il arriva dans sa résidence, il y avait deux messages sur son répondeur. Le premier, d'Isabelle, qui lui annonçait le décès de tante Agathe à l'âge de 87 ans. Le service aurait lieu mercredi suivant, 3 février. Le second, de Margo, qui appelait de l'aéroport Mirabel. Elle avisait son oncle qu'elle prenait, tel que convenu auparavant, quelques jours de vacances à Los Angeles avec Kevin. Pour s'y rendre, elle devait d'abord le rejoindre à New York. Cependant elle n'avait glissé aucun mot des documents qu'elle avait prétendument découverts aux archives de la Compagnie de la baie d'Hudson ...

Chapitre 21

Comme l'enterrement de tante Agathe était fixé au mercredi suivant, il décida de monter seul au lac Jolicœur, comme il le faisait chaque année quelque part en février. Cet instant était magique parce qu'il annonçait généralement le printemps, alors qu'on voyait déjà les rayons du soleil, à midi, faire fondre un peu de glace sur la toiture du camp. À son retour, il rencontrerait le reste de la famille à l'enterrement puis irait visiter Anna.

Coupant court par le vieux pont Tessier, il prit le rang du Nord, s'arrêta quelques instants au dépanneur Ouellet et fila par le Petit-Saguenay jusqu'au lac Gouat.

D'un pas allègre, il entreprit la montée en raquettes, ayant dans son havresac un poids additionnel, soit la paperasse que constituait l'ensemble des décisions de jurisprudence nécessaires à la confection de son mémoire de présentation. Il était perdu dans ses pensées quand il se rendit compte qu'il avait dépassé l'antre du Renard. Il se reposa plus longuement sur le promontoire. À l'emplacement du ruisseau, une glace épaisse s'était formée, ce qui ne l'empêcha pas de déneiger le piquet et la tasse de Majel, même s'il n'avait pas l'intention de s'en servir. À la traverse du ravin, il enleva l'amoncellement de neige sur la passerelle. Il ouvrit son thermos de café à la Savane verte. Le temps de le dire, il était rendu à la fourche qui menait aux étangs du Ravage : il y avait des dizaines de traces de lièvres, qui avaient fait de cet endroit un terrain de jeu.

Puis, ce fut le lac. Le canot de toile vert fabriqué par le Huron Picard lui-même, recouvert de neige et bien attaché à la verticale à une grosse branche de pin, attendait l'été. Le soleil de midi lui chauffait le dos. Devant lui, se trouvait l'immense surface blanche et glacée du lac Jolicœur. Charles se demandait pourquoi il appréciait tant être seul dans cette immensité. Pour la première fois, il remarqua l'ombrage gigantesque qui le précédait. Quand il s'arrêtait, la zone d'ombre se figeait. Quand il repartait, elle continuait, au même rythme, devant lui. Il se plut à croire que cette image dans la neige pouvait être l'esprit de Majel qui l'accompagnait.

Tout était dans l'état du mois de juin précédent, lors de sa venue avec Fabiola. Il retrouva avec joie les vieux objets fétiches qui reconstruisaient sa force mentale quand il les imaginait, dans sa tête surmenée de tous les jours : le panache d'orignal, le cornet d'appel, le poêle à deux ponts, les cannes à pêche, les fusils, la lampe suspendue, la hache au manche luisant…

Après avoir allumé un feu de bois, il sortit une chaise et s'assit sur la galerie. Un verre de rhum à la main, Charles savourait l'instant. Il pensa encore une fois que ce serait bon si Majel était assis à ses côtés. À chacune de ses visites, il ne pouvait s'empêcher de se remémorer en détail la longue saga de ce camp que Majel n'avait jamais habité à titre de *vrai* propriétaire. Il se souvenait des parties de pêche et de chasse. Il se rappela Anna, assise sur la galerie le soir, regardant les étoiles. Et ces marches en forêt, en soirée, avec son frère Paul, alors que Majel les initiait à la noirceur. Cette tombée du jour qu'ils avaient appris à vivre si intensément. La disparition de ses peurs en forêt. L'apprivoisement graduel de ces lieux. Enfin, cet amour de la forêt sauvage qui s'était développé au cours des ans.

Il entra se servir un autre verre. Puis, debout sur la galerie, il cria d'une voix forte, qui traversait le lac et lui revenait en écho, en raison de la montagne située du côté sud :

— Anna et Majel, merci pour votre don de vie ! Et à toi, Marsan, visionnaire de Saint-Raymond, merci pour avoir construit ce camp ! Merci de l'avoir donné à papa ! Et toi, Majel, merci de me l'avoir transmis !

C'était là le genre de cri du cœur qu'il pouvait se permettre, bien à son aise, si loin du monde civilisé, petit écart de conduite isolé qui lui faisait le plus grand bien.

La vie avait été bonne pour lui. Il jouissait encore d'une excellente santé. Contrairement à plusieurs de ses amis du même âge, il pourrait profiter d'une retraite active physiquement. Tout lui était possible. Bien sûr, il avait le pas un peu plus lent, le souffle plus court, mais il apprenait aussi de jour en jour à mieux profiter de chaque moment.

Il y avait longtemps qu'il désirait faire cet exercice de retour en arrière. Ce voyage-ci ne se prêtait donc pas à la présence d'une compagne ou d'un compagnon. Il regarda sa montre, habitude ancrée d'administrateur qu'il devrait dorénavant perdre.

Ses amis croyaient que sa vie avait été divisée en deux parties bien distinctes : sa vie privée et sa vie professionnelle. Mais, pour lui, elle n'avait formé qu'un tout. Aussi loin qu'il pouvait remonter dans sa mémoire, il voyait Anna et Majella assis à la table de la cuisine avec le petit Paul dans la chaise haute. Puis le souvenir de sa mère qui pleurait souvent à cause de l'absence de Majel. Les jeux avec son frère Paul. Sa mère qui devenait fébrile quand elle recevait une lettre de Majel et qui se mettait à faire du ménage pendant des jours entiers, alors que Paul et lui devaient ramasser leurs jouets. Elle leur faisait prendre leur bain, leur coupait les cheveux, leur « mettait de l'odeur ». Et ils étaient tous si heureux à son arrivée ! Anna se tenait en retrait, jouissant du spectacle. Elle laissait ses enfants sauter au cou de leur père. Sa barbe piquante chatouillait leur visage et l'un après l'autre, ils en tressaillaient de plaisir. Il s'assoyait dans le grand fauteuil du salon et là, les deux fils délaçaient ses bottes. Majel, impatient de retrouver Anna, se laissait toutefois faire pendant que celle-ci, mouchoir à la main, séchait ses larmes de joie. Après, c'était la fouille dans les paquetons pour trouver un petit cadeau. S'il avait eu à garder un seul de ses souvenirs d'enfance, ce rituel du père qui revenait à la maison aurait été très certainement en tête de liste.

Il se souvenait particulièrement des dimanches, quand Paul et lui insistaient pour qu'il leur raconte ses récits de voyages. Les mêmes anecdotes revenaient souvent, parfois modifiées, plus longues ou plus brèves, selon l'humeur de Majel, qui était un admirable conteur. Les plus appréciées étaient celles où Majel avait été pris dans un feu de forêt ; où il s'était égaré pendant deux jours ; où il avait abattu un ours à son corps défendant. La plus effrayante était celle du soir où il s'était fait attaquer par les loups. Dans les premières versions, il était question de quelques loups mais, par la suite, vu l'enthousiasme des auditeurs, Majel avait forcé ses souvenirs et les « quelques loups » étaient devenus 50 ! Ni Du Guesclin, ni Jack le Matamore, ni Tarzan, ni Zorro, ni aucun héros de bandes dessinées n'avait vraiment pu remplacer les récits de Majel.

De l'époque où son père était entrepreneur forestier, il ne retenait que deux événements. Il y avait les retours du chantier, au printemps, avec tous les chevaux qui se suivaient à la queue leu leu, tirant les bobsleighs pleins de bagages, alors que Majel, tel un commandant d'armée, fermait la marche. Et aussi, dans les dernières années, quand le *snow* de la compagnie venait chercher ou déposer les hommes devant la maison.

Il y avait eu le temps de la boulangerie, où, pendant les fins de semaine, il passait le pain avec son père. Dans ses souvenirs d'enfant, l'incendie survenu à l'édifice principal de la boulangerie constituait un fait marquant. Il avait cru son petit frère Paul brûlé vif quand il avait tenté de sauver un jouet des flammes. Pris de panique, Paul s'était simplement caché dans le grenier de la maison.

Peu à peu, plus mature, Charles avait décelé certaines choses anormales : des discussions graves, à mi-voix, entre son père et sa mère. Les pleurs de sa mère qui s'cnsuivaient. Ce temps-là avait eu aussi sa part de bonheurs : à son retour de l'école, Mercier, le chef boulanger, lui remettait un petit bonhomme de pain tout chaud. « Tiens, disait-il, il a été fait exprès pour le p'tit Majel ! »

Tante Agathe était venue le garder à la maison quand sa mère avait été malade. Pauvre tante Agathe, qui venait d'aller rejoindre Victoria, Wilbrod et les autres ancêtres. « Que Dieu ait son âme ! » La première fois qu'il était entré dans un salon mortuaire, à la mort de pépère Moisan. Un jeune voisin qui, un dimanche matin, s'était fait piétiner à mort par un cheval à la sortie de la messe. Un dentiste qui était venu à la maison lui arracher des dents.

Il avait encore frais à la mémoire son premier voyage en train, quand il était parti étudier au collège Saint-Laurent, à Montréal. L'immense machine noire qui crachait de la fumée. Majel qui conduisait le vieux panel Ford et, pendant le trajet, son interprétation toute personnelle d'*Un Canadien errant* qui le portait au bord des larmes. La lourde valise qui sentait la boule à mites, préparée des semaines à l'avance par Anna. Le petit lunch enveloppé dans du papier cellophane, qui aurait dû être mangé à Trois-Rivières, mais qui était déjà engouffré avant même d'atteindre la gare de Portneuf…

La gêne devant les nouveaux compagnons de pensionnat. Puis la complicité qui avait vite pris place. Les punitions des prêtres qui voyaient des péchés partout. Premier échec en algèbre. Succès en composition française. Pièces de théâtre. Amitiés. Première rencontre dans sa vie de personnes aux caractères irréconciliables. Les blondes de ses camarades. Les siennes, imaginées, car inexistantes.

La première lettre d'amour qu'il avait reçue avait aussi été sa première duperie. Alors que plusieurs de ses amis recevaient du courrier d'amies, lui n'en avait pas. Un soir, il avait décidé de «s'écrire» une lettre… Il l'avait placée dans une enveloppe reçue d'Anna. Le texte était à la hauteur, sinon de ses propres fantasmes, du moins de ceux de ses camarades. Il avait pris bien soin de laisser la missive sur son pupitre afin qu'elle soit trouvée par hasard. Mon chéri, en étaient les premiers mots. Puis, des nouvelles d'elle et des membres de sa famille. Elle évoquait le souvenir de leurs ébats amoureux avant de conclure: *J'ai bien hâte que les Fêtes arrivent pour que nous fassions… tu sais quoi! Ce fut tellement délicieux la dernière fois.* Et il avait signé: *Ton amour qui te frenche très fort, XXX*… Après la découverte de cette lettre par ses camarades, il était presque devenu un leader dans le groupe. Tous croyaient qu'il connaissait le tabac alors que lui seul savait qu'il n'avait jamais embrassé une fille…

Il avait rencontré dans sa vie d'excellents enseignants, en plus du frère Mark. Il se souvenait particulièrement de son professeur de littérature. Dans le cadre de ce cours, il avait rédigé une composition sur le retour des chantiers. À la suite de la présentation de son travail, il avait croisé le fer avec lui.

— Pourquoi nous enseigner des expressions qui ne signifient rien pour nous, au Québec ? Par exemple, « fier comme Artaban ». Nommez-moi une seule personne au Québec qui a lu le roman *Cléopâtre*, écrit dans les années 1650 par Gautier de Costes de La Calprenède ?

Charles avait suggéré au professeur qu'il fallait peut-être remplacer cette expression par celle d'un personnage connu comme Papineau ou Laurier : pourquoi ne pas dire « fier comme Papineau » ou « fier comme Laurier » ?

Mais le professeur s'était moqué de lui devant ses camarades en disant :

— Le jeune Roquemont veut changer la littérature… En fait, il voudrait peut-être qu'on dise « fier comme le fils à Roquemont » !

Par la suite, ses camarades avaient employé l'expression « fier comme le fils à Majel ». Néanmoins, lui et le professeur étaient devenus de bons amis par la suite.

De sa première année de pensionnat, lui revint cet étrange rêve qu'il avait fait, un soir de printemps. Ce soir-là, couché dans le grand dortoir, il avait entendu pour la première fois de sa vie le bruit de feux d'artifice. Cela ressemblait à s'y méprendre à des coups de canon. Pendant la nuit, il avait rêvé que le Québec avait été attaqué par les Russes. Que les ponts étaient coupés et les routes détruites entre Québec et Montréal. Que la ville de Montréal était encerclée par l'ennemi. Toute la province était occupée. En somme, impossible de retourner à la maison, de retrouver ses parents et les autres membres de la famille. Il avait décidé, contre l'avis de tous, de partir à pied en remontant les Laurentides par le nord. Après mille péripéties, il était finalement entré dans Saint-Raymond en vainqueur, au volant d'une Jeep dérobée à l'occupant. Puis, par des gestes héroïques, il s'était rendu délivrer ses parents prisonniers, sans oublier aussi sa dulcinée… À la cloche du réveil, il avait trouvé un lit tout défait — signe de la violence des combats —, mais il ne restait plus rien du héros de la nuit…

Tout à ses pensées, il n'avait pas remarqué qu'un petit vent commençait à souffler. Il vit, près du camp, des mottes de neige tomber des branches trop lourdes d'un sapin, faisant une poudre blanche. Ce qui l'amena à penser malgré lui à Anna quand elle saupoudrait de farine les beignets du jour de l'An. Puis, il entendit le friselis des joncs givrés près du lac. Il remonta le collet de son parka.

« À quoi bon, se dit-il, repasser tous ces souvenirs ? » Cependant, en homme de méthode, il devait aller au bout de l'exercice, du moins conclure sur cette réflexion. Il ne revit pas toute la période où les femmes étaient entrées dans sa vie. Mais il s'attarda au fait qu'il n'avait pas eu d'enfant. Paul, lui, avait laissé une descendance. Luce avait mis au monde un joli poupon. On l'avait appelée Margo. La découverte de cet enfant avait été un moment marquant : il avait vu un instant le visage de son frère à travers celui de sa nièce. Quelques années après, son père était décédé. À ce moment, il avait ressenti un grand vide dans sa vie. Puis, presque immédiatement, comme pour combler le départ de Majel, Clément, le second enfant de Luce et de Paul, était venu apporter de la lumière dans sa vie. Enfin, en 1992, Paul mourut…

Chaque semaine, le vendredi soir, ils avaient l'habitude de se parler longuement au téléphone. Cette perte avait été majeure dans sa vie. Au début, il lui arrivait de composer le numéro de téléphone, par habitude, mais c'était Luce qui répondait. Comme il ne pouvait s'entretenir avec elle de la même manière qu'avec son double, l'autre « Petit Majel », rien n'était pareil. Dès lors, chaque vendredi soir, il prit seul son verre de scotch, ressassant les péripéties de la semaine, conscient qu'une partie de lui-même ne vivrait plus, sauf dans ses souvenirs.

Cette étape lui avait quand même permis de se rendre compte que, sans compagne et sans vie affective, sa vie professionnelle avait pris toute la place. En fait, Charles avait trahi son propre rêve en faisant du travail et du succès ses maîtresses. Ce choc passé, Charles était revenu à ses vieilles habitudes, entraîné dans la spirale du travail. Mais les années s'étaient écoulées si vite… Déjà la retraite ! Il était temps de changer tout cela. Mais peut-être était-il déjà trop tard ?

Le soleil était maintenant caché derrière les arbres. Charles, sentant le froid, se réfugia dans la chaleur du camp. Son camp à lui. Enfin !

Chapitre 22

Charles se rendit aux obsèques de tante Agathe. Elle avait été secrétaire du notaire Châteauvert, père, dès 1930, à l'ouverture de l'étude, ce qui l'avait amenée à côtoyer beaucoup de monde. En 1966, année de sa retraite forcée, elle avait cessé tout contact avec la clientèle. Amère, elle avait mené jusqu'à la fin de ses jours une vie de recluse dans sa sombre petite maison de la ruc Saint-Hubert. Elle répétait à qui voulait l'entendre: « Vous savez, quand vous perdez le pouvoir, vous perdez tout! »

Bien peu de gens assistèrent à l'enterrement. En plus des ponts coupés avec les gens, à cet âge, parents, amis et connaissances deviennent clairsemés. À la sortie de la cérémonie, Charles fut accosté par le notaire Châteauvert, fils, qui désirait une opinion juridique. Prévoyant, il avait apporté avec lui une enveloppe et souhaitait que Charles en prenne rapidement connaissance. Attendu par Anna, Charles se contenta de recevoir les documents, en disant au notaire qu'il l'appellerait dès que possible. Peut-être s'agissait-il d'une difficulté dans le règlement de la succession de tante Agathe?

Au Centre d'hébergement, dans la chambre de sa mère, il trouva Luce et Isabelle. Dans les instants suivants, Ange-Aimée arriva à son tour. Ayant de la difficulté à marcher, celle-ci, après avoir vendu sa grande maison, était devenue une nouvelle pensionnaire du centre. Anna venait de visionner la messe funèbre de tante Agathe par le truchement du câble de la télévision communautaire. Encore toute remuée, elle dit:

— C'est encore mademoiselle Augustine qui jouait de l'orgue, comme à mon mariage. Mais cette fois, c'était dans des tons plus graves. On aurait dit que les vitraux de l'église tremblaient. Les chants de Mondor étaient si tristes que j'ai pleuré… Ça m'a ramené au service de Majel, quand il avait chanté *Dieu te rappelle dans sa demeure*. Des mots qui étaient faits pour lui, c'était tellement touchant: «Reviens mon enfant, dans la demeure de ton Père, Laisse-toi prendre par la main, Entre chez toi rencontrer le Maître de l'univers.»

Ce qui amena Isabelle à annoncer que Mondor, après une longue carrière dans le chant, allait à son tour entrer au Centre d'hébergement de Saint-Raymond, dans les prochains jours. Curieusement, toutes les femmes parlaient, non pas du départ de tante Agathe, mais de l'enterrement de Majel qui avait eu lieu plus de 20 ans auparavant. Ange-Aimée dit:

— C'était pas comme aujourd'hui… L'église était pleine de monde… Y en avait dans tous les jubés, même en haut, au chœur de chant, parce que ça débordait… Y avait des bûcherons en masse, beaucoup qui avaient travaillé pour lui, Gauthier, Cameron, Boisvert, Duguay, Linteau… Déry, avec sa jambe de bois, qui pleurait comme un enfant…

— Moi, ce qui m'avait frappée, enchaîna Isabelle, c'était de voir tous les gens de l'extérieur de Saint-Raymond… Des anglophones de l'Ontario, des gens qu'il avait connus dans ses voyages d'arpentage, des «Polocks», des *jobbers* qui étaient en concurrence avec lui, des conscrits qu'il avait sauvés de la guerre, des fournisseurs de la boulangerie, des industriels… Y avait plusieurs Anglais du Bacrinche ! Sans compter John Wilkey, Landry de la Brunswick, Joseph Picard le Huron… Mais ce qui m'avait le plus touchée, ç'a été l'Européen venu de Norvège pour l'occasion, Jonathan Magnusen, alias Jeff Brown, qui était arrivé ici en limousine devant l'église. Tout le monde l'avait remarqué…

Anna continua :

— Moi, j'pensais que l'Bon Dieu allait venir me chercher aussi ce jour-là… Je n'ai jamais eu l'estomac serré comme ça, j'pensais mourir… Une chance que ma sœur Thérèse et Ange-Aimée me soutenaient. Mais voir qu'y avait tant de monde qui l'aimaient aussi, ça m'a tellement fait de bien…

Elle se mit à pleurer. Charles lui passa un mouchoir. Luce ajouta :

— Moi, j'étais nouvelle dans la famille… J'avais de la peine pour mon mari… Y avait tellement d'amour qui se dégageait ! Je me suis retenue le plus longtemps possible, mais quand Bruno a fait son éloge funèbre devant toute l'assistance, je n'ai pas pu m'empêcher, j'ai éclaté…

Sur le buffet, elle prit la carte mortuaire de Majel dont le texte avait été composé par Isabelle, et en lut un extrait :

Quand nous attendaient, telle une muraille, le vent, la neige, la peur, tu étais le guide des montagnes que l'on suivait aveuglément. Avec toi, malgré les éléments, nous atteignions toujours le camp. Cette neige, sous tes traces, ne fondra jamais dans nos cœurs…

Charles qui avait aussi quantité de souvenirs de l'événement, ne voulut rien ajouter de peur d'accroître les larmes d'Anna. Il savait bien que, dès qu'ils auraient franchi le seuil de la porte, elle se morfondrait d'ennui.

Sur le chemin du retour, il repensait encore à leur discussion. Il tenta de se remémorer le grand moment d'émotion vécu à la maison funéraire où son père était exposé. Il n'avait jamais vu une scène comme celle-là auparavant, ni de semblable par la suite. Le salon était bourré de monde. Louis Gauvreault, qu'on appelait encore Tinomme à l'époque, s'était avancé devant le cercueil. Contrairement à tous les autres, qui avaient préféré s'agenouiller, lui, était resté debout. Là, devant l'assistance qui parlait à voix basse, il avait apposé délicatement sa main droite sur la joue de Majel, comme pour lui faire une caresse. Puis, en une profession publique solennelle, très fort pour que tous l'entendent, il avait prononcé ces mots :

« Majel ! Mon ami Majel ! J'veux que tout le monde sache comment t'es important pour moi ! Tu m'as donné ma première chance dans la vie en ayant eu confiance en moi. Puis t'es devenu un ami ! Tu t'es tellement occupé des autres que tu t'es souvent oublié toi-même… Je ne t'oublierai jamais ! Merci pour tout, Majel, mon ami, mon frère… Je remercie le Bon Dieu de t'avoir mis sur ma route… Tu peux reposer en paix… Amen. »

Et il était sorti, laissant les gens stupéfaits, aussi surpris qu'émus.

À la maison, plusieurs messages sur son répondeur attendaient Charles. Margo et Kevin étaient revenus de Californie et annonçaient leur présence à la réunion de concertation prévue dans la deuxième semaine de mars. Il en était de même pour Wagis et Armstrong. Enfin, Rampling confirmait la date de la prochaine séance de conciliation, la troisième, qui devait se tenir le mardi 27 avril 1999, à l'hôtel *Ramada* de Gatineau.

~

Le lendemain, Charles prit enfin le temps de décacheter l'enveloppe reçue du notaire Châteauvert. À sa grande surprise, elle ne concernait pas les papiers de la succession de tante Agathe, mais plutôt celle du Dr Marsan. Dans son mémo de présentation, le notaire Châteauvert mentionnait qu'il attendait des instructions de la Chambre des notaires. Une lecture rapide du dossier, qui ne comprenait que des extraits de documents à titre de spécimens, lui apprit qu'il s'agissait d'une affaire fort délicate au niveau légal. Il s'agissait de papiers de nature contractuelle trouvés dans les dossiers médicaux du vénérable disparu. Se pouvait-il que ce médecin ait eu des choses à se reprocher ? Une étude plus approfondie fit découvrir à Charles que, sa vie durant, le médecin de campagne s'était occupé de ses malades, mais avait aussi débordé du champ de ses compétences médicales : certains actes, qui auraient normalement dû être passés devant notaire, se trouvaient rédigés sous seing privé dans les dossiers personnels de ses patients...

Sans plus attendre, Charles appela le notaire, bien décidé à se débarrasser de cette patate chaude. Le notaire Châteauvert, fils, était au bout du fil, fort des instructions reçues de sa corporation professionnelle :

— Je viens tout juste de recevoir une lettre de la Chambre des notaires. Le syndic demande si vous accepteriez de regarder chaque dossier individuellement et de fournir une opinion quant à leur destruction ou à leur communication aux personnes intéressées.

Charles hésitait. Même si c'était pour rendre service à un homme de loi de son patelin, il n'en restait pas moins que le dossier des Algoncris lui fournissait plus de travail que prévu. Devant son hésitation manifeste, le notaire risqua :

— Vous savez, il y a une vingtaine de personnes impliquées… Puis… Il y a des noms qui vont vous surprendre…

Charles pensa rapidement. Le notaire était-il en train de lui passer un message ? Des membres de sa famille étaient-ils concernés ? Les Moisan ? Les grands-parents Wilbrod ou Victoria ? Et pourquoi pas Anna ou Majel ? Oui, pourquoi pas ?

— C'est bon, j'accepte. Dites au syndic qu'il peut me faire parvenir les dossiers complets. Je vais faire mon possible pour les regarder le plus tôt possible.

Chapitre 23

En cette seconde semaine de mars, toute l'équipe était réunie dans le sous-sol de la maison de Saint-Nicolas. Wagis était fier d'exhiber le fruit de ses recherches. Deux études anthropologiques déposées devant la Commission royale d'enquête sur les peuples autochtones démontraient que, suivant des recherches archéologiques, la partie du territoire concernée avait été habitée par des Amérindiens de même souche que les Innus et les Cris depuis au moins 2000 ans. Un troisième document provenait de la liasse de pièces déposées par les Cris lors de la négociation de la Convention de la Baie-James. Il démontrait que, au cours des discussions précédant la signature de la convention, toutes les autres réserves, bandes ou communautés locales, au nombre de 12, avaient été consultées sur place, à l'exception des habitants de Wisnac.

Margo, revenue en pleine forme de son voyage, exultait. Elle déposa le dossier complet de la correspondance intervenue entre les oblats, les Algoncris et les administrateurs de la Compagnie de la baie d'Hudson concernant le règlement d'une contestation de l'occupation des terres à Wisnac, vers les années 1850. Cette correspondance référait à d'autres documents antérieurs qu'il serait possible de se procurer dans les semaines à venir. Comme elle l'avait anticipé, cette découverte, de l'avis de Charles, s'avérait très importante dans la mesure où elle pourrait faire échec aux prétentions du Québec en regard de son titre allégué comme provenant de la Compagnie de la baie d'Hudson.

Quant à Kevin, il avait devant lui une caisse de papiers provenant d'archives de Paris et de Londres qui, à son avis, pouvaient servir de points de repère, mais dont l'utilité lui paraissait négligeable pour le moment. Il lui restait encore quelques télécopies à recevoir avant de pouvoir fournir un rapport complet, particulièrement au sujet des documents contemporains de la Conquête de Québec, en 1759.

Charles dit :

— Nous allons étudier ensemble tout cela… Il faut être fin prêts pour la prochaine rencontre. Mais ne vous en faites pas, même dans l'état actuel du dossier, mon argumentation sera au point, vous verrez !

Cela rendit confiance à tous.

Dans les jours suivants, Charles reçut un appel de tante Isabelle :

— J'en ai discuté à plusieurs reprises. Avec mon mari hospitalisé à demeure, je trouve bien grande la maison du rang du Nord. Je te demande si je peux la mettre en vente ? Tu sais, elle a d'abord appartenu aux Moisan… Tes grands-parents Wilbrod et Victoria ont travaillé tellement fort sur cette terre. Sans compter que papa et maman nous ont élevés là, Victor, Majel et moi… Je ne voudrais pas qu'on me reproche de ne pas l'avoir d'abord offerte aux membres de la famille…

— Tu n'as pas de permission à me demander, répondit Charles, qui sentait bien qu'elle utilisait une manière détournée de savoir s'il pouvait être intéressé par l'achat de la maison ancestrale.

En un autre temps, il aurait prêté l'oreille, mais avec son imposante résidence de Saint-Nicolas et son chalet du lac Jolicœur, il n'en n'était pas question. Certes, il admettait que c'était désagréable de voir un bien patrimonial si riche de son passé sortir du giron de la famille. Il crut bon de dire :

— Ma tante, vérifiez avant de la mettre en vente si l'un de vos enfants ne serait pas intéressé. Ou encore Luce…

— Conrad habite une maison neuve à Sillery et me laisse décider. Sophie vit à Montréal et n'est pas intéressée. Dans le passé, j'en avais parlé à Luce, mais ce n'était pas dans ses projets de déménager en campagne…

— Dans ce cas, ma tante, la meilleure chose serait de la confier à un courtier en immeubles. Soyez sans crainte, personne dans la famille ne va vous reprocher quoi que ce soit, j'en suis persuadé.

Au début d'avril, Charles reçut ce courriel de Fabiola :

Bonjour, mon cher Charles,

Comme tu sais, je suis dans la période la plus difficile de l'année au niveau professionnel, soit les impôts. C'est l'enfer ! On dirait que toutes les entreprises se donnent le mot pour produire leurs déclarations de revenus et dépenses le plus tard possible. Or, ce n'est plus généralement le temps de régler les problèmes de fiscalité. Alors on nous demande souvent l'impossible et c'est un peu assommant…

Par ce message j'aimerais, pendant cette période où je te délaisse en raison de mes devoirs professionnels, me rappeler à tes bons souvenirs… Et, surtout, te dire que je m'excuse pour mon comportement à la suite de ton acceptation du mandat des Algoncris. J'ai probablement réagi trop rapidement à une situation à laquelle je n'étais pas prête. Comme j'avais effectué tes tableaux de revenus et dépenses pour l'année en cours, je me disais que tout cela allait soudainement devenir inutile. C'était égoïste de ma part et je m'en excuse.

J'avais évoqué la possibilité d'une année sabbatique ou de semi-retraite… Je m'étais imaginé que nous pourrions réaliser certains projets ensemble, comme un voyage, puisque tu serais plus disponible. Par ailleurs, je n'étais pas à même de comprendre la dette de ton père envers la famille de Wagis… Depuis que j'en ai discuté avec Luce, je comprends mieux.

Je tiens à te dire, pour ne pas qu'il y ait d'imbroglio, que notre entente du début tient toujours, i.e. que nous sommes encore, chacun de notre côté, libres comme l'air.

J'ai entendu dire que tout se déroulait bien dans ton mandat et j'espère qu'il sera couronné de succès, comme tout ce que tu as entrepris par le passé.

Ça serait bon si nous pouvions nous voir le mois prochain, si ton mandat le permet…

Fabiola XXX

Charles fut content de recevoir ces mots de Fabiola, alors que ses derniers messages laissaient planer un doute sur ses intentions. Il avait d'abord cru qu'elle attendait trop de lui depuis sa retraite, puis qu'elle projetait de mettre fin à leur relation. La dernière chose qu'envisageait Charles, en fin de carrière, était de perdre sa liberté. Tout était plus clair entre eux. Fabiola avait de la classe et venait de le démontrer.

Dans sa réponse, Charles lui dit que tout se déroulait bien dans l'exécution de son mandat, se réjouissait de sa compréhension et se disait d'accord pour que les « règles du jeu restent les mêmes tant qu'ils ne décideraient pas d'un commun accord de faire réellement vie commune, décision qui ne se prêtait pas à la situation pour le moment ». Enfin, il terminait en disant qu'ils se rencontreraient certainement au courant du mois de mai prochain.

~

Avant de partir pour la prochaine réunion de conciliation, Charles se rendit au CHUL au chevet de ses malades, Bergeron et le frère Mark.

Le premier faisait peine à voir. Après le physique, c'était au psychique de se détériorer. À la télévision, quand on annonça un autre attentat suicide au Moyen-Orient, Bergeron devint hystérique. Bien que Charles ait éteint le téléviseur, le malade continua tout de même à délirer :

— J'vous le dis. Y vont tous nous faire sauter. Moi j'pense qu'y vont monter par la côte du Foulon, comme les Anglais quand y ont pris Québec ! Pis, y vont faire comme pour les Acadiens, y vont nous déporter ! Pis, si y font pas ça, y vont mettre des bombes partout. Y vont faire sauter le *Château Frontenac*… Le Parlement… le pont de Québec, pis aussi le pont Pierre-Laporte… Mettre le feu au manège militaire et à la citadelle de Québec… Y vont saboter la raffinerie de Saint-Romuald… Pis les pétroliers au quai, pis les traversiers pleins de passagers… Mais le pire, c'est quand y vont faire sauter La Manic, le barrage Gouin et celui de La Grande !

Après s'être assuré que l'infirmière de garde lui avait bien administré quelques calmants, Charles le quitta prestement.

En sortant de la chambre, il croisa Irène, qui faisait la tournée de l'étage. Il s'informa de son mari Louis Gauvreault. Il était en excellente santé, ses affaires allaient bien et il allait être reçu « Grand Québécois » par la Chambre de commerce du Québec métropolitain, dans quelques mois.

Finalement, il rendit visite au frère Mark. Même si son état de santé restait stable, il avait pris des couleurs. Il était aussi plus volubile. Manifestement, il n'avait personne à qui parler. Charles décida donc de rester plus longuement à son chevet.

Le vieil instituteur discourait sur l'éducation très stricte et très religieuse que lui avaient donnée ses parents et ses professeurs :

— Je vais vous raconter une chose que je n'ai jamais dite à personne, sauf à un prêtre dans le secret de la confession. C'était l'époque où tout le monde allait régulièrement à la confesse pour un rien… Puis il fallait aller communier tous les dimanches… Si on n'y allait pas, les parents s'informaient pourquoi… Ce n'est plus comme ça de nos jours, heureusement… Dans ma tête d'enfant, les limites étaient minces entre ce qui était péché et ce qui ne l'était pas : les mauvaises pensées, les mauvais regards, les mauvais rêves qu'on avait aimés malgré soi, les mauvais touchers, ceux qui étaient volontaires, ceux qui étaient spontanés… Tellement que j'ai fait — c'est terrible de penser à ça aujourd'hui — ma communion solennelle en état de péché mortel !

Charles montra un air incrédule. Frère Mark continua :

— J'avais regardé trop longtemps une annonce de brassières dans un journal… J'étais sûr d'avoir fait un péché mortel… J'ai été obligé d'aller communier… Après, j'ai traîné ça dans mon cœur d'enfant, longtemps, sans le dire à personne. Chaque dimanche, je continuais à aller communier… Puis est arrivé le moment de la communion solennelle… On avait marché au catéchisme pendant tout un mois. On apprenait tous les articles par cœur, dans ce temps-là. Je n'avais personne à qui me confier. Quand j'avais voulu me confesser, la chapelle était fermée et le prêtre parti. Finalement, je suis allé communier comme ça. C'était angoissant… Au lieu de me diriger vers l'autel, joyeux, comme tous mes camarades et les petites filles du couvent, je pensais que moi, je m'en allais en enfer. J'entends encore le chant:

J'engageai ma promesse au baptême,
Mais pour moi d'autres firent serment,
Aujourd'hui, je m'engage par moi-même,
Je m'engage, je m'engage…

Charles, troublé par cette déclaration surprenante, avait rapproché sa chaise du lit. Le malade poursuivit:

— Quand j'ai reçu l'hostie sur la langue, j'avais peur que ça fasse de la boucane, comme lorsqu'un forgeron met un fer rouge dans l'eau… Mais rien ne s'est passé. Après la cérémonie, à la table, chez nous, ma mère n'arrêtait pas de me demander pourquoi j'avais l'air triste. Puis il avait fallu que j'aille chez le photographe. Je n'en n'avais pas envie. Mais la semaine suivante, quand ma mère avait reçu les photos, elle semblait hystérique. « Viens donc voir ce qu'il y a sur la photo ! » qu'elle avait lancé d'une voix criarde. Je pensais que des cornes étaient apparues sur mon front, comme à un petit diable, parce que j'avais communié en état de péché… Mais ce n'était rien de tout ça : le photographe n'avait pas vu que son petit chien s'était glissé dans le portrait, en bas, à gauche, au moment où il immortalisait un événement important. J'étais bien content que la photo ne montre pas de cornes, mais moi, je savais bien que le petit chien, c'était le diable en personne… Je n'ai rien dit à ma mère. Le photographe s'était excusé et avait développé un autre cliché où on voyait seulement le haut de mon corps. Mais moi, ça ne réglait pas mon problème… Finalement, ça m'a pris un an de communions sacrilèges — parce qu'il fallait dans ce temps-là se présenter à la sainte table tous les dimanches — avant que je me résigne à faire une confession générale et à faire la paix avec le Bon Dieu…

Charles trouva pathétique le récit de cet homme qui, plus de 70 ans après ces mauvais souvenirs, était encore tout bouleversé. Il lui promit de revenir bientôt le voir.

Chapitre 24

À la fin d'avril 1999, les protagonistes étaient tous présents à l'hôtel *Ramada* de Gatineau pour cette troisième rencontre de négociations concernant les Algoncris.

Me Rampling, sans plus de préambule, dit:

— Me Roquemont, à vous la parole.

Charles commença son exposé:

— Tel que convenu lors de la dernière rencontre, je devais vous soumettre mes arguments à l'encontre de la position ferme de non-recevoir formulée par les gouvernements. Dans un premier temps, je vais déposer certains documents additionnels en les commentant. Dans un second temps, je vais répondre aux arguments amenés, de telle sorte qu'à mon avis, preuve sera faite de l'injustice du maintien d'une telle position à l'égard des Algoncris.

Margo remit à chacun un épais dossier contenant huit fichiers. Charles leur laissa le temps de prendre une connaissance sommaire du dossier, puis reprit:

— La pièce numéro un est une copie d'un manuscrit original conservé au Musée du Manitoba, daté du 16 juillet 1773, et signé par un administrateur de la Compagnie de la baie d'Hudson. Celui-ci mentionne que les « actuels occupants du territoire situés au lac Wisnac conservent les droits de chasse, de pêche et d'occupation tels qu'ils les exerçaient avant la création de la Compagnie de la baie d'Hudson, lesquels droits leur furent reconnus par Pierre-Esprit Radisson à la suite de la transmission d'une ceinture de Whampum lors de son expédition de 1659. Il y est expliqué que ladite reconnaissance eut lieu parce que les habitants de Wisnac avaient sauvé Radisson et ses compagnons qui, sans leur secours, seraient morts de froid et de faim. »

Charles fit une pause pour évaluer l'impact du document. Me Hutchison et Me Huot restèrent de marbre. Me Oliwash s'agita sur sa chaise, mais sans ouvrir la bouche.

Me Roquemont continua :

— Quatre des six autres documents sont des lettres transmises au cours des ans aux autorités gouvernementales ou en provenant, lesquelles réfèrent au document numéro un. Les deux derniers documents sont des études anthropologiques qui démontrent, d'une manière scientifique, l'occupation du territoire en litige par les ancêtres des Algoncris depuis au moins 2000 ans. À la page 15 du document numéro 8, vous trouverez même une analyse des artefacts trouvés sur les bords du lac Wisnac. Ce dernier document a une force probante hors du commun parce qu'il a le mérite d'avoir été accepté dans son intégralité par la Commission Dussault-Erasmus.

« Ceci étant dit, je vais maintenant vous soumettre les arguments qui devraient être retenus en notre faveur. Avec le dépôt de cette nouvelle preuve, je ne crois pas que la position des gouvernements puisse encore tenir. Vous avez maintenant la preuve que les Algoncris, ou leurs ancêtres, ont occupé le territoire, bien avant 1680. Il y a lieu d'appliquer ici la règle de droit de propriété reconnue au niveau de la *Common law* fédérale : celui qui cède un droit se doit d'abord d'en être le titulaire. Dans le cas sous étude, toute la chaîne de titres mentionnés par Me Huot, et qui part de la concession de la terre de Rupert à la Compagnie de la baie d'Hudson, en 1670, ne peut plus tenir. En somme, le droit des Algoncris est nettement antérieur, le droit d'occupation ayant été reconnu avant l'émission de la Charte de Charles II, en 1670. Ainsi, le souverain britannique lui-même ne pouvait céder ce qui appartenait déjà aux Amérindiens, le territoire se trouvant comme grevé avant même l'émission des lettres patentes de la Compagnie de la baie d'Hudson. Toutes les ententes subséquentes intervenues entre la Compagnie du Nord-Ouest et la Compagnie de la baie d'Hudson se trouvaient à transmettre un droit de propriété hypothéqué par cette charge. Par la suite, toutes les rétrocessions et cessions à la Couronne britannique et au gouvernement canadien étaient sans effet. Il en est ainsi de toutes les lois subséquentes qui ont été marquées d'une tache originelle impossible à effacer et elles ont été, pour cette partie du territoire du moins, faites sans droit. Même les dispositions de la Convention de la Baie-James et du Nord québécois sont entachées par ces mêmes vices et ne sont pas opposables aux Algoncris. »

Charles but une gorgée d'eau.

— Je ne m'arrêterai pas là. La preuve déposée démontre que les articles pertinents de la capitulation de Montréal, qui préservaient les droits d'occupation des Amérindiens, trouvent encore leur application ici. Cela signifie que les dispositions similaires au même effet, que l'on retrouve aussi dans la Proclamation royale de 1763 par le roi George d'Angleterre, à la suite du traité de Paris signé la même année, s'appliquent au territoire en cause. C'est donc dans cet esprit qu'il aurait fallu appliquer la loi instituant la Confédération canadienne de 1867, que l'on appelle l'Acte de l'Amérique du Nord britannique.

«On sait que les tribunaux judiciaires, avant la Loi constitutionnelle de 1982, telle qu'amendée en 1983, hésitaient à reconnaître quelque droit aborigène que ce soit, même si des percées intéressantes avaient été enregistrées par les décisions *Calder* en 1973 et *Baker Lake* en 1980. Mais depuis ce temps, la Cour suprême du Canada a rendu toute une série de décisions en faveur de la reconnaissance de tels droits. Je ne citerai que les affaires *Guérin* en 1984, *Simon* en 1985, *Sparrow* en 1990, *Van der Peet*, *Adams* et *Côté* rendues en 1996, et particulièrement l'affaire *Delgamuuk* de Colombie-Britannique, récente de l'année dernière. Dans cette affaire, la Cour a confirmé que certains droits ancestraux équivalaient à un droit réel grevant le territoire où ils existent; que ces droits ne se limitent pas à l'occupation du territoire, mais s'étendent à une exploitation contemporaine et moderne qui comprend non seulement les richesses du sol, mais aussi du sous-sol; et que cette occupation peut être démontrée par la tradition orale et non plus seulement à l'aide de documents écrits. En somme, par toutes ces décisions que je viens de vous citer, la Cour suprême du Canada montre la voie aux politiciens de tous les niveaux de gouvernement en s'engageant sur la voie de la rupture avec un passé de dépossession et de marginalisation culturelle, économique et politique des premiers peuples. Subsidiairement, les documents soumis provenant des autorités de la Compagnie de la Baie d'Hudson pourraient tout aussi bien être considérés comme un traité au sens de l'article 88 de la *Loi sur les Indiens*.

«Il me faut aussi vous référer particulièrement à la recommandation 1.16.2 retenue dans le Rapport de la Commission royale d'enquête sur les peuples autochtones, qui se lit comme suit: "La Commission recommande que les gouvernements fédéral, provinciaux et territoriaux favorisent le renouveau, et pour ce faire, qu'ils reconnaissent que le concept de *terra nullius* et la doctrine du *premier occupant développeur* sont erronés dans les faits, en droit et en morale et qu'ils déclarent que ces concepts n'ont plus leur place dans la formulation des lois ou des politiques..."

« Enfin, j'affirme que la communauté des Algoncris n'a jamais été consultée comme le voulait la coutume avant la signature de la Convention de la Baie-James et du Nord québécois. »

Charles s'assit. Armstrong, Wagis, Clément et Margo se levèrent d'un bloc pour lui serrer la main. Me Hutchison semblait ébranlé. Me Huot simulait l'examen des pièces déposées. Quant à Me Oliwash, il souriait, tout en adressant un regard admiratif au tribun qui venait de parler.

Après consultation, Me Rampling remit la réplique et le dépôt de toute autre preuve à une réunion prévue pour le mois d'août.

Après s'être retirés dans une suite de l'hôtel, les membres de l'équipe laissèrent libre cours à leurs commentaires. Armstrong se dit impressionné par le brio de Charles, et persuadé que leurs adversaires venaient d'encaisser un dur coup. Wagis renchérit en affirmant que c'était la première fois que la cause lui semblait aussi limpide :

— Jamais un procureur n'a expliqué si clairement nos droits !

Quant à Kevin et Margo, ils estimaient que l'érudition de Charles venait de faire avancer les prétentions des Algoncris d'un pas de géant.

Ce fut dans l'enthousiasme que les équipiers firent l'examen des nouveaux documents qui leur avaient été présentés par Kevin. Il s'agissait de la « piste Vaudreuil », qui demandait quelques explications. Charles les leur fournit sur-le-champ :

— La « piste Vaudreuil » se veut une sorte de « plan C ». Advenant que les preuves et arguments déjà fournis ne les satisfassent pas, nous pouvons nous rabattre sur une série de lettres émanant du dernier gouverneur de Nouvelle-France, Pierre de Rigaud de Vaudreuil. Comme les historiens l'ont soutenu au cours des ans, les Français de Versailles se méfiaient du dernier gouverneur de la colonie parce qu'il était le premier en poste à être né en terre d'Amérique. Selon les documents trouvés, les dirigeants français avaient peut-être réellement de bonnes raisons de se méfier. L'un de ses fils, un enfant adopté, était en effet parti vivre avec une Algonquine dont il avait eu trois enfants. Ils s'étaient effectivement établis dans la région de Wisnac. Or, quand les Anglais décidèrent d'attaquer Québec, le fils de Vaudreuil, sentant la soupe chaude, avait demandé à son père de lui conférer un titre sur certains territoires, soit ceux où sa communauté vivait, dans la région de Wisnac. Comme on le sait, ce n'était pas la coutume pour la France d'émettre ainsi des titres à partir de l'autorité coloniale. Vaudreuil aurait alors enfreint cette règle en signant un document en faveur des gens de Wisnac. Le gouverneur s'était dit que les Britanniques, voyant la signature du gouverneur de Nouvelle-France, respecteraient assurément le document. Selon nos sources, ce document a bel et bien existé et a fait partie des archives qui furent transférées au Parlement de Montréal dans les années qui suivirent la Conquête. Malheureusement, la plus grande partie de ces archives fut subséquemment détruite dans l'incendie de ce Parlement, en 1849. Il est établi que cet incendie a été causé par des anglophones insatisfaits des peines imposées à certains patriotes qui avaient fomenté la révolution de 1837. Nous ne possédons donc pas l'original du document en question, mais de nombreuses lettres et documents dits accessoires, retrouvés dans les archives subsistantes, feraient encore référence au document signé de la main même de Vaudreuil.

— Mais c'est extraordinaire ! dit Armstrong.

— Fantastique ! dit Wagis.

— De l'excellent travail ! dit Margo en regardant fièrement Kevin.

— C'est inespéré ! dit Charles. Mais, il ne faut pas pavoiser tout de suite : cette piste, d'après moi, si elle est plus intéressante et originale, est aussi plus difficile. Nous allons donc mener à terme nos autres moyens avant d'utiliser celui-là. Ce qui ne nous empêchera pas de laisser couler un peu d'information sur le sujet, question de créer une diversion si le besoin s'en fait sentir…

Chapitre 25

Au début de mai, Charles s'enquit auprès du cabinet de fiscalistes de ce que devenait Fabiola. Il apprit par sa secrétaire qu'elle était partie se reposer 15 jours au Mexique avec quelques compagnons du bureau. À peine venait-il de raccrocher qu'il reçut un appel de Mylène qui lui proposait un set de tennis. Ils se donnèrent rendez-vous au club de tennis Avantage.

Membre depuis les tout débuts de ce club huppé, dans les années 1980, Charles était constamment salué par les préposés et les habitués. Il n'était pas courant de le voir jouer en simple avec une femme. Mylène était quelque peu impressionnée de pouvoir jouer sur le court central, celui où tous pouvaient admirer, s'il y avait de quoi, le jeu des protagonistes.

Mylène, ses longs cheveux blonds retenus par un bandeau, portait un ensemble noir et orange marqué Reebok et avait fière allure. Avec sa petite jupe courte, ses longues jambes fines et élancées attiraient les regards. Plusieurs passants s'attardèrent au bastingage d'étirements pour regarder jouer le couple. Après un long échauffement, Mylène devint plus mobile alors que Charles lui retournait sans cesse la balle — une fois sur son coup droit, une fois sur son revers, une plus courte, une plus longue, deux fois sur le revers, un lob sur la ligne —, mais jamais en force, ne cherchant pas le coup gagnant. Tout, chez sa partenaire, lui plaisait: son agilité, sa manière d'anticiper le jeu, le brossage de ses coups droits, le trémoussement affriolant de sa poitrine sur son revers d'attaque, l'ensemble de ses gestes gracieux qui ressemblaient à un ballet, et surtout les belles rougeurs au niveau de son visage et de ses membres ruisselant de sueur.

Après avoir échangé des balles pendant une petite heure, ils se firent une chaude accolade au niveau du filet, qui se termina par un baiser à la sauvette, au goût de salé, plein de promesses. Après la douche, ils s'offrirent un pot bien mérité dans un endroit tranquille du bar.

— Qu'est-ce que tu dirais de monter au camp du lac Jolicœur, l'hiver prochain?

— Bien, va falloir que j'y pense. Je dois m'acheter des raquettes, mais faudrait en reparler, nous sommes en mai... Pourquoi ne pas m'inviter cet été?

— Premièrement, il y a beaucoup de moustiques. Et je sais que tu n'aimes pas les moustiques... Je dois aussi faire des travaux à mon camp cet été et je ne crois même pas que j'en aurai le temps à cause de mon mandat avec les Algoncris...

— Il est un peu tôt pour fixer une date pour l'hiver prochain, tu ne crois pas?

— C'est certain, dit Charles. Mais je prévois avoir terminé mon mandat à ce moment-là... On s'en reparle...

Au même moment, la réceptionniste lui apporta un billet d'appel téléphonique. Il y jeta un coup d'œil et fit la moue. Un instant distrait, il continua néanmoins la conversation avec Mylène:

— À propos, ta fille, est-ce qu'elle...

— J'ai de bonnes nouvelles! Elle s'est trouvé un emploi dans un CLSC. Elle commence dans une semaine.

— Ah ! C'est encourageant de voir de jeunes diplômés se faire embaucher.

— J'ai aussi une autre bonne nouvelle : elle s'est trouvé un appartement ! Je vais bientôt être seule dans ma maison de Saint-Raymond…

— Et ta retraite, comment ça se passe ?

— Enfin, je peux faire ce que je veux ! Nous sommes plus chanceux que nos parents. Pour eux, la retraite, ça n'existait que dans les romans. Moi, je peux te dire que j'en profite. La grande joie, c'est de pouvoir décider de mon temps et de mes activités à ma guise !

— Moi, je vais connaître ça, du moins, je l'espère, à compter de l'an prochain. À la fin de mon mandat des Algoncris ! Mais comment passes-tu tes journées ?

— Je me lève à l'heure que je veux. Je lis mon journal en prenant un café. Puis je lis beaucoup. Je fais de l'exercice. Du tennis trois fois par semaine. Je fais partie d'un club de marche. Nous faisons des excursions de groupe… Je fais des voyages… J'ai mon petit jardin en été… Le ski en hiver…

— Alors, on pourrait reprendre ce match ? Jouer en double, peut-être ?

— J'aime mieux jouer en simple… Seulement toi et moi…

— Mon voisin a un tennis… On pourrait faire ça à Saint-Nicolas…

— Pourquoi pas ! Tu pourrais me faire visiter ta maison…

— C'est une excellente idée. Puis je vais te montrer mon coucher de soleil sur le fleuve…

— Tu pourrais aussi t'arrêter me voir à Saint-Raymond. Tu connais la place…

— Pour sûr. Je vais m'arrêter te saluer un bon jour, en arrivant comme un voleur !

— J'aimerais mieux que tu appelles avant… Tu sais j'ai aussi des amis… Je vais attendre ton appel.

Le message d'Isabelle portait la mention « urgent ». « Ça doit encore être Alfred qui est en crise… » pensa Charles. Pourtant, même si la condition de ce dernier empirait de jour en jour, ce n'était pas de son mari dont elle voulait l'entretenir. Elle avait reçu un appel d'une femme de Montréal, une Italienne du nom de Gina Salvatore, qui se disait la conjointe de Victor. Très malade, celui-ci désirait se réconcilier avec la famille. Il faut dire qu'Isabelle, qui visitait Anna régulièrement depuis la mort de Majel, avait finalement appris la fraude de Victor, qui remontait à 1944.

— Il veut qu'on aille le voir, quoi ? demanda Charles.

— Y paraît qu'y demande tout le temps qu'Anna et Majel lui pardonnent pour le mal qu'il leur a fait pendant sa vie…

— Comment voulez-vous que Majel lui pardonne ? Il est mort !

— La femme m'a suppliée de faire quelque chose… Peut-être qu'Anna pourrait lui dire que Majel lui avait pardonné avant de partir…

— Ouais. Ce n'est pas une affaire qui peut se faire au téléphone, comme ça. Puis, il y a si longtemps qu'on n'a pas vu et parlé à Victor… En avez-vous touché un mot à maman ?

La voix de tante Isabelle devint moins assurée.

— Euh… Non… J'ai pensé t'en parler avant. Parce que je sais que ta mère n'a jamais pardonné à Victor… Le moins qu'on puisse dire, c'est qu'elle ne l'a jamais eu en odeur de sainteté…

— Bon. Je vais à Saint-Raymond bientôt. Je vais en reparler à maman. Elle a peut-être changé d'idée… Elle aussi vieillit…

Un petit silence, puis Isabelle renchérit :

— Tu sais, Charles, Victor est encore mon frère… Malgré ses défauts… Faudrait pas trop attendre…

— J'ai compris, ma tante. Je vais vous rappeler aussitôt que possible, mais je dois voir maman avant.

~

En soirée, il reçut un appel de Margo. Après quelques louvoiements, elle lui apprit qu'elle était enceinte.

— Wow ! C'est une excellente nouvelle ! Mes félicitations ! Et Kevin, comment vit-il l'événement ?

— Il est aux oiseaux ! On fait des projets… Mais le problème n'est pas là… Je me demande si ma condition va influencer notre travail d'équipe…

— Voyons voir… L'accouchement est prévu pour quand ?

— Je suis au troisième mois… Le médecin me parle du milieu de novembre…

— Bon ! C'est certain que d'ici là, nous aurons une ou deux rencontres, mais l'essentiel de tes recherches est amorcé…

— Il me reste beaucoup de documents à lire et quelques petites fouilles à compléter du côté des Archives nationales, à Ottawa. Mais jusqu'à octobre, je peux encore bien fonctionner, sauf imprévu…

— C'est ça ! Et même si tu manques quelques réunions, on pourra toujours s'arranger. À ta place, je ne m'en ferais pas avec ça. Tu as tout mon appui.

— Je te remercie, Charles. Ça m'empêchait de dormir… En plus d'être un bon oncle, tu es un bon patron…

— J'ai autant de joie que si j'allais devenir grand-père…

— Mais tu pourras être parrain ?

— Tu sais, dit-il, le ton blagueur, je ne prends plus de mandat…

— Tu vas accepter ?

— C'est sûr que je vais accepter. Tu m'en parleras quand le bébé sera bien là. Pour le moment, bois beaucoup de lait ! Allez ! Bonne nuit.

Chapitre 26

Dans les jours suivants, Charles se présenta à deux reprises au Centre d'hébergement pour discuter avec sa mère de l'affaire Victor. La première fois, Anna avait opposé une fin de non-recevoir catégorique, refusant même de l'entendre prononcer le nom de son oncle. La seconde fois, elle lui dit sans détour :

— Jamais, au grand jamais, je ne vais pardonner à Victor ce qu'il nous a fait ! Sais-tu que le 5 000 $ qu'y nous a volé en 1944, ça représentait à ce moment-là le prix d'une grosse maison neuve comme celle des Wilkey ? Majel pis moi, on n'a jamais été capables de s'en remettre ! Pis pendant que monsieur couchait avec toutes les femmes qu'y rencontrait, qu'y faisait la belle jambe, qui roulait carrosse, nous autres, on essayait de joindre les deux bouts... À ce que je vois, si son restaurant n'a pas marché, ça ne l'a pas empêché de manger des mets italiens pendant ces derniers temps ! Tu ne trouves pas ça curieux, qu'un homme comme lui, infidèle de nature, doive compter sur une immigrée pour le dorloter, astheure ? Comprends-tu ça ? J'veux plus en entendre parler !

Furieuse, elle ne s'était pas levée pour reconduire son fils à la porte, comme elle le faisait toujours.

Le 9 mai, Isabelle insista. L'Italienne avait rappelé. Le temps pressait. L'oncle Victor semblait dépérir. Charles prit son courage à deux mains et aborda de nouveau le sujet avec sa mère. Anna semblait plus sereine, ce matin-là.

— Maman, je ne te dérangerai plus avec l'histoire de Victor, mais…

— Mais quoi, mon Charles ?

— C'est pour Isabelle que je fais ça… Peux-tu me dire si papa avait pardonné à son frère avant de mourir ? T'en avait-il parlé ?

— Euh… Pendant que Majel était malade, Victor a appelé de Montréal et je lui ai raccroché la ligne au nez !

— Tu as fait ça ! Papa aurait peut-être aimé quand même revoir son frère avant de mourir… A-t-il essayé de le rejoindre, de l'appeler ?

— Tu connais Majel. Il a fait mieux que ça. Il lui a écrit une lettre…

— Quoi ! Papa a écrit à Victor avant de mourir ?

— C'est bien ça…

— Qu'est-ce qu'il disait dans la lettre ? Le sais-tu ?

— Euh… Non… Je m'en souviens plus trop…

— Comment peux-tu dire que tu t'en souviens pas ? L'as-tu lue, oui ou non ?

— Si je me souviens bien, la lettre disait que… Euh… C'est loin, tout ça…

Anna se mit soudainement à pleurer. Charles s'approcha et étendit ses mains sur ses épaules pour la réconforter. Il attendait le moment propice pour lui demander si Victor avait répondu à la lettre, quand sa mère continua :

— Y l'a jamais eue, la lettre !

— Comment ça?

— Parce que Majel m'avait demandé de la maller, et pis je l'ai jamais fait...

— Qu'est-ce que tu as fait avec la lettre?

— Je l'ai placée dans le tiroir du buffet. J'voulais pas que Majel pardonne à son frère. Y m'avait fait mal à moi aussi. Pis Majel m'avait pas demandé mon avis. On était deux là-dedans. Y avait pas à régler ça tout seul...

— La lettre... L'as-tu jetée? Tu as fait quoi avec?

— Après la mort de Majel, je l'ai mise dans ses affaires d'impôt, dans une boîte. Je ne sais plus si elle existe encore. Pis ça a bien fait mon affaire. Je n'ai jamais revu Victor... Pis c'est pas aujourd'hui que j'vas y pardonner...

— Toi, maman, t'as jamais fait d'erreurs dans ta vie?

— Oui, mais pas des grosses comme ça...

— Mais ce que tu nous as enseigné quand on était petits, à Paul et à moi, c'était qu'il fallait pardonner...

— Écoute, mon Charles, je ne veux pas empêcher ton oncle de mourir en paix. Si toi, tu veux lui écrire une lettre au nom de ton père, tu peux le faire. Mais tu ne mettras pas mon nom dessus. Tu pourrais dire, par exemple, que la famille de Majel pardonne, mais tu mets pas mon nom... C'est ben par charité chrétienne que j'peux m'rendre jusque là... Pis ça, c'est le plus loin que j'peux aller!

Le même jour, Charles était retourné voir le frère Mark pour honorer sa promesse. Celui-ci était toujours content de recevoir sa visite. Charles s'informa de son dernier examen radiologique. La tumeur avait grossi; le diagnostic était le même. Quant au pronostic, il était aussi imprécis, les médecins ne sachant pas combien de temps il lui restait à vivre. Mais le vieux frère semblait ne pas trop s'en faire. Les médicaments qu'il prenait avaient un effet bénéfique, car les douloureux symptômes ne le harcelaient plus. Parfois il se sentait tout à fait normal, parfois, il était complètement abattu et avait des pertes de mémoire. Manifestement, il était aujourd'hui dans l'un de ses bons jours.

— J'ai passé ma vie dans la religion... Ce serait dommage de commencer à douter aujourd'hui...

Charles aurait bien voulu le réconforter, mais il sentait que la meilleure manière de le faire était encore d'écouter ce qu'il avait à dire. Le vieil homme raconta les souvenirs reliés à ses vœux perpétuels :

— Il y en a qui font ça pour faire plaisir à leur mère. Je ne peux pas dire que ses désirs n'ont pas compté. Mais ce qui m'a décidé, c'est le raisonnement d'un père des Missions étrangères venu prêcher au juvénat pendant la semaine des vocations : « Si vous avez le désir de rendre service à votre prochain, si vous avez la capacité et l'intelligence de vous instruire et si vous avez une bonne santé, la seule chose qui vous manque, c'est de la volonté ! Si vous hésitez, vous êtes un lâche... Le seul fait de vous demander si vous êtes fait pour être un missionnaire, c'est déjà là un très grand signe d'appel du Seigneur ! »

Charles ne disait mot. Mais il se demandait si frère Mark, en ressassant ses souvenirs, ne tentait pas de se convaincre lui-même qu'il avait fait le bon choix. En fait, le raisonnement de ce prédicateur était fallacieux : tous les gens instruits et en bonne santé auraient dû entrer en religion ! Se pouvait-il que le frère Mark doutât encore de sa décision ?

Celui-ci continua :

— Le plus difficile, ce fut le jour de mes vœux perpétuels. Parce que, jusque-là, j'avais vécu ma vie en communauté comme une expérience. Il s'agissait de vœux perpétuels ! Et puis, moi, j'étais fils unique. J'étais l'homme le plus heureux du monde quand j'ai vu le regard de ma mère. La prière qu'elle faisait depuis que j'avais l'âge de raison, quand nous disions le chapelet en famille autour de la table de la cuisine, était enfin exaucée ! Elle venait de donner son fils unique au Seigneur ! Mais j'ai été aussi bien malheureux quand j'ai vu le regard sombre de mon père... Avec le recul, je pense que ses yeux étaient ceux d'un capitaine d'expérience qui voit son fils, jeune matelot, s'apprêter à prendre la mer sur une frêle embarcation alors que de gros nuages pointent à l'horizon... Longtemps après, quand j'avais des difficultés et que je remettais tout en question, curieusement, mes souvenirs ne remontaient pas au visage épanoui de ma mère, mais au regard taciturne de mon père... Par contre, on juge un arbre à ses fruits. Ma vocation m'a conduit à tant donner aux élèves, des gens comme ton père, comme toi, comme des milliers d'autres... Je crois finalement avoir réussi ma vie.

Malgré ces paroles qui se voulaient concluantes, le vieillard se mit soudainement à pleurer sans retenue. Charles comprit toute l'importance du moment pour son ami, qui venait de se vider le cœur concernant des événements qui remontaient à son adolescence et qui avaient marqué toute sa vie. Il prit le temps de s'asseoir près du frère, sur le lit et, sans un mot, lui fit une chaleureuse accolade, l'étreignant du mieux qu'il put, avec délicatesse. Charles se demanda à quand pouvait remonter le dernier acte de tendresse à l'égard de ce vieux frère mourant. Il se demanda aussi combien d'hommes et de femmes avaient, comme le frère Mark, sacrifié leur vie pour faire plaisir à leurs parents. D'un autre côté, songea-t-il, il fallait aussi reconnaître que les parents, particulièrement les femmes en mettant des enfants au monde, menaient une vie d'abnégation, s'oubliant pour leur progéniture, brisant plus souvent qu'autrement leurs propres rêves, voire même l'essentiel de leur propre existence. Dans les familles où les parents insistaient pour avoir un religieux, c'était souvent le plus sensible des enfants qui se sacrifiait.

Ce jour-là, Mark Perras s'endormit dans les bras de Charles.

Quand il quitta l'hôpital, Charles était encore affecté par les paroles de son ami. Mais il se devait de revenir au plus tôt auprès d'Isabelle à propos de la demande de l'oncle Victor. Il réintégra donc rapidement sa maison de Saint-Nicolas avec l'intention de tout faire pour mettre la main sur la lettre que Majel avait écrite à Victor avant de mourir.

Il descendit au sous-sol et commença à fouiller dans les nombreuses boîtes qu'il avait recueillies au départ d'Anna pour le Centre d'hébergement de Saint-Raymond. Finalement, il trouva ce qu'il cherchait: une enveloppe décachetée adressée de la main de Majel à «Monsieur Victor Roquemont». Il y avait même plusieurs timbres qui avaient été apposés sur l'enveloppe, mais qui n'avaient jamais été oblitérés. Il lut:

Saint-Raymond, ce 15 janvier 1976

Victor, mon frère,

Je t'appelle encore mon frère parce que, pendant une partie de ma vie, j'ai voulu te renier et je n'ai pas pu. Je t'annonce aujourd'hui que je suis bien malade et que le médecin dit que je n'ai pas grand temps à vivre et je veux faire la paix avec toi.

Tu es toujours resté mon « grand frère » malgré ce qui nous est arrivé. Tu étais le beau Victor que les femmes aimaient, qui trouvait toujours le moyen de se promener dans des automobiles de luxe, et qui avait des rêves plein la tête.

Finalement, nous ne nous sommes connus que pendant l'enfance, la période la plus belle de notre vie. Te souviens-tu de notre cabane sur l'île Robinson, dans la rivière Sainte-Anne, juste en face de la maison ? C'est là que nous avons échafaudé nos rêves… Sur le point de partir, je ne peux pas dire que j'en ai réalisé beaucoup. Mais ce qui importe, je pense, c'est que je suis satisfait de tout ce que j'ai essayé de faire. J'ai toujours donné le meilleur de moi, comme Wilbrod et Victoria me l'avaient enseigné. J'espère que toi, de ton côté, tu as pu réaliser tes rêves. Nos accomplissements, à Anna et à moi, c'est d'avoir réussi à bien éduquer et instruire nos enfants, Charles et Paul. Puis, il y a la petite Margo qui met du soleil dans les derniers jours de ma vie. Et Luce qui attend un autre enfant que je ne verrai probablement pas.

Alors, je ne peux pas partir sans te dire au revoir, j'espère, dans un monde meilleur. Je veux te dire aussi que, moi, je te pardonne pour tout ce que tu m'as fait.

Ton « petit frère », Majel.

C'était bien la lettre que Majel, quelques jours avant de mourir, avait donnée à Anna, mais que celle-ci n'avait pas voulu mettre à la poste. Charles n'avait jamais vraiment connu Victor. Il n'éprouvait donc aucune animosité envers lui. Les valeurs reçues de ses parents et de ses professeurs allaient évidemment vers le pardon. Il pensa : « À l'époque, Victor a fait bien du mal à mes parents. Mais Majel lui avait pardonné. Anna m'a tout de même montré une certaine ouverture. Et finalement, c'était une question d'argent… » Sans plus attendre, Charles composa le numéro de téléphone d'Isabelle :

— Prépare-toi, ma tante, on part pour Montréal demain matin !

Chapitre 27

Une grande femme longiligne, au visage émacié et aux yeux cernés, portant des nattes noires qui lui tombaient sur les épaules, vint leur ouvrir. Isabelle et Charles rencontraient Gina Salvatore pour la première fois. L'appartement qu'ils habitaient, dans un quatrième étage de la rue Clark, n'affichait aucun luxe, mais était bien tenu.

Sans plus de cérémonie qu'une simple poignée de main, l'Italienne leur fit un sourire amical et mit ses doigts sur sa bouche pour leur demander de garder le silence. Ils se présentèrent mutuellement. Ensuite, d'une voix basse, elle signala :

— Le docteur dit qu'il n'en a plus pour longtemps... C'est un cancer des poumons; à cause du tabac... Mais vous savez ce qu'il veut entendre...

— Oui, dit Isabelle...

— Je vous laisse seuls avec lui.

Pendant que Charles et Isabelle entraient dans la chambre, la conjointe de Victor alla s'asseoir sur une chaise droite, près de la fenêtre donnant sur la ruelle. Ses yeux regardaient un paysage invisible alors qu'elle se mettait à réciter nerveusement un chapelet, qu'elle tenait fermement dans ses mains noueuses.

Victor était étendu sur son lit, la tête toute blanche, une barbe de plusieurs jours, toute aussi blanche, qui rendait justice à ses 91 ans. Il présentait le teint jaune d'une personne gravement malade, des orbites creuses et, à chaque respiration, un petit sifflement se faisait entendre.

Il avait été convenu que Charles parlerait en premier, parce qu'il apportait le pardon de Majel, mais qu'ensuite, si la situation le permettait, Isabelle resterait seule quelques instants avec son frère. En les apercevant, Victor ne put que cligner des yeux et bouger les doigts de la main droite, la bouche ouverte et les yeux hagards.

— Mon oncle, je suis Charles, le fils de Majel et d'Anna…

Le moribond cligna des yeux pour signifier qu'il comprenait.

— C'est moi, Isabelle, ta sœur… Me reconnais-tu ?

Cette fois, le malade ferma les yeux et les ouvrit, en plus de bouger les doigts. Isabelle s'approcha de lui et l'embrassa sur la joue en lui touchant le front de la main. De petites larmes coulèrent lentement des yeux gonflés de Victor. Il renifla et Isabelle, prenant une débarbouillette sur la table de chevet, lui épongea le visage. Après un moment, Charles, en sortant une enveloppe de sa veste, dit :

— Voici une lettre que j'ai retrouvée dans les papiers de mon père, écrite quelques jours avant sa mort. Il semble qu'elle a été oubliée dans ses papiers… Je vais vous en lire les passages principaux…

À la lecture de cette lettre, Victor se remit à pleurer, abondamment cette fois, et Isabelle dut lui essuyer le visage de nouveau. Après un long silence, alors que le moribond recouvrait son calme, il émit quelques sons :

— Na… ? Na… ?

— Il veut dire « Anna », chuchota Isabelle à Charles.

— Euh… Ma mère, Anna, vous savez, est une bonne chrétienne. C'est elle qui m'a demandé de vous apporter la lettre qu'on a trouvée… C'est signe que la famille vous pardonne, y compris moi, mon oncle…

— …Mer… ci… marmonna Victor.

Charles mit la lettre dans la main de Victor, qui la serra fébrilement. Malgré les douleurs visibles de l'agonie, son visage semblait rasséréné. Profitant de l'instant, Charles embrassa son oncle sur le front, avant de se retirer pour laisser Isabelle seule avec lui.

Une fois la porte fermée, Isabelle s'assit sur le bord du lit et prit la tête de Victor entre ses mains, lui caressant les cheveux et le visage. La respiration du malade devint un temps moins saccadée, comme s'il désirait profiter le plus longtemps possible de ces effusions fraternelles si longtemps désirées. Elle lui chuchota à l'oreille de courtes phrases qui ne nécessitaient aucune réponse et qui ravivaient de bons souvenirs :

— Tu te souviens, Victor, quand nous jouions dans notre petite cabane de pitounes sur l'île Robinson… Nous avions la vie devant nous… Nous faisions de beaux rêves… La vie a été difficile pour tous… Tu rêvais de posséder ton restaurant… Peu importe ce qui est arrivé… Tu as au moins essayé… Ça, dans la famille, on le sait… Tu as essayé alors que d'autres n'essayaient jamais rien…

À ce moment, Victor ouvrit les yeux, remua même ses jambes. Sa respiration devint plus rapide. Isabelle continua, plus doucement encore :

— Tu as connu de bons moments, Victor, mon grand frère… Je t'ai toujours aimé… J'aurais aimé être à ta place… Parler en anglais… Voyager aux États-Unis… Dans l'Ouest canadien… Me promener à Montréal… Que tu étais beau, dans tes habits du dimanche… Quand tu venais voir les filles de Saint-Raymond, dans ta Cadillac blanche, j'étais tellement fière de toi… Tu étais le plus beau… Wilbrod et Victoria ont toujours été fiers de toi… Tu représentais le gars qui n'avait pas peur des défis, qui aimait sortir des sentiers battus…

Comme les muscles du cou et des épaules du malade se détendaient, Isabelle sentit que son frère n'en avait plus pour longtemps avant l'abandon. Elle se mit alors à lui susurrer tendrement à l'oreille la comptine qui, avec le temps, était devenue celle de la famille :

Il y avait son père
Il y avait sa mère
Son grand frère Victor
Et sa sœur Isabelle
En pensée avec eux
Il y avait
Il y avait
Il y avait Majel
Il y avait Majel

En entendant la voix plaintive d'Isabelle, Gina et Charles surent que des choses se passaient et ils revinrent dans la chambre. L'Italienne aperçut le regard fixe de Victor et se précipita vers le lit. C'est en pleurant toutes les larmes de son corps que Gina embrassa avec ferveur la dépouille encore chaude de Victor Roquemont.

Quand elle se fut ressaisie, Charles demanda si Isabelle et lui pouvaient faire quelque chose pour elle.

— Nous n'étions pas riches, vous savez, dit-elle simplement. Mais j'ai de la famille…

Comprenant que la veuve ne désirait pas que la famille Roquemont s'occupe davantage de la dépouille, Charles et Isabelle s'apprêtèrent à la quitter. Ce fut alors que Gina leur dit :

— Saviez-vous que Victor était allé voir son frère après sa mort?

Isabelle et Charles se regardèrent, étonnés. Dans la parenté, tous avaient traité l'aîné de la famille de «maudit sans cœur» parce qu'il n'était pas venu visiter son frère quand il était malade, pas plus qu'il ne s'était présenté au salon mortuaire ou à l'église après sa mort. Elle continua:

— Quand Victor a su que Majel était gravement malade, il a appelé plusieurs fois à la maison. Mais Anna lui raccrochait la ligne au nez… Il savait qu'il ne serait pas bien accueilli par la femme de Majel. Il craignait l'attitude d'Anna s'il se présentait au salon mortuaire ou à l'église. Ne sachant pas à quoi s'attendre, il a voulu éviter de créer un malaise…

— Mais vous dites qu'il est venu…

— Oui, il s'est rendu au salon mortuaire, la veille de l'enterrement. Là, comme il connaissait l'entrepreneur de pompes funèbres, celui-ci lui a permis de voir son frère tard le soir, après la fermeture du salon. Il a donc embrassé Majel dans sa tombe.

Isabelle et Charles étaient touchés par ces révélations. La femme poursuivit:

— Comme Victor voulait aussi assister au service sans déranger la famille, il est monté au troisième jubé. C'est de là qu'il a assisté à la cérémonie, en partie caché derrière l'orgue. Puis, au printemps, quand le corps a été sorti du charnier pour l'enterrement, il s'est rendu sur sa tombe, au cimetière… Je voulais que vous le sachiez avant votre départ.

Isabelle et Charles sentirent le besoin de prendre Gina Salvatore dans leurs bras, cherchant des mots adéquats, autant pour la consoler que pour la remercier de ce qu'elle avait fait pour Victor. Ils promirent que la famille Roquemont serait avisée de la date de l'enterrement. Quant à eux, ils reviendraient assister au service funèbre.

Chapitre 28

En cette fin du mois de mai, les soirées commençaient à garder la chaleur du jour. L'heure du souper était passée et Charles, bien installé dans sa pergola, sirotait un café avant de s'attaquer à une masse de documents reçue de ses coéquipiers. Son téléphone sans fil sonna. C'était Fabiola, de retour du Mexique.

— Tiens, la sauvageonne est de retour… C'est bon d'entendre ta voix ! Je pensais que tu t'étais fait manger par un requin, dans la baie d'Acapulco…

— Non, mais j'ai nagé avec les dauphins…

— Là, j'imagine que tu es fatiguée des poissons…

— Non, puisque j'aimerais te revoir…

Charles se mit à rire. La chaleur de la voix reposée de Fabiola lui faisait le plus grand bien. Il continua dans la même veine :

— Dans quel aquarium voudrais-tu qu'on se rencontre ?

— On pourrait aller à la *Barque à Marie-Claude*, dans la Grande Allée…

— Il y a longtemps que ce restaurant est fermé. Je suggère *La Marée Montante*, dans le Vieux-Québec…

— Oui, c'est bien… Puis, on pourrait prendre le digestif à *L'Estran*, dans la Haute-Ville…

— Je préférerais faire une marche à l'étal…

— C'est où, ce restaurant-là ?

— C'est pas un restaurant, c'est une petite balade sur la grève du fleuve, à Saint-Nicolas, que je te propose... Au clair de lune... En fait, j'ai terminé mon repas... Je lisais un dossier pour m'avancer dans...

— Bien, je vais prendre une bouchée et je pourrais être à Saint-Nicolas à 8 heures. J'aurai soupé... Ne prépare rien.

— D'accord, je t'attends. Apporte une laine. Sur le bord de l'eau, c'est encore frais. Ce sont les grandes marées de mai, l'eau monte jusqu'au pied du cap.

Il était bien 8 heures 30 quand Charles entendit le bruit caractéristique des pneus de l'Audi de Fabiola mordre le gravier de l'entrée. Après un pudique baiser sur la bouche, Fabiola parla la première :

— Désolée, le pont de Québec était bouché... Il y avait un cordon de police. Encore un qui a décidé de vérifier la température de l'eau !

— À moins que le compte de son fiscaliste n'ait été au-dessus de ses moyens ?

— Allez, changeons de sujet, si tu veux... Il faut dire aussi que j'ai cherché mon gilet gris, tu sais celui que...

— Je crois que tu l'as oublié ici, la dernière fois que tu es venue. Il y en a un, en tous cas, dans la garde-robe de ma chambre...

— Bon ! Le brun que j'ai mis va faire pour ce soir.

Le soleil commençait à se coucher quand ils descendirent le chemin de la côte qui les menait au fleuve. La pente était raide, de telle sorte que le couple marchait en se tenant bras dessous, bras dessus. Ils purent bientôt s'asseoir sur le banc que Charles avait installé sur un rocher surmonté d'un talus situé au niveau des plus hautes eaux. Fabiola était habituée aux paysages de mer. Mais de voir ainsi le fleuve, ici large de deux kilomètres, alors que les rayons du soleil formaient comme un pont d'or sur la surface fluide, était nouveau pour elle. Même la petite brise du soir était au repos. Charles vit le reflet du soleil couchant dans les yeux de Fabiola. Tous deux s'enlacèrent affectueusement et s'embrassèrent longuement. Leurs caresses prirent une douce vigueur qui fit réagir leurs corps assoiffés de tendresse. Leur respiration devint saccadée. Puis ils s'étendirent de tout leur long sur le banc de bois blanc et, sans dire un mot, au son du ressac des vagues sur les rochers, ne firent bientôt plus qu'un.

Chapitre 29

Tous les membres de l'équipe travaillaient fort, chacun de son côté, pour préparer la documentation supplémentaire nécessaire à la quatrième séance de négociations qui devait se tenir à Hull, au mois d'août suivant. Au début de juin, Charles prit connaissance de courriels entre Kevin et Clément concernant certaines démarches. Ce dernier avait donné un petit coup de main pour quelques travaux nécessitant des connaissances approfondies en informatique. Charles était satisfait de constater que Kevin était tenace dans les recherches concernant la « piste Vaudreuil », du côté de Boston et de New York.

Malgré une surcharge de travail, Charles trouva du temps pour visiter Bergeron et le frère Mark. Le premier était en bien piteux état. Sa condition ne s'était aucunement améliorée. Il ne reconnaissait plus personne et tenait toujours des propos incohérents et hystériques. Le second n'était pas dans sa chambre. La garde-malade le prévint qu'il se soumettait actuellement à un autre examen au scanner, afin de vérifier l'évolution de la tumeur.

~

Au début de juillet 1999, le groupe de travail se réunit de nouveau pour préparer une dernière fois la rencontre cruciale du mois suivant. En regard de la « piste Vaudreuil », les recherches de Kevin et Clément aboutissaient à un cul-de-sac. Même si plusieurs documents officiels faisaient mention de l'existence d'une lettre signée de la main du dernier gouverneur de Nouvelle-France, le précieux document demeurait introuvable. Charles n'aimait pas s'aventurer sur un terrain incertain. Mais ses adjoints étaient coriaces et avaient décidé de pousser leurs recherches encore une fois du côté d'Ottawa. Si la plupart des documents du Régime français avaient été détruits dans l'incendie du Parlement établi à Montréal après la Conquête, il n'en restait pas moins que certains autres avaient été épargnés et transférés à Kingston ou à Ottawa.

Dans le cas où ils essuieraient un refus global de leur demande, il serait toujours temps de lancer cet argument à titre de « ballon d'essai ». En homme d'expérience, Charles résuma ainsi leur stratégie :

— Souvent l'adversaire connaît des éléments de preuve qu'il ne désire pas voir dévoiler. Dans le cas du prétendu titre émanant de Vaudreuil, il n'est pas impossible que les gouvernements en sachent plus long qu'ils veulent le laisser voir.

De son côté, Margo avait bonifié sa preuve documentaire dans la piste originellement appelée « des Oblats », devenue maintenant, à la suite de ses découvertes à Winnipeg, la « piste de la Compagnie de la baie d'Hudson ». Elle avait pu faire authentifier par un professeur de Cambridge, expert en documents historiques, que plusieurs lettres provenaient bel et bien des officiers de la Compagnie de la baie d'Hudson, à l'époque visée.

L'équipe décida donc de maintenir le cap et de plaider en priorité les droits ancestraux et, subsidiairement, le titre provenant de Des Groseilliers, reconnu par la suite par la Compagnie de la baie d'Hudson, et, s'il y avait lieu, d'utiliser la « piste Vaudreuil ».

~

Margo et Kevin profitèrent des préparatifs de la quatrième réunion de négociations pour annoncer à Charles qu'ils avaient l'intention de se marier à la fin de l'année, précisément le 31 décembre. Les parents de Kevin seraient présents. Des démarches étaient entreprises pour que la noce se déroule au Centre d'hébergement de Saint-Raymond. Ainsi, Anna pourrait y assister.

— Et l'enfant ? avait-il demandé à Margo.

— S'il ne naît pas prématurément, il est prévu pour les premiers jours de novembre…

— Continuerez-vous à habiter le Quartier latin ?

— Bien, on se cherche un appartement… Ou une maison à la campagne, quelque chose de pas trop dispendieux…

— Justement, je voulais vous parler de ma grande maison de Saint-Nicolas…

— Est-ce qu'elle est à vendre ? demanda Kevin.

— Non, pas pour le moment. Mais vous pourriez venir habiter chez moi… Je vous louerais les cinq pièces du sous-sol qui donnent sur la terrasse…

— C'est trop luxueux, objecta Kevin. On ne serait pas capables de s'offrir ça… Après le contrat des Algoncris, on n'aura plus de revenus… Je dois terminer mon doctorat…

— Vous allez voir, je vais vous faire un bon prix…

— Mais, mon oncle, tu vas toujours nous avoir dans les jambes… Tu vas entendre pleurer le petit… On ne veut pas la charité…

— Je ne voulais pas vous le dire, mais ça ferait bien mon affaire. Après le règlement du dossier des Algoncris, je veux passer six mois à mon camp du Jolicœur pour écrire. Il y aurait quelqu'un dans ma maison…

— Nous allons en discuter ensemble, dit Kevin en regardant Margo. On ne peut pas dire que ce n'est pas alléchant !

— C'est ça, pensez-y bien. Ça me ferait vraiment plaisir…

En après-midi, Charles passait dans le boulevard Laurier et décida de faire un crochet au CHUL pour voir le frère Mark. Celui-ci, pour la première fois depuis longtemps, montrait moins d'énergie. De l'avis de l'infirmière de service, la maladie arrivait dans sa phase cruciale. Il était possible que ce ne soit plus qu'une question de semaines. Le timbre de la voix du malade était encore bon, mais il cherchait fréquemment ses mots.

— Tu es bien bon, mon Charles, de prendre le temps de venir me voir. Tu es si occupé…

Charles fit un signe de la main pour lui dire de ne pas s'en faire.

— Quand je viens ici, je me sens plus fort en partant. Vous me donnez de l'énergie. Et j'apprécie davantage ma bonne santé…

— Moi, tout mon corps est en bonne santé, c'est juste que mon organisme nourrit une tumeur en trop !

Charles lui serra le bras. Le frère Mark continua :

— Je n'ai jamais douté de ma vocation… J'ai eu de bien bonnes années à Saint-Raymond. Là j'ai connu des gens bien intéressants. Le Dr Marsan, Zotique, mademoiselle

Évangeline, Gauvreault, ton père Majella... Et beaucoup d'élèves, comme toi... De vous voir aujourd'hui réussir dans la vie, ça fait tellement de bien... Mais c'est en Afrique que j'ai su que j'avais fait le bon choix de vie... Ces gens-là sont tellement démunis... Là, on a vraiment l'impression d'aider... Ici, les gens ne manquent pas de grand-chose... Et ils ne sont pas toujours reconnaissants...

Un silence se fit. Puis il reprit :

— Je parlais de quoi, au juste ?

— De l'Afrique, comment c'était valorisant de travailler là-bas...

— Ah ! Oui... Plus tard, il y a ma mère qui est morte, la première année que j'étais au Cameroun... Ça m'a fait tellement de peine de ne pas l'avoir vue une dernière fois... Après, ça a été le tour de mon père... Et la communauté...

Un autre silence se fit.

— Qu'est-ce que je disais ?

— Vous parliez de vos parents...

— Ah ! Il y avait mes parents. Puis tous les amis que j'avais laissés à Saint-Raymond. Je m'ennuyais tellement. Mais j'ai fait tout ça pour le Bon Dieu... Oui, tout ça.

Le médecin entra pour un examen. Charles dut partir. En passant au poste de garde, il demanda à l'infirmière — qui le saluait toujours d'un grand sourire, le reconnaissant comme le seul visiteur du religieux — de bien vouloir l'aviser si la condition du malade devenait critique.

Chapitre 30

Dans l'avion qui le menait à Ottawa, Charles en profita pour sortir de sa serviette les quelques journaux dont il avait négligé la lecture. Il parcourut rapidement les manchettes. Il commença par la lecture des hebdomadaires couvrant la région de Saint-Raymond, le *Courrier de Portneuf* et *Le Nouveau Martinet*. Il vit qu'un comité pour la préservation du patrimoine venait d'être formé à Saint-Raymond et que des citoyens se liguaient pour préserver certains sites. Des pétitions circulaient pour que les autorités municipales locales et régionales s'occupent de revaloriser ce qui restait encore du Sète, où les gouvernements avaient investi plus de 60 millions de dollars pendant la guerre froide. Il était aussi question de protection des sites du barrage de La Lumière sur la rivière Mauvaise, des chutes de Bourg-Louis, de la Delaney et enfin, de la création d'un musée entourant les anciens fours à charbon de bois désaffectés qu'on pouvait encore voir au début du rang de la Chute-Panet. « Il est temps que les gens agissent » se dit Charles. « Si je peux trouver du temps dans les mois à venir, je vais rejoindre les rangs de ce mouvement. Il serait temps aussi qu'on souligne davantage le fait que Luc Plamondon est né à Saint-Raymond. On pourrait peut-être donner son nom à un centre culturel ? »

En ce 3 août 1999, la quatrième réunion de négociations débuta de bien mauvaise façon pour le groupe des Algoncris. Me Rampling avait donné la parole aux avocats gouvernementaux. D'entrée de jeu, ils affirmèrent être solidaires dans la décision de refus, tant de la thèse des droits ancestraux que de celle reliée à un prétendu titre d'occupation conféré par Des Groseilliers, ensuite reconnu par la Compagnie de la baie d'Hudson. C'était Me Huot, du gouvernement du Québec, qui semblait mener le jeu cette fois.

Me Huot apporta les précisions suivantes :

— De tout temps, les tribunaux ont admis la validité de la charte constitutive de la Compagnie de la baie d'Hudson. La plupart des titres actuels reconnus dans le nord de l'Ontario et dans le sud du Manitoba remontent à ce titre et passent par lui. En regard de la Convention de la Baie-James, la clause de renonciation aux droits ancestraux est claire et non équivoque. Que les Algoncris n'aient pas été consultés en 1975 est dû au fait que cette communauté, à l'époque, n'avait jamais fait de revendications en bonne et due forme. La chose aurait été difficile en raison de la situation complexe de son territoire, si je peux m'exprimer ainsi. On se souviendra qu'il est constitué d'une partie de celui des Cris et d'une partie de celui des Algonquins, et que seules ces deux nations mères avaient été consultées. Ce n'est pas parce que le territoire de Wisnac s'est développé par la suite, devenant en 1998 l'équivalent d'un territoire municipal, que les droits ancestraux ont pu être bonifiés. En regard de la prétendue lettre de Des Groseilliers accordant des droits aux gens de Wisnac, la preuve secondaire offerte était de peu de valeur.

Après quelques moments de suspension de l'audition, Me Rampling demanda à Charles s'il avait une réplique.

Sans montrer dans ses traits la moindre contrariété, l'avocat dit :

— Il est malheureux que mes collègues s'en tiennent à des principes de droit dépassés. Ils semblent oublier l'effet des récentes décisions de la Cour suprême du Canada, qui a modifié la donne au cours des dernières années. En premier lieu, les documents que nous avons déposés lors de la dernière séance de négociations constituent des commencements de preuve par écrit, et cela au point de vue des droits anglais, français, québécois et international. Je pense que les deux paliers de gouvernement font preuve de mauvaise foi en rejetant nos documents du revers de la main. Cela d'autant plus que la fameuse charte de la Compagnie de la baie d'Hudson, qui aurait prétendument constitué la base des titres fonciers d'une grande partie du Canada actuel, elle n'a jamais été signée par le roi Charles II ! À ce compte, il s'agirait donc d'un match nul. Pourquoi les tribunaux judiciaires, qui ont tenu compte d'un document non signé qui aurait conféré des droits à des sujets britanniques, refuseraient-ils de reconnaître le même procédé quand il s'agit de droits ancestraux ? Dix mauvais jugements non fondés ne sont pas plus solides en raison de leur nombre. Dans l'affaire *Sioui*, l'honorable juge Lamer reconnaissait, le 24 mai 1990, que la simple reproduction et non l'original d'un document signé par le général Murray, en 1763, était admissible en preuve à titre de traité. Il y est fait référence à une décision précédente rendue par le juge Dickson, selon laquelle les tribunaux doivent faire preuve de flexibilité lorsqu'il s'agit de déterminer la nature juridique d'un document qui consigne une transaction avec les Indiens et, en outre, de telles preuves doivent recevoir une interprétation large et libérale.

Charles fit une pause. Puis, il reprit, fixant les deux procureurs gouvernementaux :

— Si les deux gouvernements ne montrent aucune ouverture avant la fin du mois de novembre, voici quelle est notre intention. Dans un premier temps, nous nous proposons de suspendre toute négociation et d'entreprendre, avant le 31 décembre 2000, des procédures judiciaires devant la Cour supérieure du Québec afin de déclarer inconstitutionnelles les lois suivantes, la *Loi sur les Indiens*, la *Loi sur les Cris et les Naskapis*, la *Loi sur l'application de la Convention de la Baie-James*, en plus de demander l'annulation de la Convention de la Baie-James en regard des Algoncris. Dans un second temps, nous nous adresserons à la Commission sur les peuples autochtones des Nations Unies. Enfin, une campagne médiatique sera enclenchée pour démontrer les injustices commises dans cette affaire et l'application du « deux poids, deux mesures » envers les seuls Cris reconnus par la Convention de la Baie-James par rapport aux Algoncris.

Avant de clore la discussion, Me Oliwash, représentant des Cris, affirma que dans une telle hypothèse, soit l'émission de procédures, il allait devoir intervenir dans le débat, mais non avant.

Au moment où Me Huot quittait la salle, il adressa un sourire narquois à Charles :

— Me Fortier vous transmet ses salutations…

— Voulez-vous bien aussi lui transmettre les miennes. Mais, par la même occasion, parlez-lui donc de la « piste Vaudreuil » que nous gardons en réserve. Il ferait bien de rester en contact avec Ottawa parce qu'il va bientôt avoir besoin de leurs archives secrètes…

— Que voulez-vous dire par « archives secrètes » ?

— Après l'incendie du Parlement de Montréal, les fédéralistes ont toujours soutenu que les archives du Régime français avaient été complètement détruites, mais ce n'est pas vrai. Au niveau des titres fonciers, ils n'ont rendu public par la suite que ce qui faisait leur affaire. Ils ont conservé une partie des documents dans des archives qui n'ont jamais été rendues publiques. D'abord à Kingston, puis à Ottawa…

— Ce qui signifie ?

— Attention, donc, aux surprises dans les procédures à venir…

Me Huot et Me Hutchison semblèrent décontenancés. On les vit partir ensemble pour se consulter dans une pièce attenante.

Sur le point de le quitter, Armstrong dit à Charles :

— Vous ne semblez pas en bons termes avec le sous-ministre Fortier…

— En effet. Ça remonte à loin, tu sais… Mais je n'aime pas les gens négligents et incompétents et, à mon avis, c'est son cas !

— Vous y allez fort !

— Ça remonte à l'université. Puis, par la suite, nos chemins se sont rencontrés. Pour tout te dire, je lui avais prêté mes notes de cours et il n'était même pas capable de les recopier correctement. Il a réussi ses examens par miracle, après plusieurs échecs.

— Mais il y a des gens qui ont de la difficulté à apprendre…

— Ceux-là, je les respecte, mais pas ceux qui ne font pas d'efforts. Lui n'étudiait pas et séchait ses cours. Il se fiait sur son père, le juge. Quand il a commencé à pratiquer le droit, il a eu bien des difficultés. Puis, c'était un sans-cœur. Il a fait saisir les cadeaux d'un débiteur, le 24 décembre, sous l'arbre de Noël d'une famille pauvre du quartier Saint-Roch. L'affaire avait fait la manchette à l'époque. Finalement, sa pratique du droit n'a jamais bien marché. C'est son père qui lui a trouvé un poste au gouvernement...

— Mais il a pu s'améliorer...

— Je ne pense pas. Chaque fois que j'ai plaidé contre lui, j'ai réussi à le surprendre, et même à citer des causes qui lui étaient favorables. Il a souvent été rabroué par les juges. Il a gardé son emploi parce qu'il était appuyé par des politiciens du bon parti. Moi, même aujourd'hui, je ne l'engagerais pas comme stagiaire...

— Pourvu que cette inimitié ne nuise pas à notre affaire. Vous savez, c'est lui le patron de Me Huot...

— Je le sais. Mais ne t'en fais pas, je vais être aussi souple qu'il le faut pour régler ça à votre avantage.

— Je n'en doute pas, Charles, dit l'Amérindien, en lui serrant la main. Je sais que tu es diplomate et que tu vas tout faire pour nous arranger ça !

Charles avait eu envie de dire à Armstrong que Fortier était aussi un tricheur, mais il s'était abstenu. Il avait en tête ce dernier examen du Barreau, le plus important, celui qui donne accès à la profession d'avocat et permet de pratiquer le droit. Il avait bel et bien vu Fortier dans la salle des toilettes, pendant cette épreuve stratégique, consulter hypocritement son code civil.

Chapitre 31

Malgré toutes les activités qui bousculaient la retraite de Charles, il n'était pas question que soit reportée la fête prévue depuis l'hiver précédent. Il avait été décidé, de concert avec les jumeaux Gauvreault, Maggie et Stéphane, de souligner le 25e anniversaire de mariage de leurs parents. Il était impossible d'inviter les amis et collègues de travail d'Irène et ceux de son mari à leur condominium du Vieux-Port, trop exigu pour l'événement. La résidence de Charles, située sur un promontoire, près du fleuve Saint-Laurent, avait fait l'objet d'un choix unanime. La date retenue était le samedi 14 août 1999.

Au début, les enfants du couple voulaient leur réserver une surprise, comme c'est souvent la coutume pour de tels anniversaires. Mais comme leur père était susceptible de partir en voyage d'affaires à n'importe quel moment, malgré son âge respectable, ils décidèrent de les aviser de la tenue de la fête. Charles se montra d'accord, d'autant plus qu'il avait l'intention d'aider les jeunes dans leur organisation, en louant un chapiteau et en engageant un orchestre. Il leur dit :

— J'accepte de vous aider à la condition que vous respectiez mes idées. Car, de nos jours, il n'y a presque plus de réunions de famille. On ne se voit que lors des enterrements... Il n'y a presque plus de mariages... Aussi je voudrais, si vous n'y voyez pas d'objection, qu'on profite de l'occasion pour souligner aussi les anniversaires d'Anna et d'Isabelle. Ma tante aura 86 ans cette année et maman, 87.

— C'est plein de bon sens, répondit Stéphane. On pourra aussi demander à Conrad et Sophie de nous donner un coup de main.

— Stéphane et moi, on pourrait s'occuper du traiteur, ajouta Maggie.

— Ça ne vous coûtera pas trop cher, finalement. Je fournis le terrain, le chapiteau et l'orchestre. Mon bon ami Roland Martel a un bel ensemble qui se spécialise dans les pièces d'époque, genre Guy Lombardo... Vous vous occupez du reste, repas, invitations, etc. Vous comprendrez que je veux donner à ce party un air rétro, avec de la musique des années 1940 et 1950 et pas trop de *break dancing* et de *hip hop* !

Les jumeaux Gauvreault comprirent parfaitement le message de Charles. Après s'être assurés de l'accord et de la présence de leurs parents, ils se mirent à l'organisation de la fête avec Conrad et Sophie.

De son côté, Charles prit sur lui de convaincre Anna et Isabelle d'assister à la fête, elles qui ne prisaient guère les déplacements et les émotions fortes.

— Je ne suis même pas allée à ta réception de retraite au *Château Frontenac* et pis tu veux que j'aille fêter à Saint-Nicolas !

— Mais ne m'as-tu pas déjà dit que tu aimerais venir vivre à Saint-Nicolas ?

— Déménager pour de bon pis aller faire une sauterie, c'est pas pareil !

Conrad reçut des commentaires semblables de la part de sa mère. Mais plus tard, lors d'une visite d'Irène au Centre d'accueil, Charles s'était imposé :

— Ecoutez-moi bien, les p'tites vieilles ! Tout le monde au foyer dit que vous ne faites pas votre âge ! Que vous êtes pleines de vivacité. Que vous avez toute votre tête ! Que vous êtes des privilégiées, même ! Moi, j'vous dis que sortir, ça va vous faire juste du bien. Puis, à part ça, on va vous amener en limousine de Saint-Raymond à Saint-Nicolas, aller et retour ! Vous serez, pendant une petite heure, mieux que dans vos chaises carrées. Vous allez pouvoir admirer mon coucher de soleil. Tu te souviens, maman, la dernière fois que tu étais venue, c'était l'été des Indiens !

— Si je m'en souviens !

— Et puis, pourquoi pas sortir un peu ?

— Charles a raison, décréta Isabelle. On va aller voir du pays et prendre l'air du fleuve !

— « À cheval donné, on r'garde pas la bride », ajouta, pour clore la discussion, une Anna au sourire en coin.

Le somptueux domaine de Charles Roquemont était situé en retrait de la route nationale 132, immédiatement sur le haut de la falaise, d'où on avait une vue imprenable du fleuve, avec en arrière-plan le mont Bélair et les autres promontoires avoisinants des Laurentides, le mont Valcartier et les monts bleutés de la région de Portneuf. Plus à l'ouest, le fleuve s'élargit entre Neuville, Donnacona et Pointe-Platon, alors qu'il forme une équerre conduisant aux rapides Richelieu, seul endroit où il bifurque de manière appréciable entre Québec et Montréal. Du côté est, on voyait les ponts de Québec. Au-delà, on pouvait voir aussi loin que les montagnes du mont Sainte-Anne et deviner celles de Charlevoix.

La maison de Charles était formée de quelques bâtiments juxtaposés, dont les pignons de style ancien mais construits avec des matériaux modernes, cadraient bien avec ce décor pittoresque. À l'horizon, on voyait l'impressionnant tableau naturel formé par les eaux du fleuve, les prés de Cap-Rouge et de Saint-Augustin, les sommets laurentiens et un ciel sans nuage. Une rangée de peupliers cernait les talus gazonnés qui entouraient les bâtiments, le jardin, le verger et les autres arbres fruitiers. L'allée centrale, bordée de sapins bleus, donnait à l'ensemble une allure de domaine en retrait et bien protégé. Enfin, la clôture de cèdres, qui servait à la fois de décoration et de garde-fou, laissait voir, à travers ses perches, un vide d'une centaine de mètres. La falaise était si haute et si abrupte que Charles ne passait jamais son tracteur à gazon à l'extérieur de cette clôture.

Érigé en plein centre du terrain, entre la maison et le cap, un imposant chapiteau blanc, avec ses trois pignons surélevés surmontés de drapeaux, trônait fièrement, donnant aux lieux, avant même l'arrivée des invités, un air de fête et de grand jour.

C'est ainsi qu'en cette éblouissante et chaude journée du mois d'août 1999, de nombreuses personnes se rendaient à la résidence de Charles Roquemont. Étaient d'abord arrivés à pied les voisins, tous invités par Charles, à qui on ne connaissait aucun ennemi. Il y avait le vieil habitant et sa conjointe, qui avaient quelque 30 ans plus tôt vendu la parcelle du cap à Charles, alors jeune avocat. Puis, les autres voisins : un couple de Belges, un couple de

Portugais, un couple de professeurs à la retraite, un ami avocat et son épouse, un Mexicain et son amie québécoise, un médecin et sa conjointe, etc.

D'autres suivirent bientôt, au volant d'automobiles luxueuses : des amis de Louis Gauvreault — du domaine des affaires — et d'Irène Trépanier — des médecins et des administrateurs du domaine de la santé, pour la plupart. On vit se stationner dans le coin du verger les Cadillac, les Audi, les Mercedes, les Chrysler, et autres véhicules de luxe ; puis d'autres, plus ordinaires, formant une cohorte composite bien représentative des personnes présentes. Arriva enfin un vieil autobus orné de l'inscription « Autobus Linteau-St-Raymond », dans lequel prenaient place plus de 30 fermières, filles d'Isabelle et pensionnaires du Centre d'hébergement de Saint-Raymond.

Des chaises confortables avaient été placées à l'intérieur et à l'extérieur de la grande tente, dont les murs de toile amovibles étaient grands ouverts en raison de la chaleur. D'autres sièges aux bras accueillants conservaient leur place habituelle dans la spacieuse pergola en bois verni.

Tel que prévu, à 15 heures 30, la voiture transportant Irène Trépanier et Louis Gauvreault, se présenta au portail de la résidence. Au même moment, les musiciens, installés sur une estrade du côté ouest du chapiteau, se mirent à jouer la pièce anglaise bien connue *It's a long way to Tipperary*, enchantant les invités massés près du portique de la grande tente. Assis sur la banquette arrière de leur nouveau véhicule, une rutilante Tiffany de l'année, les jubilaires étaient souriants. Leur chauffeur, après avoir circulé sur le chemin de gravier, poursuivit solennellement son parcours sur la surface gazonnée du terrain — à très basse vitesse, pour faire durer le plaisir du moment, autant pour lui que pour les autres — avant de s'arrêter devant la porte principale du grand chapiteau. En livrée, casquette noire et gants blancs, le chauffeur descendit du véhicule et aida ses passagers à en faire autant. C'est sous les applaudissements que sortirent Irène et Louis, leurs visages illuminés.

Suivit de peu la Cadillac noire conduite par Conrad, dans laquelle se trouvaient Anna et Isabelle. Avec empressement, le chauffeur descendit leur ouvrir les portières et les aider à sortir, l'une après l'autre. Fière, Anna ne portait qu'une canne et refusait l'aide de ceux qui lui tendaient le bras.

Sophie s'occupa de faire asseoir, à l'extérieur du chapiteau, sur des fauteuils de velours, les quatre jubilaires. Sans qu'un mot ne soit prononcé, l'orchestre se mit à jouer *Gens du pays* de Gilles Vigneault, alors que les invités entonnèrent les paroles :

Gens du pays
C'est à votre tour
De vous laisser parler d'amour…
Gens du pays, c'est à votre tour
De vous laisser parler d'amour…

Alors on vit s'avancer Maggie et Stéphane, qui remirent une immense couronne de roses blanches à Irène et à Louis, aux yeux gonflés par l'émotion.

Puis ce fut au tour d'Isabelle. L'orchestre joua cette fois *Une rose pour Isabelle* de Roger Whitaker :

Une rose rose rose
Pour Isabelle
Une rose rose rose
Pour Isabelle
Dans le jardin
De nos amours…

Quant Sophie lui apporta sa douzaine de roses « roses », la jubilaire craqua et sanglota sans retenue.

Vint le tour d'Anna, qui sursauta quand les musiciens entreprirent avec énergie un arrangement spécial de l'orchestre sous forme de *medley* pour les anniversaires. Mondor prit le micro et entraîna les invités, entonnant de sa voix encore forte :

Joyeux anniversaire
Nos vœux les plus sincères…

Et ensuite, dans le même souffle :

Bon anniversaire
Nos vœux les plus sincères
Que ces quelques fleurs
Vous apportent le bonheur
Que l'année entière
Vous soit douce et légère
Et que l'an fini
Nous soyons tous réunis
Bon anniversaire
Nos vœux les plus sincères…

Margo, avec son petit ventre de femme enceinte, accompagnée de Kevin, remit à sa grand-mère une douzaine de roses rouges.

— J'pensais jamais me rendre à cet âge-là ! dit tout simplement Anna, son mouchoir à la main.

Charles s'approcha pour l'embrasser ; elle le retint longuement dans ses bras, lui glissant des mots de reconnaissance à l'oreille.

Toute la foule les applaudit de nouveau. Au micro, Maggie annonça le déroulement de la fête : il y aurait le cocktail sur le terrain, ensuite le repas à 18 heures, entrecoupé de petits discours, puis musique et danse sur la piste aménagée sous le chapiteau.

Depuis la construction de sa maison, Charles n'avait jamais donné de réception si somptueuse. C'était avec fierté qu'il avait permis que cette fête se passe sur son terrain qu'il entretenait avec soin. Il se souvenait encore de son père, malade, qui était venu avec lui visiter l'endroit, en plein champ, alors qu'il hésitait encore à l'acquérir. Majel, s'était assis au bord de la falaise. Balayant du regard le paysage d'est en l'ouest, et examinant l'ensemble des lieux, il lui avait fortement conseillé de l'acheter :

— T'as une vue sur tout le comté de Portneuf ! Et regarde-moi ce coucher de soleil ! Quand je serai guéri, je viendrai te construire un beau mur en pierre, sur toute la longueur du cap !

Mais Majel était mort avant d'avoir pu réaliser sa promesse. « Qu'il serait fier, aujourd'hui, de voir presque toute la famille et nos amis ainsi réunis ! » pensa Charles.

Il avait cependant une petite émotion qui le tenaillait. Quand il recevait des invités chez lui, dans les premiers temps, après la construction, il se sentait toujours anxieux, craignant que tout ne soit pas assez parfait, assez ci, assez ça... Ce soir, ce n'était pas le cas. Depuis, il avait appris à recevoir. Si les gens n'étaient pas satisfaits, ils n'avaient qu'à aller ailleurs. Ce qui le rendait fébrile en ce jour était le fait que Johanne Tremblay, son ex-épouse, demeurée amie avec sa mère et sa tante Isabelle, avait reçu un carton d'invitation de leurs parts, et était chaudement accueillie par les convives. Que diraient les parents, les amis ? Allaient-ils s'imaginer qu'ils reprenaient la vie de couple ? Allaient-ils tirer des conclusions indues sur sa vie privée ? Charles n'avait voulu contrarier ni sa mère, ni sa tante. Même Luce, qui était restée une grande amie de Johanne, avait insisté pour qu'elle soit présente parce qu'elle connaissait intimement les quatre jubilaires. Par un heureux concours de circonstances, l'événement tombait pile au même moment qu'un engagement de Fabiola en Europe. Dès qu'il avait été question de cette fête, elle avait décliné, en raison d'un congrès sur la fiscalité à Franckfort. Charles ne s'en plaignait pas : ce n'était pas une corvée pour lui, bien au contraire, que de faire le tour du propriétaire avec son ex-épouse…

Clément avait annoncé son absence ; il était retenu à Vancouver, dans le cadre d'une formation académique. En plus de la sœur d'Anna, Thérèse Robitaille, il y avait des parents éloignés d'Isabelle. Parmi les collègues de travail d'Irène, on remarquait le Dr Donovan, un bel homme dans la cinquantaine, spécialiste à Boston, qui était venu seul. Depuis le début du cocktail, il ne manquait aucune occasion de s'adresser à Irène. Il y avait aussi Me Lebrun qui accompagnait Luce.

Dès que les coupes furent servies, les invités se dispersèrent sur le terrain, par petits groupes, se promenant du jardin au verger, de l'allée de peupliers aux arbres fruitiers, ou longeant la clôture pour admirer la vue du fleuve. Ceux qui ne pouvaient pas marcher de longues distances, comme Anna, Isabelle et plusieurs personnes du même âge, dont Louis, se rendirent dans la pergola où la vue était la plus belle et les fauteuils, confortables. Les plus jeunes s'aventurèrent même à descendre au bord du fleuve par un sentier qui longeait la falaise.

Plusieurs parlaient d'affaires, d'autres de médecine. Certains en profitèrent pour se conter fleurette à l'écart. Quant à Charles, il accueillit Johanne avec une chaleureuse accolade et, ayant à s'occuper de certains invités de Louis, pria Luce de lui faire visiter le domaine.

Un peu plus tard, il fut hélé par sa tante Thérèse qui désirait lui parler depuis son arrivée :

— Bonjour, ma tante, dit Charles en l'embrassant sur la joue.

— Bonjour, mon neveu préféré... C'est toujours aussi accueillant chez toi ! C'est une bonne idée d'avoir pensé à souligner aussi les anniversaires d'Anna et d'Isabelle.

Comme il savait de quoi elle voulait lui parler, il l'invita à l'écart près du cabanon du jardin. Il l'interrogea :

— L'affaire de papiers trouvés dans la remise, c'est arrangé ?

— Il n'y a plus de problème !

— Avez-vous suivi les conseils de Me Slagenger ?

— Tout à fait !

— Qu'est-ce qu'il vous a suggéré de faire ?

— Il m'a expliqué ce que les comptables, les ingénieurs, les courtiers et les autres professionnels font quand ils possèdent des papiers compromettants qu'ils ne veulent pas voir déposer devant une cour de justice...

— Ah... Que font-ils ?

— Il m'a dit qu'ils laissent les documents se détruire eux-mêmes...

— Vous, qu'avez-vous fait ?

— J'les ai mis dans une boîte en carton, au sous-sol de ma maison, le lendemain de ma visite chez l'avocat, avec l'intention d'appeler la police plus tard... Mais imagine-toi donc que, dans les jours suivants, j'ai subi un dégât d'eau par une fenêtre du sous-sol. Tu sais, le jeune homme qui fait mon gazon, eh bien, il a arrosé mes fleurs près du soupirail. Ça ne servait à rien d'appeler la police, les documents étaient devenus illisibles. Je les ai donc mis au feu...

La tante Thérèse termina sa phrase par un clin d'œil et tourna les talons pour rejoindre sa sœur Anna. Charles ne put qu'émettre un soupir de soulagement. Hochant la tête pour lui-même, souriant, il trouva que « matante Thérèse » avait assimilé bien vite les exemples fournis par son collègue.

Isabelle, littéralement tombée en amour avec la Tiffany des Gauvreault, demanda à Louis la permission de la conduire. Il savait pertinemment qu'elle conduisait des véhicules depuis toujours et en possédait encore un. Les caméras des invités crépitèrent quand Isabelle prit le volant de l'automobile de rêve et entreprit de circuler à basse vitesse sur le rustique chemin de gravier qui encerclait la résidence principale. On la perdit de vue quand elle passa derrière les bâtiments adjacents et les cabanons de jardin. Elle apparut ensuite à travers les pommiers, les pruniers et autres arbres décoratifs constitués de cormiers et de genévriers, pour s'arrêter un instant près de l'immense potager. Elle traversa le terrain d'est en ouest, en passant sur la pelouse. Revenue devant la maison, Isabelle sortit du véhicule, l'air joyeux, en faisant une révérence, comme si elle était Cendrillon descendant de sa citrouille enchantée. Elle demanda au photographe officiel de la journée qu'il l'immortalise alors que Charles faisait semblant de lui ouvrir la portière.

Puis Charles, regardant l'heure, décida de faire une dernière tournée des invités s'assurant que chacun appréciait la journée. Il n'avait pas encore trouvé l'occasion d'échanger quelques mots avec Johanne. Conrad lui avait néanmoins appris qu'elle serait assise à côté de lui à la table d'honneur, lors du souper. À ce moment-là, Charles cessa de s'en faire ; était-il si grave, au fond, que des gens croient qu'il ait repris la vie commune avec Johanne ? Marchant vers la pergola, il vit Irène en conversation avec le Dr Donovan, sous les pommiers.

Il restait une quinzaine de minutes avant le signal du repas. Charles rejoignit Anna qui, de toute évidence avait retrouvé une nouvelle énergie. Elle s'était mise en tête de conduire elle aussi la Tiffany. Il y avait plusieurs années qu'elle n'avait plus de véhicule et ne possédait pas de permis de conduire.

— Personne ne me demande de permis quand j'fais marcher ma vieille machine à coudre Singer à pédales ! Avec cet exercice-là, moi je n'ai pas besoin de bicyclette stationnaire !

Charles sentit un certain malaise s'emparer des témoins de la scène. Mais, à la grande surprise de tous, Louis remit les clés à Anna en disant :

— Moi, j'ai pleinement confiance en Anna. Je vais vous dire pourquoi : c'est moi qui lui ai montré à conduire !

Ce caprice de sa mère rendit Charles inquiet. Il dit à Louis :

— Tu devrais monter avec Anna, ça va te rappeler des souvenirs !

Avant de s'exécuter, Louis exigea qu'on prenne une photo d'eux. Anna, nonchalamment assise sur le siège avant, tenait le volant et montrait ses longues cuisses à la manière d'une pin-up, scène que tous trouvèrent bien drôle. Anna donna légèrement du gaz et entreprit le parcours qu'avait emprunté Isabelle. Lorsqu'ils eurent débouché sur l'espace gazonné, Louis demanda à Anna de stopper le véhicule. Ils jouissaient là d'une vue superbe vers l'ouest, de la baie de Sainte-Croix, alors que le soleil commençait à faire un pont d'or sur le fleuve.

— Quel endroit magnifique ! dit Louis.

— Oui, Charles est un homme chanceux de posséder une si belle propriété.

Anna reprit ensuite sa tournée, longeant la clôture de perches. Dépourvue de verres fumés, éblouie par le soleil, elle perdit momentanément la maîtrise de la Tiffany. Elle donna un coup de volant vers la droite, approchant ainsi le véhicule du cap. Surpris, Louis lui cria de tourner à gauche, ce qu'elle fit immédiatement. Mais en voulant mettre le pied sur le frein, son soulier accrocha la pédale du gaz, de telle sorte que le véhicule se mit à zigzaguer. Les témoins de la scène se figèrent, le souffle coupé, alors que la Tiffany se dirigeait directement vers le fleuve. Vivement, Louis intervint en se penchant vers le frein à pied, le pressant désespérément de la main gauche, pendant que, de sa main droite, il fermait le contact. La Tiffany emboutit les perches de cèdres dans un fracas de bois éclaté avant de s'immobiliser enfin, les roues avant dans le vide, sur le haut de la falaise.

Plusieurs invités accoururent pour leur porter secours. Heureusement, les passagers étaient saufs, quoique Louis, en heurtant le tableau de bord, avait hérité d'une coupure au front. On les aida à descendre du véhicule, l'un aussi blême que l'autre. Accourus à leur tour, Irène et Charles étaient dans tous leurs états.

Conrad, désireux de garder à la fête son erre d'aller, demanda à l'orchestre de jouer. Martel pensa vite et, quelques instants plus tard, ses musiciens entamaient l'air entraînant de Gilles Vigneault:

Les pieds dans l'eau du Saint-Laurent
Le cul assis sur l'cap Diamant...

Un voisin utilisa son tracteur pour sortir le véhicule de sa fâcheuse position, ce qui retarda le repas de quelques minutes. Par égard pour Louis et Anna, heureux de la tournure des événements, personne ne se permit de commentaire…

Conformément aux souhaits des jubilaires, les présentations furent courtes et les occasions de se réjouir fréquentes. Charles se contenta de souhaiter la bienvenue à tous et de faire une allusion au fameux discours de noces, dont l'origine remontait à son grand-père Wilbrod. La tradition s'était ensuite transmise par son père Majel, lors de son mariage et de celui de son frère Paul.

— Dans la famille, la tradition du discours de noces s'arrête au premier mariage, alors que mon père parlait de «voyage sur la mer, de tempête, etc.» Rien n'a été prévu pour la suite. Je n'aurai donc pas de conseil à donner à Irène et à Louis, qui possèdent dans le domaine du mariage bien plus d'expérience que moi. S'ils fêtent aujourd'hui leur 25e anniversaire de mariage, Johanne et moi pourrions tout aussi bien souligner notre 25e anniversaire de divorce…

À ces mots, Johanne devint écarlate. Mais tous ceux qui la connaissaient savaient qu'elle pouvait en prendre. La plupart des convives se mirent à frapper sur leurs verres avec des ustensiles, pour leur demander, selon la coutume, de s'embrasser. Charles pensa en lui-même que même si la chose était susceptible d'embarrasser Johanne, elle n'en avait pas moins accepté l'invitation à la fête. Charles se pencha alors vers sa mère et lui demanda une rose rouge, qu'il glissa dans le corsage de sa compagne. De bonne grâce, Johanne se leva et le couple échangea un long baiser. Devant ce spectacle, Anna versa quelques larmes et eut peine à croire que ces deux-là étaient séparés depuis 25 ans, et qu'aucun enfant n'était né de cette union. Isabelle, tout aussi émue qu'elle, ne put s'empêcher de serrer le bras de Luce assise à son côté.

Ne voulant pas porter ombrage aux jubilaires, Charles passa aux cérémonies d'usage. Il invita Margo à venir lire une présentation en l'honneur d'Anna. Elle fut applaudie. On remit un cadeau à la jubilaire, qui fut invitée à s'adresser aux invités. Fièrement, sans papier, elle se leva et prit le micro :

— Jamais, du temps de ma jeunesse, je n'avais pensé vivre si longtemps. Quand j'étais fatiguée, je me demandais comment mon cœur de petite fille pourrait battre jusqu'à 50 ans… Mais, comme vous voyez, j'ai été une femme choyée par la vie. D'abord par mes parents, ensuite par ma nouvelle famille. Je salue ici bien bas ma sœur Thérèse, qui vit encore à Saint-Augustin sur le bien familial. Je remercie le Bon Dieu de m'avoir donné un bon mari et trois beaux enfants, Charles, Véronique et Paul. Je remercie ma bru, Luce, pour sa présence dans ma vie, avec mes petits-enfants Margo et Clément. Aussi le fiancé de Margo, Kevin. Comme vous voyez, je serai bientôt arrière-grand-mère ! Félicitations aussi aux Gauvreault pour leur anniversaire, ainsi qu'à Isabelle, qui est ma belle-sœur et ma plus grande amie….

Pour ménager une pause avant la seconde présentation, Charles fit signe à l'orchestre de jouer quelques airs. L'assemblée eut droit à *La chanson de Lara*, *Bozo* de Félix Leclerc et *Le Beau Danube bleu*.

Puis Charles demanda à Sophie de venir lire une adresse à sa mère. La présentation, brève et touchante, fut applaudie. On remit également un cadeau à Isabelle, avant qu'elle ne prenne la parole :

— C'est un texte que j'ai composé… Il n'est pas long, ce n'est pas parce que j'ai manqué de temps, mais de talent…

L'assistance rit de bon cœur. Elle continua :

— La vie a été difficile pour mon mari, pour mes enfants et pour moi… Pour ceux qui l'ignorent, Joseph Bergeron, mon mari, un blessé de guerre, est actuellement impotent et hospitalisé, et Dieu seul sait combien de temps il lui reste à vivre. Cependant, chaque matin, quand je me lève, je remercie le Seigneur d'être en vie. Je le remercie de permettre que mes membres sentent la chaleur et le froid, tandis que d'autres n'ont plus de membres ou bien ne sentent rien. Je remercie le Seigneur d'avoir mis tant d'amour sur mon chemin, à commencer par mes parents Wilbrod et Victoria, et mes frères Victor et Majel. Je le remercie de m'avoir fait vivre sur une terre pentue, pleine de roches, mais où les paysages sont merveilleux et m'ont fait rêver tous les jours. Je remercie le Seigneur de m'avoir donné deux bons enfants, Conrad et Sophie. Je les remercie pour l'amour qu'ils me portent, chacun à sa manière. Je remercie leurs amis ici présents, que j'apprécie beaucoup. Je remercie Anna pour son amitié, et pour leur support, mon neveu Charles et ma nièce par alliance, Luce, et ses enfants, Margo et Clément. Je remercie Dieu de m'avoir donné la vie que j'apprécie davantage de jour en jour. Vous ne savez pas à quel point me touche votre présence ici aujourd'hui et… »

À ce stade de sa lecture, elle se mit à pleurer. Charles la raccompagna à sa place, pendant que Conrad et Sophie ravalaient leurs propres larmes.

Pour détendre l'atmosphère, Charles fit signe au chef d'orchestre, qui dirigea d'excellentes reprises de *La Paloma*, du *Lac de Come* et de *Mexico*.

Puis ce fut au tour de Maggie et de Stéphane de prendre le micro. À tour de rôle, ils firent l'éloge de leurs parents, Maggie se chargeant de son père et Stéphane de sa mère. Un cadeau fut remis à chacun. Puis les jubilaires furent invités à prendre la parole.

En homme habitué à parler devant des auditoires de gens d'affaires, Louis Gauvreault livra un superbe discours. Il s'en tint à des propos relativement intimes, remerciant son épouse Irène pour son dévouement au cours des ans et les deux beaux enfants qu'elle lui avait donnés. L'émotion l'avait gagné quand il mit fin à son discours. À bientôt 80 ans, il était sur son déclin et savait trop bien que le meilleur de sa vie était derrière lui. Il n'en concevait aucune amertume, remerciant Dieu, la vie, ses enfants, ses parents et ses amis.

Chacun comprit l'émotion de l'homme vieillissant qui se trouvait au micro, et lui témoigna des applaudissements nourris.

À 51 ans, Irène avait l'air d'une jouvencelle à côté de son mari, d'autant plus qu'un bon régime de vie lui donnait l'allure d'une femme dans la quarantaine. C'est avec classe qu'elle remercia son mari, tout à la fois pour elle, un protecteur, un ami et un amant.

— Jamais je n'échangerais ces années de bonheur ! Nos enfants Maggie et Stéphane sont les plus beaux cadeaux que la vie nous ait faits. Leur présence est appréciée, et Louis et moi sommes fiers d'eux. En mon nom et au nom de Louis, je veux remercier, en terminant, tous nos parents et amis qui ont pris la peine de se déplacer. Nos meilleurs vœux aussi aux autres jubilaires, Anna et Isabelle, qui représentent beaucoup pour nous. Nos remerciements à Charles qui nous a accueillis dans son superbe domaine…

L'assistance applaudit longuement Irène. Les gens se levèrent. Elle fit la bise à Louis pendant que les invités frappaient leurs verres.

Puis Charles fit signe au chef d'orchestre, qui dirigea *Good Night, Irene, Good Night*, une pièce chargée de souvenirs pour le couple... Louis prit sa jeune femme par la taille et esquissa avec elle quelques pas de danse, avant d'être relayé par Me Lebrun, bien au fait que cet exercice ne convenait pas au jubilaire, que ses genoux faisaient affreusement souffrir.

Puis, pour Louis, l'orchestre se mit à jouer la mélodie de Luc Plamondon, *Le Blues du businessman*. Les invités envahirent alors la piste de danse et, pendant que Me Lebrun rejoignait Luce, le Dr Donovan en fit autant avec Irène. Charles invita aussi Anna pour quelques pas, puis Isabelle. Enfin, quand Johanne eut droit à son tour, la musique était terminée.

Chapitre 32

Il était maintenant 2 heures du matin. La fête était terminée depuis un moment. Le chapiteau était désert, l'orchestre parti. Les derniers invités venaient de quitter la maison. Charles, fatigué, était enchanté que Johanne ait accepté de passer la nuit avec lui. En fait, ils n'avaient pratiquement eu aucun moment d'intimité entre son arrivée et le départ des convives.

Elle prit un long bain mousseux préparé par Charles. Puis ils sirotèrent une eau minérale dans le lit qui, pour la circonstance, aurait pu être qualifié de conjugal.

— Mon cher ami, dit Johanne, je ne veux pas te donner de conseil, mais je peux te faire profiter de mon expérience.

— Je veux bien. On n'est jamais assez savant…

— Tu m'as dit que tu sortais de temps à autre avec une amie… Une amie au nom italien, selon Luce…

— Fabiola, dit Charles. Nous avons une entente. Tant que nous ne faisons pas vie commune, nous pouvons faire, chacun de notre côté, ce que bon nous semble…

— Comme ce soir, par exemple…

— C'est ça, comme ce soir… Mais, toi, ce n'est pas pareil…

— Comment ça, pas pareil ?

— Bien… Tu as déjà été ma femme !

— Oui, mais je ne le suis plus. Tu n'as plus aucun droit sur moi, tu sais, dit-elle en s'approchant de lui.

Elle posait volontairement des gestes contradictoires à son propos, embrassant Charles sur le front, le caressant sur les épaules, le bécotant sur la poitrine...

— Où veux-tu en venir, Johanne?

— Bien, je veux te dire que si quelqu'un veut connaître la vérité chez un mâle, qui, comme toi, prétend être un homme libre, tu dois faire ce que j'ai fait ce soir.

— Tu veux dire coucher dans son lit?

— Non, non... Euh... Je veux dire, visiter sa chambre à coucher et vérifier sa garde-robe...

— Elle est bonne, celle-là! Et qu'as-tu trouvé?

— J'ai trouvé tout le kit de ta Sophia...

— Fabiola...

— C'est ça... J'ai trouvé dans ta garde-robe un soutien-gorge de marque Déclic de U.S Liberty, un gilet gris, une robe rouge décolletée portant la griffe Pouvoirs illimités de Los Angeles Female Clothes, et un rouge à lèvre de marque TNT-3000!

— Et puis, qu'est-ce que ça prouve?

— Ça prouve, mon ami, que cette femme, cette petite amie, malgré votre entente, est en train de marquer son territoire... Comme un animal le fait....

— Ah! C'est amusant... Excellente observation... Je n'avais pas pensé à ça...

— Imagine un instant que je ne sois pas ton ex-épouse, mais une nouvelle flamme...

— Oui, c'est facile à imaginer...

— Eh bien, ta Lucia...

— Fabiola...

— Ta Fabiola viendrait d'éteindre net cette flamme! Je peux te faire une liste, si tu veux... Quand on trouve des souliers, des robes de chambre, du parfum, des soutiens-gorges, des petites culottes, c'est qu'une femme veut laisser des traces visibles... Tu devrais donc te méfier....

— Comment te remercier pour ce « transfert d'expertise », ma chère ?

Johanne lui mit la main sur la bouche et, prenant la main de Charles, la posa doucement sur ses seins avides de caresses.

Chapitre 33

Au lendemain de la fête, Johanne quitta Charles après lui avoir servi au lit un copieux déjeuner. Pendant qu'il saluait son ex-femme de la main, l'Audi grise laissa un léger nuage de poussière sur le gravier du chemin.

Le même jour, avant de se mettre au lit, Charles remarqua, dans la garde-robe, à côté des pièces de linge et des accessoires appartenant à Fabiola, une petite culotte rouge griffée Plaisir de Lady Comfort, un tailleur bleu sur lequel était inscrit le sigle Intouchable de Femme rebelle, et une bouteille de parfum Sentez diffusant dans la pièce ses effluves aphrodisiaques, du fait d'un bouchon subtilement dévissé…

Au début de septembre, Charles prit connaissance d'une lettre du syndic de la Chambre des notaires qui lui demandait d'accélérer le processus de l'étude des dossiers provenant de la succession du Dr Marsan. Il téléphona sur-le-champ au syndic :

— Écoutez, je suis bénévole dans cette affaire-là et j'ai un mandat important qui prend tout mon temps. Je vous promets de m'y consacrer avant janvier prochain.

— C'est que des droits peuvent se perdre…

— Il y a plus de 30 ans que le Dr Marsan est mort et sa succession n'a reçu aucune poursuite; pas plus que le notaire Châteauvert, père... Ce n'est pas deux mois de plus ou de moins qui vont faire la différence... Sinon, vous consulterez quelqu'un d'autre.

— Bien. Euh... C'est bon, j'attendrai donc votre opinion d'ici la fin de janvier... Au plus tard...

Fidèle à sa parole, Johanne fit parvenir à Charles un carton d'invitation à un colloque conjoint préparé par différentes facultés de l'Université Laval. À la mi-septembre, Charles se réserva une journée de relâche pour assister à deux causeries. La première était un résumé des faits politiques ayant marqué le Québec depuis les 30 dernières années, donnée par le professeur Ledage. La seconde, donnée par le professeur Charrois s'intitulait: «L'identité amérindienne: une question de gênes ou de culture?»

Comme Johanne était parmi les organisatrices du colloque, Charles eut droit à un siège réservé, et à sa compagnie, pendant les deux conférences.

— Bienvenue au colloque, dit-elle en s'approchant de lui.

— Merci de l'invitation, répondit Charles en lui faisant une prude bise sur les deux joues.

— C'était plus chaleureux l'autre soir, après la fête, lui glissa-t-elle tout bas à l'oreille.

— Tu n'aimerais sans doute pas que j'aie l'air d'un chaud lapin devant tes confrères de travail, lui répondit-il sur le même ton, tout sourire.

Ledage était un excellent vulgarisateur qui tint son auditoire en haleine du début à la fin de son exposé.

Quant au professeur Charrois, son sujet était plus aride pour les non initiés. Charles en retint que l'identité amérindienne se définissait davantage par une question de culture et de tradition que par une simple acception de gênes démontrant une même lignée biologique... Quoique fort intéressant, le sujet théorique abordé ne pouvait pas lui être de quelque utilité dans l'affaire des Algoncris, bien qu'il puisse s'avérer précieux dans l'élaboration des futurs concepts devant être retenus par les tribunaux concernant les droits individuels et collectifs des aborigènes.

À l'heure du lunch, il put discuter à son aise avec Johanne. Cette fois-ci, elle ne lui parla pas de leur vie antérieure, ni de leur séjour historique au lac Jolicœur, ni de leur rencontre fortuite dans un congrès de professeurs à Montréal en 1989, mais bien de « sa nuit à la maison de Saint-Nicolas », lors de la fameuse fête sous le chapiteau, le mois précédent...

— Quelle belle nuit, mon cher Charles ! lui dit-elle avec chaleur.

— Puis-je te dire que moi aussi j'en garde un souvenir impérissable...

— Assez pour qu'on renouvelle ?

— C'est possible... Mais...

— Mais ?...

— Un bon forgeron garde toujours plusieurs fers au feu en même temps... dit-il d'un ton doucereux. Je ne suis qu'un apprenti... Je dois apprendre encore un peu...

— Mon ami, j'espère que tu ne me compares pas à un simple morceau de métal, quand même !

— Bien sûr que non, Johanne... Mais toute comparaison est boiteuse quand il s'agit de personnes et de choses...

Je veux dire que je n'ai jamais vraiment fréquenté assidûment des femmes. J'ai négligé longtemps mon jardin, les fleurs autour de moi...

— Essaies-tu de me dire que tu as plusieurs femmes dans ta vie ?

— J'ai de bonnes amies... Je t'ai déjà parlé de Mylène... De Fabiola...

— Oui, tu as des choix à faire...

— À vrai dire, pour le moment je n'y pense même pas ; tout mon temps va au mandat des Algoncris... Mais dès qu'il sera terminé, je vais être plus sérieux...

— Je comprends que ma « candidature » n'est pas rejetée ?

— Bien non, ma chère Johanne, non... Sauf qu'il me faut un peu de temps... J'apprends encore...

— Qu'est-ce que tu apprends ? Et de qui ?

— Mais de toi, ma chère... Euh... Puis-je te dire que j'ai apprécié au plus haut point que tu marques aussi ton territoire à la suite de notre dernière nuit...

— Que veux-tu dire ?

— Bien, tu as « oublié » une petite culotte rouge, une veste bleue et ton parfum...

— Ah ! Ça par exemple... Tout ça est chez toi ! fit-elle, feignant la surprise la plus totale.

— Hum ! « Tout ça » aurait-il pu être ailleurs ?

— Bien... Euh... Moi aussi, je dois te dire que j'ai plusieurs « fers au feu »...

— Ah... C'est bon à savoir... Un professeur d'université, peut-être ?

— Excellente déduction, mon cher forgeron... Tu brûles...

Avant de se quitter, ils parlèrent aussi du temps des Fêtes qui approchait, de l'accouchement prochain de

Margo et de son mariage avec Kevin en décembre. Puis ils se firent une double bise respectueuse, en promettant de se rappeler.

De retour à la maison, Charles reçut un appel de tante Isabelle. Elle le remerciait encore une fois de l'avoir conduite à Montréal rencontrer Victor avant sa mort, pour le pardon écrit de Majel et celui verbal de la famille, et aussi de l'avoir amenée au service funèbre la semaine suivante. L'émotion était perceptible dans sa voix tremblante. Charles sentit qu'elle avait encore autre chose à dire. Il poursuivit:

— Et mon oncle Alfred, comment va-t-il?

— Grâce à sa médication, ses humeurs se sont stabilisées... Les docteurs disent qu'y peut filer comme ça encore un bon bout de temps...

— C'est toujours ça... S'ils lui font prendre ses médicaments... Faut être courageuse. Je vais continuer à le visiter. De votre côté, comme il n'est pas en mesure d'apprécier votre présence, ne vous sentez pas le besoin d'y aller aussi souvent...

— C'est facile à dire... J'me sens coupable quand j'manque une visite, dit-elle avec, cette fois, des sanglots dans la voix...

Charles, ne sachant plus que dire pour la consoler, la laissa pleurer un moment.

— Excuse-moi, Charles, reprit-elle bientôt, avec un ton plus posé. Dans un autre ordre d'idée, je voulais te dire que des gens sont venus visiter la maison. Des gens de la ville. Ils la voulaient pour une bouchée de pain... Je vais attendre un meilleur prix.

— C'est ça, ma tante. Vous n'êtes pas pressée, attendez votre prix… Quand vous aurez une offre sérieuse, ne vous gênez pas pour m'appeler, je connais les valeurs comparables obtenues dans le rang…

Chapitre 34

À la fin de septembre, pour une raison que Charles ne pouvait pas deviner — mais qui pouvait bien être reliée aux dernières demandes des Hurons —, les médias écrits foisonnaient de lettres dénonçant les revendications territoriales des Indiens. Depuis la crise d'Oka, en 1990, alors que les Mohawks de Kanesatake avaient érigé des barricades et tué un policier blanc, la cote des Amérindiens était à son plus bas. L'année précédente, des Micmacs du Nouveau-Brunswick avaient aussi obstrué des routes touristiques. Là encore, la méthode employée par les manifestants, qui avait forcé les automobilistes à un détour de 150 kilomètres, n'avait rallié personne à leur cause.

Comme pour en rajouter, voilà que deux quotidiens de Québec affirmaient que les Hurons de l'Ancienne-Lorette demandaient ni plus ni moins que le gouvernement du Québec leur cède l'intégralité du Parc des Laurentides, soit tout le territoire situé entre Québec et le lac Saint-Jean. Il en était de même à la radio, dans les lignes ouvertes. Il était fréquent d'entendre des affirmations lourdes de préjugés et d'idées reçues :

« Les Indiens ne payent pas de taxes ! Ils sont subventionnés ! Ils vivent sur le bien-être social ! La plupart sont des ivrognes ! Ils n'étudient pas et ne veulent pas travailler ! Ils vivent aux crochets de la société ! Ils veulent des droits de coupe de bois alors qu'ils ne vivaient même pas de la forêt avant le contact avec les Blancs et ne l'ont jamais véritablement exploitée ! Ils n'ont jamais fait le commerce du bois, ça ne fait pas partie de leurs droits ancestraux ! Ils ne savaient même pas que les mines et le pétrole existaient, puis ils disent que ça fait partie des droits aborigènes ! Voyons donc, ils n'avaient même pas de hache en fer, puis rien pour faire bouillir l'eau, puis ils disent que c'est eux autres qui ont inventé le sirop d'érable ! »

Un animateur de radio bien connu de la Vieille Capitale s'était même emporté :

« Heille ! Ils veulent le Parc des Laurentides au grand complet ! Pourquoi pas tout l'estuaire du Saint-Laurent et les Grands Lacs, tant qu'à y être ? On n'est pas des valises pour se faire emplir comme ça ! »

Charles pensa que sa prise de position en faveur des autochtones n'était guère au goût du jour. « Mais il faut ce qu'il faut ! songea-t-il. Si les vrais faits étaient connus, c'est-à-dire que les Indiens vivent dans leur réserve comme dans des ghettos, et qu'ils ne peuvent même pas emprunter à la banque justement parce qu'ils ne peuvent pas donner leurs immeubles en garantie, les idées pourraient changer. Bientôt, ils vont posséder leur territoire en quasi propriétaires et, avec leur autonomie gouvernementale relative, leurs conditions de vie vont s'améliorer. Même les politiciens de bonne foi ne semblent pas comprendre la culture autochtone, basée sur une tradition orale et des règles de droit différentes au niveau de la propriété : soit la possession collective et précaire plutôt que la propriété privée de type capitaliste. Aussi la différence entre les clans et les nations... C'est aux tribunaux de trancher... Et ils doivent tenir compte des chartes qui réfèrent surtout à des droits individuels... »

Cependant, dc telles allégations dans les médias n'aidaient en rien la poignée de politiciens sincères qui désiraient régler la question autochtone dans le respect des véritables droits ancestraux et en concordance avec les recommandations du *Rapport Dussault-Erasmus*.

Charles se dit: « Finalement, je me demande si j'ai bien fait de suivre mon cœur en acceptant ce mandat?... Je crois que je vais relire *Le chemin le moins fréquenté* pour me ressourcer... »

Chapitre 35

Au milieu du mois d'octobre, Me Huot fit savoir à Charles que la prochaine réunion aurait lieu cette fois à Québec, aux environs du 15 novembre. Charles trouva curieux que le représentant du Québec prenne l'initiative de l'appeler, puisque jusque-là, le gouvernement fédéral avait seul fixé les dates et lieux des rencontres. Son interlocuteur voulut savoir quelle preuve Charles possédait dans la « piste Vaudreuil » et, surtout, à quels documents il faisait référence lors de son allusion aux « archives secrètes du gouvernement fédéral ». Mais Charles, soucieux de ne pas dévoiler son jeu prématurément, le laissa sur son appétit.

Le lendemain, Charles reçut un appel téléphonique de Kevin et de Margo qui acceptaient son offre de louer la maison de Saint-Nicolas, avec une prise de possession après leur mariage, au début de l'an 2000. En bons termes avec leur locateur actuel, ils pourraient quitter leur appartement avec deux mois d'avis.

Depuis la dernière rencontre de négociations, Charles n'avait pas chômé. Il trouvait que malgré les efforts déployés pour soumettre des arguments de poids, comme d'habitude, les gouvernements ne semblaient pas pressés de trouver une solution au différend qui les opposait aux Algoncris.

Après avoir obtenu l'aval de tous les membres de l'équipe, Charles s'était mis à la rédaction de l'action en justice, seul moyen de nature à provoquer un dénouement plus rapide. Mais avant de faire signifier les procédures, il entendait donner une dernière chance à ses adversaires. Quand les médias — surtout la presse européenne, beaucoup plus favorable aux revendications des autochtones du monde entier, sans doute parce que les événements se passaient dans la cour du voisin — s'empareraient de l'affaire, tout se déroulerait très rapidement par la suite, soit dans un sens, soit dans l'autre.

~

On en était à la troisième semaine d'octobre. Les nuits étaient froides, la gelée régnait en maître. Mais depuis quelques jours, le soleil avait tout réchauffé de nouveau. À la fin d'une semaine particulièrement harassante, Charles voulait s'offrir quelques heures de détente, seul. Il jonglait entre divers scénarios: cinéma, théâtre, marche dans la nature... Mais le téléphone vint bousculer ses plans. Il se surprit à être si heureux d'entendre la voix de son interlocutrice, Mylène. Elle voulait savoir s'il était trop tard pour disputer un match de tennis en simple, à Saint-Nicolas. Le court étant disponible et l'été des Indiens battant son plein, Charles l'invita à débarquer chez lui le lendemain.

Chapitre 36

Cette journée passée en compagnie de Mylène s'avéra superbe. Même si octobre était avancé, la journée était chaude comme l'une des plus belles de juillet, mais avec un décor d'automne, alors que les feuilles multicolores tissaient leur courtepointe sur les pelouses.

Après un match de tennis assez relevé, où les deux partenaires avaient donné le meilleur d'eux-mêmes, ils s'attablèrent dans la pergola, Mylène face au soleil à son zénith. Derrière eux, une rangée de cormiers, aux fruits intacts, formait une haie mauve et orangée qui captait toute la lumière ambiante. Devant, l'onde bleu saphir du fleuve se trouvait à l'étal, sans le moindre vent, offrant une ambiance onirique. On aurait dit que pour ces deux êtres, déjà grisés par l'adrénaline, la nature elle-même se mettait au repos, cessant un instant de respirer pour les combler de paix et de bonheur.

Avec ses verres fumés, ses cheveux blonds libérés sur ses épaules, Mylène appartenait aussi à ce décor de rêve. Le fait que son compagnon ne puisse voir ses yeux lui conférait une aura de mystère. Il admirait son corps si bien dessiné, ses longues jambes fines et bien proportionnées. Mylène avait devant elle un beau spécimen de descendant de la race des pionniers, ceux qui parviennent, malgré la soixantaine, à conserver un corps sain et athlétique, non pas en maniant la hache ou le godendard comme leurs ancêtres, mais en utilisant des exerciseurs et en jouant au tennis.

Après avoir bavardé pendant plusieurs minutes, passant en revue leurs meilleurs jeux, un silence s'installa. Charles tenta de décrypter le sourire flottant sur ce charmant visage. À quoi pouvait-elle bien penser, cachée derrière ses lunettes noires ? Le match de tennis était-il pour elle prétexte à une rencontre plus intime ? Ou avait-elle tout simplement désiré jouer un match avec lui, sans arrière-pensée ? Quant à lui, il attendrait qu'elle fasse le premier pas.

Mylène, elle, se contentait de siroter son verre, appréciant ce moment de félicité. Elle aimait le paysage qui l'entourait et se sentait bien en présence de cet homme dont le souvenir avait souvent occupé ses pensées, au cours des dernières années. Mais la vie en avait décidé autrement. Voilà que Charles Roquemont était, aujourd'hui, seul avec elle. Cet homme aux tempes grisonnantes l'attirait au plus haut point. Désirait-il, de son côté, se limiter à un cocktail après leurs prouesses sportives ? Elle épiait son visage, en quête d'un signe de désir réciproque.

Après le second verre, Charles proposa à sa compagne une marche en descendant au bord du fleuve. Mais celle-ci, alléguant que le tennis l'avait fatiguée, préféra que Charles lui fasse visiter sa maison.

Charles en fit avec elle une tournée complète. Elle apprécia particulièrement, au second étage, la salle d'eau, avec sa vue du fleuve à partir du bain tourbillon, attenante à la chambre des maîtres. Mylène trouva la résidence de Charles fort luxueuse et bien grande pour une personne seule.

— Vois-tu, j'avais des rêves de grandeur, comme les gens de ma génération. Je sais que je suis parmi les privilégiés de la société. Tout ça grâce à mon travail, bien entendu, mais aussi à mes parents qui m'ont poussé à étudier. À cette époque-là, dans les années 1950, on ne discutait même pas les décisions de nos parents. C'était normal de faire ce qu'ils nous conseillaient de faire. Je ne l'ai jamais regretté.

Mylène déclina l'offre d'un troisième cocktail, mais dit qu'elle aimerait bien essayer le somptueux bain tourbillon à deux places.

Ils montèrent à l'étage. Pendant que Mylène enlevait ses baskets et ses bas, Charles ouvrit les robinets. Au moment où une brume chaude emplissait la pièce, Charles s'approcha de Mylène et l'aida lentement à enlever son gilet, puis son short de tennis. À son tour, elle aida son compagnon à enlever son gaminet, dévoilant sa poitrine velue. Puis elle l'aida à enlever ses culottes de tennis. Ils ne portaient maintenant que leurs sous-vêtements. Ils s'enlacèrent et s'embrassèrent longuement, dans la vapeur d'eau tiède qui dégoulinait sur les larges miroirs entourant la pièce et sur la céramique froide. À chaque resserrement de leur étreinte, Mylène laissait échapper un petit soupir de satisfaction. Bientôt, elle sentit sur sa cuisse le sexe gonflé de Charles.

— Veux-tu aller dans le bain ? demanda Charles d'une voix basse, comme s'il ne voulait pas briser la magie du moment.

— Continuons encore un peu, si tu veux, murmura Mylène d'une voix langoureuse, avant d'offrir de nouveau ses lèvres brûlantes à celles de Charles.

Alors que leurs bouches étaient rivées et que leurs cœurs battaient plus vite, Charles dégrafa la brassière de

Mylène, qui glissa jusqu'au sol. Mylène fit entendre un autre gloussement de plaisir quand les mains chaudes de Charles caressèrent le tour de ses seins. Quelques instants plus tard, Charles soulagea sa compagne de sa petite culotte. Mylène en fit autant avec le slip de Charles, qui émit un glapissement de plaisir lorsque sa verge fut effleurée par une main aventureuse. Enfin, tous les deux, entièrement nus, continuèrent à s'embrasser, émettant à l'unisson petits soupirs et plaintes languissantes chaque fois que verge et mont de Vénus se pressaient l'un contre l'autre. À ce moment, Charles se mit à fredonner à l'oreille de Mylène:

Love me tender
Love me sweet…

Mylène poursuivit la célèbre chanson de Presley:

Love me tender
Love me true…
Never let me go…

Charles se sentait maintenant prêt à pénétrer sa compagne, et croyait qu'elle aussi était prête. Mais Mylène lui fit signe qu'elle désirait s'asseoir dans le bain. Ils descendirent tranquillement les deux marches qui conduisaient à leurs sièges respectifs et ils s'assirent dans l'eau chaude. Blottis l'un contre l'autre, ils continuèrent à s'embrasser, mais dans une position inconfortable. À ce moment, Mylène dit:

— Si tu veux, j'aimerais mieux connaître l'apothéose dans ton grand lit carré…

— Tu as raison, nous y serons plus à l'aise…

Ils sortirent du bain et passèrent dans la chambre. Charles lui désigna la porte de l'armoire où se trouvaient les serviettes. Mylène en prit une en ratine blanche et s'asséchа. À cet instant, le téléphone cellulaire de Charles sonna. Consultant l'afficheur, il dit à Mylène :

— C'est Wagis... J'attendais son appel... Je dois lui répondre. Une minute me suffira.

L'appel fut un peu plus long qu'il pensait. Wagis voulait modifier la date de la prochaine réunion. Au bout de quelques minutes, Charles lui dit qu'il le rappellerait plus tard en soirée.

Quant il revint dans la chambre, il croyait y trouver Mylène étendue dans le lit, à l'attendre ; il la trouva plutôt assise dans son fauteuil de lecture, emmitouflée dans une robe de chambre.

— Je m'excuse, dit-il. Ce fut plus long que prévu...

À l'expression de son invitée, Charles se rendit compte que l'atmosphère avait changé du tout au tout.

— Je me demande si tu n'es pas en train de me berner ?

— Comment ça « te berner » ? Il y a à peine cinq minutes...

Elle l'interrompit sèchement :

— Je viens de voir dans ta garde-robe, en prenant un peignoir, plusieurs pièces de lingerie féminine... Pratiquement toute une collection ! Je ne suis donc pas la seule à faire le trajet du bain tourbillon à la chambre à coucher ! Autrement dit, je fais partie d'une collection de papillons !

— Je vais te répondre franchement, Mylène. Sur la première tablette, tu as des pièces qui appartiennent à ma première épouse, Johanne Tremblay. Tu la connais, tu l'as vue sur des photos de noces... Elle est venue à la fête du mois d'août dernier. Elle les a oubliées ici...

— Ah ! Veux-tu reprendre la vie commune avec elle ?

— Il ne faut pas tirer cette conclusion-là : elle avait été invitée par Irène, par Anna et par Luce. Finalement, elle a couché ici. Mais, à ce que je sache, je n'avais pas de permission à demander à quiconque... Nous sommes restés de bons amis...

— Oui, ça se voit ! Bon, disons... Et sur l'autre tablette ?

— Ces petites choses-là appartiennent à une bonne copine, Fabiola Harton, et traînent ici depuis qu'elle les a oubliées, il y a six mois. Elle n'est jamais venue les reprendre. Tu sais, avant aujourd'hui, j'avais une vie privée... Comme toi, je suppose. Je ne te demande pas si tu as eu des relations sexuelles avec quelqu'un d'autre il y a un an ou six mois...

— Oui, j'ai eu une vie privée... Mais je ne fais pas collection des slips de mes ex ! Et j'évite les compagnons amnésiques. Tu es dans une bien mauvaise talle ! Toutes des oublieuses ! T'es pas chanceux, mon Charles !

— Imagine-toi pas que je fais exprès de garder cette « collection », comme tu dis. Ce sont des objets oubliés, un point c'est tout ! Faut pas me prendre pour un Don Juan ou un obsédé sexuel.

— Penses-tu que ces « oublis » sont volontaires ?

— Un psychologue saurait te répondre mieux que moi. Mais, d'après Johanne, il est probable que Fabiola ait voulu « marquer son territoire »... C'est du moins sa théorie...

— Si tu étais à ma place, trouverais-tu la situation confortable ?

— Bien sûr que non... Mais... D'un autre côté, ces pièces de vêtement ont de la valeur. Ce sont des griffes reconnues. Il doit bien y en avoir pour 2000 $. À ma place, te serais-tu empressée de les jeter ?

— C'est certain qu'elles ne s'habillent pas chez Emmaüs, tes gonzesses !

— Attention, Mylène, ne traite pas mes amies de la sorte. De la même manière, je ne voudrais pas qu'elles t'appellent ainsi. Tu représentes beaucoup pour moi !

— En es-tu certain ?

— Bien sûr. Je te jure et je te répète que tu es importante pour moi. Crois-tu que si j'avais voulu me foutre de toi, j'aurais fait exprès de te laisser voir ces… objets de collection, comme tu dis…

— Tu n'avais pas non plus prévu qu'on viendrait dans ta chambre…

— Mais c'était envisageable. Si j'avais voulu te faire des cachotteries, j'aurais camouflé tout ça au sous-sol….

— Tu as pu commettre un oubli, non ?

— Mylène Beaulieu, trouve-moi une seule erreur que j'ai commise jusqu'ici dans ma vie, dit Charles d'un ton prétentieux.

— Si c'est la première, c'en est toute une !

— Quelle erreur ? T'avoir invitée ou ne pas avoir caché ces vêtements ?

Mylène hésita avant de répliquer. Elle savait que de sa réponse pouvait dépendre son avenir dans la vie de cet homme tout de même attachant.

— Avec toi, Charles Roquemont, il n'y a jamais moyen d'avoir le dernier mot !

Elle se leva et alla lui faire une bise avant de prendre ses vêtements et de partir.

Chapitre 37

La cinquième séance de négociations se passa cette fois au Parlement du Québec. Margo, qui devait accoucher d'une journée à l'autre, était la seule absente. Charles croyait rencontrer Me Fortier, le sous-ministre en charge du dossier, mais on lui apprit qu'il assistait à une rencontre des parlementaires francophones en Afrique.

Charles était dans une forme splendide, l'air reposé et serein. Au début de l'audience, il sembla toutefois distrait. À la suite du départ précipité de Mylène, il avait mal dormi. Il s'était reproché son manque de diplomatie et surtout, de prévoyance. Johanne lui avait pourtant enseigné une leçon, mais il ne l'avait pas mise en pratique. Il aurait dû enfermer à double tour dans un placard ces signes évidents de « concurrence ». Cependant, dès le lendemain matin, il avait retrouvé le sourire en découvrant près de son bain tourbillon ces objets appartenant à Mylène : une brassière Twins's Balcony de Defence-2-Touch, une petite culotte griffée Cocooning 4-2 de Exciting Dress, et un baise-en-ville contenant un assortiment de parfums Obsession… Il se plaisait à penser que cet oubli avait été volontaire. « Passe pour un ensemble de parfums, mais comment une femme peut-elle "oublier" sa petite culotte et sa brassière avant de partir ? se demanda-t-il.

À moins qu'elle n'ait acheté la théorie de Johanne concernant le marquage de territoire ! »

D'entrée de jeu, Me Rampling donna la parole au représentant du gouvernement fédéral. Me Hutchison exposa :

— Je parle ici au nom des deux gouvernements. Lors de notre dernière rencontre, Me Roquemont a soumis deux propositions, en gardant une troisième en réserve. La première peut s'intituler « Plaidoyer en faveur des droits ancestraux des Algoncris qui prévalent même sur les droits accordés à la Compagnie de la baie d'Hudson ». Nos arguments sont les mêmes et notre position n'a pas changé. Ces droits, si tant est qu'ils ont existé, ont été cédés par la Convention de la Baie-James et du Nord québécois. Quant au second moyen, qu'on peut appeler « Traité conférant des droits aux Algoncris par Des Groseilliers avant même l'émission de la charte de la Compagnie de la baie d'Hudson », vous avez soumis que celui-ci avait été reconnu par la suite par les administrateurs en place de cette compagnie royale. Or, les pièces déposées ne sont aucunement satisfaisantes à ce sujet. Quant au troisième moyen, que j'intitulerai « piste Vaudreuil », nous attendons toujours les preuves qui n'ont pas été déposées. Nonobstant ces faits, après consultation avec les autres intervenants, les gouvernements sont prêts à intégrer les Algoncris à part entière dans la Convention de la Baie-James. Au surplus, pour démontrer notre bonne foi, nous serions d'accord pour reconnaître que Wisnac doit être relié en priorité au réseau routier du Nord-Ouest du Québec et nous sommes prêts à recommander à nos mandants une subvention à cet effet.

Me Rampling donna la parole au représentant des Algoncris. Charles avait devant lui deux chemises, l'une verte et l'autre rouge. Il ouvrit la première, de laquelle il sortit plusieurs documents à l'intention des participants. Puis il commença :

— Je note que la position des gouvernements est inchangée, sous réserve de l'offre verbale soumise *in fine* par Me Hutchison. D'abord, cette offre ne contient rien qui soit de nature à reconnaître officiellement l'existence de la nation algoncrie. Même si une autoroute reliait Wisnac au réseau routier du Québec, cela ne conférerait jamais à ses habitants l'autonomie gouvernementale prévue au *Rapport Dussault*. Alors que vous proposez la construction d'un chemin, nous, nous vous parlons ici de l'avenir d'un peuple ! L'offre que vous faites ne contient rien puisque les Algoncris sont déjà reconnus comme des Cris, parties prenantes à la Convention de la Baie-James. Mais ce qui fait défaut est justement qu'ils n'ont aucun pouvoir décisionnel. Les Algoncris ne sont ni une bande reliée à Waskaganish, ni à Nemiscau, ni à Mistissini, ni à une autre communauté reconnue. Les Algoncris veulent être reconnus comme une entité distincte, avec un territoire distinct. Cette offre est donc inacceptable.

Charles prit une gorgée d'eau et continua, se référant cette fois aux papiers qu'il avait extirpés de la chemise verte :

— En regard de la fin de non-recevoir aux ententes intervenues avec Des Groseilliers et les habitants de Wisnac avant l'émission de la charte de la Compagnie de la baie d'Hudson, je vous soumets une étude d'un professeur de l'Université McGill qui retient comme authentiques les quatre lettres émanant des administrateurs de la Compagnie de la baie d'Hudson déjà déposées. Une étude attentive de ces documents respecte tous les critères qui ont servi à reconnaître comme officiels des actes similaires.

Je vous réfère à cette expertise qui démontre que les sigles utilisés sur tous les documents déposés correspondent à la devise officielle de la Compagnie de la baie d'Hudson, telle qu'elle apparaît inscrite en latin sur les armoiries à caractère royal de ladite entreprise et qui se lisait *Pro Pelle Cutem*. Les historiens s'entendent pour dire que cette devise est tirée du livre de Job, chapitre 2, verset 4, là où Satan s'exclame: « Peau pour peau! Tout ce que l'homme possède, il l'abandonne pour sauver sa vie. » Le livre publié par la compagnie elle-même en 1995, pour souligner le 325e anniversaire de son existence, précise: « Dans la version latine de la Bible, la réplique commence par *Pellem pro pelle* ». La référence au livre de Job est fort probablement exacte, car il était courant, au XVIIe siècle, de citer les Saintes Écritures hors contexte. Dans le cas qui nous occupe, il n'est pas indispensable que nous sachions que c'est Satan qui parle! Le contexte du commerce des fourrures laisse peu de doute quant au sens de la devise. Comme le mot latin *pellis* désigne la peau de l'animal et *cutis* la peau de l'homme, la devise signifie: *Pour les peaux que nous recueillons, nous risquons notre peau.* Voilà une devise tout à fait appropriée pour une entreprise de commerce de fourrures, n'est-ce pas? Mais force est de constater qu'agents et administrateurs de la compagnie avaient l'habitude d'apposer au bas d'un texte les lettres « P.P.C. » pour *Pro Pelle Cutem* ou, encore, en français « P.P.P. » pour *Peau pour Peau*. Or, comme vous pouvez le constater, ces sigles apparaissent sur tous les documents fournis. Voilà messieurs, un argument qui devrait vous faire réfléchir!

Tous ceux qui étaient présents semblèrent frappés par la force de ce raisonnement. Après un long silence, Me Rampling demanda si quelqu'un voulait intervenir. Me Huot dit:

— Je suppose que les documents que vous avez dans la chemise rouge près de vous, Me Roquemont, sont des pièces relatives à la troisième option dont vous avez déjà parlé, soit la « piste Vaudreuil » ?

— Non, cher collègue. Sans renoncer éventuellement à d'autres moyens, nous n'entendons pas, pour le moment, nous servir de la « piste Vaudreuil ». Puisque vous me le demandez, le contenu de ce dossier concerne les procédures que nous entendons déposer si votre réponse est négative à nos arguments de ce jour. Vous les verrez en temps et lieu. Mais je vous avise que si nous n'avons pas une réponse favorable ou une ouverture importante de la part des gouvernements d'ici le 15 décembre, notre intention est de faire émettre le bref d'assignation devant la Cour supérieure de Val-d'Or, en Abitibi.

Finalement, le modérateur Rampling, désireux que les débats ne s'éternisent pas, supplia les avocats des deux gouvernements de fournir cette fois une réponse officielle et par écrit aux Algoncris, avant le 14 décembre 1999, à minuit.

Chapitre 38

Dans les jours suivants, Margo donna naissance à son premier enfant, un garçon. Kevin appela Luce et, par la suite, ses parents en Californie. Ému, le nouveau père pleura au téléphone, et ses parents l'imitèrent. Il en profita pour les inviter à venir voir le petit Peter, en bonne santé et plein de vie. Puis il appela Anna et Charles. Ce dernier apprit que le jeune couple voulait profiter de la visite au pays des parents de Kevin pour faire d'une pierre deux coups : ils avaient pris un arrangement avec le Centre d'hébergement de Saint-Raymond, pour fêter le passage au troisième millénaire avec Anna le 31 décembre, et pour se marier. Charles s'informa :

— Margo est-elle assez rétablie pour me recevoir ?

— Elle est en pleine forme, répondit Kevin. On vous attend.

~

Quand il entra dans la chambre, Charles trouva une Margo toute épanouie, tenant le petit Peter dans ses bras. Il s'approcha du lit et, pensant à la fierté qu'aurait éprouvée son frère en un tel moment, embrassa tendrement Margo et son fils endormi.

— Il a le front de Paul et les traits fins de Luce.

— Il te ressemble aussi, continua Margo. On dirait qu'il a tes yeux chercheurs…

Charles, ému, restait sans voix. Il se mit à placer fébrilement les fleurs qu'il avait apportées dans un pot sur le bord de la fenêtre. C'est alors qu'il entendit Margo chanter :

Il y avait son père
Il y avait sa mère
Kevin et puis Margo
La famille Roquemont
Les parents Mitchener
Il y avait
Il y avait
Le petit Peter
Le petit Peter…

Le lendemain, alors qu'il travaillait dans sa résidence, Charles reçut à l'improviste un appel de Fabiola :

— Je suis sur la route 132… À un kilomètre de chez toi. J'arrive de Montréal… Est-ce que je peux m'arrêter prendre un café ?

— Bien sûr… Ça va me faire plaisir de te voir. J'ai de grandes nouvelles à t'annoncer…

— J'arrive.

Charles mit dans un plateau des biscuits au chocolat aromatisés, et n'avait pas encore eu le temps de préparer le café quand Fabiola entra en coup de vent. Après un court baiser, elle lui dit d'entrée de jeu :

— Je monte à l'étage chercher mon gilet gris… Tu sais, celui que j'ai oublié…

À ce moment, Charles eut la sensation que le plancher s'ouvrait sous ses pieds. Il se frappa le front en pensant qu'il avait laissé sur la seconde tablette de la garde-robe les vêtements de Johanne, et, sur la troisième, ceux tout aussi compromettants, abandonnés par Mylène à la fin d'octobre. Il croisa ses doigts en souhaitant que Fabiola ne remarque rien, son gilet gris étant tout de même sur un support adjacent aux étagères.

En revenant dans le salon où Charles avait roulé la table à café, Fabiola semblait fatiguée. Elle déposa tout simplement le gilet gris près de son sac à main, dans le vestibule.

— Et ces grandes nouvelles ? demanda-t-elle d'une voix neutre.

— La première, c'est que Margo a eu son enfant… Un garçon… En bonne santé… Ils vont l'appeler Peter.

— Bravo ! Et l'autre nouvelle ?

— Ils se marient le 31 décembre au Centre d'hébergement de Saint-Raymond… Pourras-tu m'accompagner ?

— Je ne sais pas… Tout dépend de l'état de santé de papa, qui ne cesse de se dégrader…

Après un long silence, Charles poursuivit :

— Je m'en allais à l'hôpital visiter Margo, et son petit Peter…

— Je vais te rejoindre là-bas… Je dois passer à la maison…

— À tout à l'heure, dit Charles mettant fin à cette conversation somme toute laconique.

Soit il avait choisi un mauvais moment pour lui formuler son invitation, soit Fabiola avait aperçu, lors de son passage éclair dans la chambre, les traces de la « concurrence ».

Comme les infirmières étaient occupées à faire la toilette de Margo, Charles et Fabiola eurent le temps de discuter dans le salon de l'étage. Fabiola s'informa de l'évolution du mandat des Algoncris et lui s'enquit de ses contrats professionnels. Puis ils en arrivèrent aux choses plus délicates :

— Charles, me prends-tu pour une idiote ou quoi ? Je comprends qu'on a une entente de non ingérence mutuelle, mais ce n'est pas une raison pour recevoir tout un régiment de pépées dans ta maison. J'ai l'impression de lutter contre des fantasmes et des fantômes, si tu veux savoir…

— Attention, Fabiola, le mot « pépée » n'est peut-être pas approprié… Tu n'aimerais pas qu'on t'appelle ainsi, non ? Et que veux-tu dire par fantasme ?

— Ta blonde de jeunesse, celle que t'as toujours dans la peau. Ta Mylène, tu aurais dû la baiser dans le temps… Si tu la cherches encore, c'est parce que tes fantasmes d'adolescent ne sont pas encore assouvis !

— Tu n'es pas correcte, Fabiola. Notre entente existe toujours. Tu peux bien parler. De ton côté, tu es partie au Mexique avec des copains de bureau. Je l'ai su par ta secrétaire. Est-ce que je te le reproche ?

— Pardon, il y avait trois compagnons de travail, deux gars et une fille. Les deux gars, des homosexuels, étaient ensemble, moi, j'étais avec la fille…

— Bon, te voilà devenue lesbienne à présent.

— Voyons… Tu le sais, je n'ai rien d'une lesbienne. C'est une simple compagne de bureau. C'est tout… Mais tu changes le mal de place, par déformation professionnelle. Tu veux que je sois sur la défensive. Quant au fantôme, je fais référence à ton ex-femme. Il me semble que quand on a divorcé de quelqu'un, on ne cherche pas à commettre la même erreur une seconde fois ! C'est à croire que je ne fais plus partie de tes plans !

Charles s'apprêtait à répondre quand Kevin arriva. Ils mirent fin à la discussion.

À la vue du petit Peter, Charles se rendit compte que Fabiola ne ressentait pas les mêmes émotions que lui. Il est vrai qu'elle n'avait jamais perdu un frère. Quand Charles lui parla une seconde fois de la noce du nouveau millénaire, elle dit :

— On verra ça plus tard, si tu veux bien… Tout dépendra de la santé de papa.

Puis elle le quitta, sans un geste de civilité, et encore moins un signe de tendresse.

Charles monta en vitesse au camp du Jolicœur. À la fin de novembre, un tel voyage pouvait devenir une aventure qu'il comparait au passage de la mer Rouge. Si la neige se met à tomber, alors qu'un véhicule est stationné sur le plateau du lac Gouat, il peut être appelé à y passer l'hiver tant les conditions sont changeantes. Pour la première fois de sa vie, Charles monta à son camp et en redescendit le même jour. Par chance, ni la neige ni le moindre incident ne compliqua son parcours. À la montée, toutefois, il remarqua que la coppe de Majel était sur le sol, près de son piquet. Au lac, il constata que le canot de toile avait été déplacé. « Des chasseurs sans doute… » songea-t-il. Sitôt arrivé, il rédigea une inscription en grandes lettres rouges sur un madrier. Puis il s'empressa d'aller clouer l'écriteau sur le plus gros arbre de l'île minuscule située en face du camp. Avant de quitter le camp, il écrivit dans le journal de bord :

Désirant, en cette fin de novembre 1999, souligner par un geste solennel l'arrivée du premier arrière-petit-fils de Majel et d'Anna, par les présentes, et pour la suite des temps, je décrète que l'île située en face de mon camp portera désormais le nom de « l'île Peter ».

Sans manger ni même boire, il redescendit aussitôt.

À son retour à Saint-Raymond, il s'arrêta chez Isabelle et Anna. La première lui laissa savoir que si quelqu'un venait habiter avec elle, elle ne mettrait pas nécessairement sa maison en vente. Anna se déclara très heureuse de la naissance de Peter. Malgré ce bonheur, elle craignait la fatalité que beaucoup redoutaient du changement de millénaire. Selon elle, tant de péchés se commettaient chaque minute dans le monde que le Bon Dieu serait tenté de donner une terrible leçon à l'humanité en « décrétant la fin du monde à minuit pile ! » Elle trouva néanmoins l'occasion de rappeler à son fils qu'elle s'ennuyait ferme au foyer :

— Que veux-tu, j'ai pas beaucoup d'amis. Pis, à mon âge…

— Pourtant, c'est pas le monde qui manque, rétorqua Charles pour l'inciter à faire un pas vers ses colocataires.

— Des étrangers, tous des étrangers ! Si j'suis pas trop déplaisante, m'accepterais-tu dans ta maison, à Saint-Nicolas ?

Charles venait de s'engager à la louer à Kevin et Margo. Pour ne pas contrarier sa mère, il se montra évasif :

— Écoute, maman, je vais y penser… Si tu veux, je vais te revenir là-dessus après la période des Fêtes. De toute manière, c'est ici qu'auront lieu le mariage et la fête du millénaire.

Anna comprit le message et fit de son mieux pour cacher sa tristesse.

~

De retour à la maison, Charles constata avec étonnement que Fabiola, en découvrant les « artefacts » abandonnés par ses concurrentes, n'avait pas repris les siens, en pension dans sa garde-robe depuis six mois.

— Que comprendre des femmes ? se dit-il. Personnellement, j'aurais profité de l'occasion pour tout empaqueter et ne jamais revenir… C'est impossible qu'elle ait fait exprès de laisser une brassière d'une griffe reconnue et d'une valeur de 600 $, sa robe écarlate « aux pouvoirs illimités » valant au bas mot 1000 $, sans compter le rouge à lèvre « à la dynamite », serti de diamants, qui doit valoir plusieurs centaines de dollars ! À moins qu'elle veuille persister à laisser sa marque, pour ne pas perdre sa place…

Quoiqu'il en soit, cette fois, il avait eu sa leçon. Il prit tout les objets féminins qui traînassaient dans sa garde-robe, les mit dans une boîte qu'il descendit dans un caveau du sous-sol, où il l'embarra à double tour…

Chapitre 39

Plus qu'une dizaine de jours avant la date butoir du 15 décembre 1999, et Charles n'avait pas encore de nouvelles des gouvernements.

La «piste Vaudreuil» chicotait toujours Charles. Si jamais les négociations achoppaient et que tous les arguments n'avaient pas été soumis, il ne se le pardonnerait jamais. Les recherches de Margo l'avaient amenée à découvrir qu'il existait bel et bien une masse de documents du Régime français d'avant la Conquête, prétendument détruits dans l'incendie du Parlement de Montréal en 1849. Sa conviction était fondée sur une rumeur persistante véhiculée depuis nombre d'années par les archivistes de l'Association des historiens du Canada. Celui qui avait vendu la mèche était un père oblat, un chercheur à l'âge canonique dont la réputation d'intégrité était inattaquable.

Après une conférence téléphonique avec tous les membres de l'équipe, il fut donc décidé d'expédier une mise en demeure aux gouvernements, leur réclamant un accès immédiat aux archives en question. Le document fut signifié par huissier à tous les avocats au dossier, avec copie à l'attention du sous-ministre Fortier.

Le jour même, Charles reçut un appel téléphonique de Me Huot. Celui-ci lui fit part du mécontentement exprimé par Fortier, qui trouvait que «Roquemont, le pic-bois de

Saint-Raymond, en mettait pas mal ! » S'il fallait en croire les propos nébuleux de Me Huot, le sous-ministre semblait contrarié par la perspective que des engagements politiques puissent être mis en péril par l'étalement de la contestation.

— Il ne faut pas oublier, dit Me Huot, que nous menons de front des dizaines de négociations toutes aussi importantes les unes que les autres… Il y a les Hurons, les Mohawks, les Attikameks, les Montagnais qui font la queue à la porte du Parlement…

Charles décoda plutôt que Fortier ne voulait pas qu'une rumeur relative à des archives cachées ne tombe entre les mains des journalistes, ce qui aurait donné fort mauvaise bouche aux politiciens en place.

Charles, de son côté, se sentait bien à l'aise dans cette escalade.

« J'aurai fait mon travail jusqu'à la fin, se dit-il. Puis, on ne sait jamais, si des documents historiques sont dissimulés, comme l'affirme le vieil archiviste, le vent peut toujours tourner, même si les fonctionnaires nient pendant toute l'éternité… »

Toute la parenté reçut le carton d'invitation de Margo et Kevin pour leur cérémonie de mariage et la célébration du nouveau millénaire. Il y était aussi indiqué que les parents de Kevin seraient présents. Comme Charles s'y attendait, Luce insista pour qu'il soit témoin en remplacement de Paul.

L'événement valait que Charles s'habille de neuf. À peine entré dans le centre d'achats Place Laurier, il reconnut un visage familier : c'était Vincent Leclerc, son confrère d'université, avocat pratiquant à Québec, qui était demeuré son ami. Leur dernier entretien remontait au jour où il avait hésité à prendre la décision de représenter les Algoncris.

Charles voulut lui serrer la main, mais ce dernier se défila, visiblement pressé et nerveux. Il lui dit à l'oreille :

— Je voulais justement te voir. Rejoins-moi au bar *Le Beaugarte*, j'ai des choses à t'apprendre…

Quelques instants plus tard, ils se retrouvèrent face à face dans un coin discret du prestigieux établissement. Leclerc parla le premier :

— Tu sais que je m'occupe encore activement de droit autochtone…

— Oui, je sais…

— Je suis mêlé à plusieurs négociations territoriales, particulièrement dans l'est de la province, avec les Attikameks et les Montagnais. Je rencontre les représentants du ministère des Affaires indiennes et des ministères de la Justice, du fédéral et du provincial…

— Oui, et… ?

— Je sais que tu défends âprement la cause des Algoncris. Tous les négociateurs en parlent. Ils trouvent que tu mènes une lutte féroce et que, si tu prends des procédures, il y a de fortes chances pour que l'opinion publique penche en votre faveur.

— Jusque-là je te suis…

— Il faut que tu saches qu'un grand coup se prépare. Les deux gouvernements s'apprêtent à faire un vrai ménage dans tous les dossiers de revendications territoriales et sont prêts à mettre beaucoup plus d'eau dans leur vin qu'on le croit !

— Explique-toi.

— Tout ce que je te dis là est extrêmement confidentiel.

— D'accord... D'accord...

— Il y a plusieurs raisons à ce revirement. D'abord, la demande en électricité des Américains. Hydro-Québec cherche d'autres rivières à harnacher et ça presse. On parle des rivières Eastmain et Rupert qui, jusqu'à aujourd'hui, ont toujours été considérées sacrées et intouchables. Les Cris montrent une certaine ouverture... Puis, il y a le lobby du diamant qui fait pression. Le bruit court que des découvertes majeures de gisements diamantaires dans le Nord du Québec ont fait l'objet de *claims* de la part de plusieurs multinationales. Des gisements plus importants que ceux de l'Afrique du Sud ! Pas question qu'un token soit dépensé pour l'exploitation tant que les questions du territoire et des droits miniers ne sont pas réglées avec les Cris et les Innus. Enfin, le gouvernement du Parti québécois tient à tout prix à signer une paix globale avec les Amérindiens de tout le Québec avant les prochaines élections. L'expression utilisée par les fonctionnaires dans le secret est « La Paix des Braves » !

— Et dans mon cas, c'est-à-dire celui des Algoncris, qu'est-ce que ça signifie ?

— Ça veut dire, mon ami, que peu importe vos arguments, les deux gouvernements sont prêts à allonger de grosses sommes, mais à la condition qu'un règlement intervienne, une sorte de *package deal*, avant la fin de l'an 2000, soit avant le déclenchement des élections provinciales au Québec.

— Alors, si tu étais à ma place, les procédures que j'ai préparées, les ferais-tu signifier ?

— Absolument ! Et le plus vite sera le mieux parce que le *timing*, à mon avis, ne pourrait être meilleur. Tantôt, ils seront à tes genoux pour régler…

— Merci, Vincent. J'espère être capable de te remettre ça un jour…

Chapitre 40

Le 14 décembre, au *Château Frontenac*, la Chambre de commerce et d'industrie du Québec métropolitain procéda à la nomination de trois Grands Québécois. Cet événement annuel soulignait les qualités exceptionnelles de Québécois dans les domaines social, culturel et économique. La personne choisie dans le domaine de l'économie n'était nulle autre que Louis Gauvreault, président-directeur général des Constructions Gauvreault ltée. Charles n'allait pas manquer cette cérémonie où le meilleur ami de Majel serait honoré.

Pour Gauvreault, cette distinction constituait une apothéose. À 79 ans, il récoltait ce qu'il avait semé. Le présentateur prit soin de mentionner que l'industriel n'avait pas hésité, au début des années 1950, à retourner aux études pour parfaire ses connaissances.

« Grâce à son travail, à son expérience, son leadership, son esprit fonceur, ses capacités d'administrateur, ses qualités d'entrepreneur innovateur, il a réussi à atteindre les sommets. Sa compagnie est maintenant en tête de file des entreprises québécoises et canadiennes dans le domaine de la construction. Tous savent en effet que Les Constructions Gauvreault, est devenue une multinationale cotée à la bourse de New York, présente dans plus de 25 pays, aux revenus annuels de 11 milliards, aux 10 000 employés disséminés à travers le monde… Grâce à lui, les épinettes et les sapins du Québec, matières premières entrant dans la fabrication de maisons usinées, servent maintenant à abriter des gens partout sur Terre, aussi loin qu'en Chine… »

Le présentateur invita le récipiendaire à prendre la parole. Devant le micro, Louis Gauvreault observa un moment de silence — le temps d'avoir une pensée pour celui qui lui avait donné ses premières chances, son ami Majel. Il appréciait la présence du petit Majel, Charles, assis dans la première rangée, à côté de son épouse Irène, et il leur adressa un sourire bienveillant. Lui seul, sans doute, se souvenait de la phrase qu'il avait prononcée, un jour de 1954, en présence d'amis sceptiques face à son retour aux études : « Un jour, vous allez devoir m'appeler Grantomme ! »

Après les remerciements d'usage à la Chambre pour sa nomination, Gauvreault entra dans le vif du sujet, désireux de laisser un message aux nombreux jeunes et futurs entrepreneurs présents dans la salle :

« Si CGL est aujourd'hui un chef de file dans l'industrie de la construction modulaire, ce n'est pas le succès d'un seul homme, mais bien celui d'une imposante équipe présente partout dans le monde. Que de chemin parcouru pour en arriver à ce résultat ! On me demande souvent la recette de ma réussite. La réponse est évidemment complexe : il y a la bonne santé, la chance, les études, le travail acharné, les rencontres opportunes, mes parents, mes professeurs, mes amis. Ici, permettez-moi une parenthèse qui s'impose. Je connais plusieurs personnes qui ont réussi à monter des entreprises gigantesques et à faire fortune, mais qui, malheureusement, ont raté leur vie personnelle. Je dois donc commencer par remercier mon père et ma mère, aujourd'hui décédés, qui m'ont donné une éducation exceptionnelle. Puis est apparue dans ma vie une étoile, ma femme Irène, qui m'a comblé de bonheur, a éclairé ma route, et surtout, a donné un sens à ma vie. Sont ensuite venus nos deux enfants, des jumeaux, Maggie et Stéphane, des êtres adorables et pleins de talents.

«Mais il y a plus. Je crois qu'une partie de la réponse réside aussi, du moins dans mon cas, dans le soin que j'ai apporté à m'entourer au tout début et par la suite, d'adjoints compétents et consciencieux. J'ai fait confiance à de jeunes administrateurs sans expérience qui sortaient de l'université et à des ouvriers à qui nous avons transmis notre expertise. Mais la belle aventure de CGL a commencé bien avant l'émission de la charte corporative. Tout a démarré dans ma tête le jour où quelqu'un m'a donné une chance. Alors que j'étais un petit commis de chantier, je me suis rendu responsable de quelques erreurs et mon employeur m'a gardé sa confiance, m'incitant à ne pas les répéter. Si j'ai véritablement pu démarrer à mon compte dans la vie, je vous le dis, c'est grâce à Majella Roquemont, le père du célèbre avocat Charles Roquemont, présent ici aujourd'hui. Peu instruit mais expérimenté, Majella était un meneur d'hommes exceptionnel: il m'a donné la chance de me reprendre. Savoir reconnaître le droit à l'erreur, mes amis, c'est très important. Tout autant que donner, à celui qui a commis cette erreur, la chance de se racheter. La leçon a porté. Car dans ma vie, par la suite, j'ai, de la même manière, donné à plusieurs personnes la chance de se reprendre. Et ce ne sont pas des profits de l'entreprise dont je suis le plus fier aujourd'hui, mais d'avoir aidé tant de jeunes à démarrer dans la vie...»

Des applaudissements nourris se firent entendre. Conrad ignorait que son patron avait naguère travaillé sous la gouverne de Majel. Lui-même avait connu sa descente aux enfers dans la faillite d'IBR. Il écrasa une larme de gratitude, ayant à son tour une bonne pensée pour son oncle Majel. Gauvreault continua:

«Je veux profiter de l'occasion aussi pour remercier monsieur Donald Gordon, président de la compagnie de chemin de fer Canadien National en 1962...»

On entendit alors un murmure dans la salle. La plupart des invités connaissaient l'histoire de cet anglophone, dont l'effigie avait été brûlée par des étudiants au Carré d'Youville de Québec, après qu'il eut déclaré devant un comité de la Chambre des communes qu'il ne connaissait aucun Canadien français assez compétent pour occuper un poste de vice-président dans sa compagnie. Plusieurs des invités connaissaient les allégeances nationalistes du récipiendaire et certains craignaient une dérive de sa part, d'autant plus que la Chambre de commerce, instigatrice de l'événement, était apolitique. Gauvreault poursuivit:

«Oui, je veux remercier Donald Gordon pour sa déclaration incendiaire du 27 novembre 1962. Quelques jours auparavant, j'avais décidé de vendre mon entreprise, qui fonctionnait déjà très bien. Mais le discours de cet homme m'a fait changer d'idée. J'ai décidé de continuer pour démontrer à mes concitoyens qu'il y avait au Québec des gens capables de bien administrer et de réaliser leurs rêves. Ce que je crois avoir réussi...»

La foule se leva d'un bloc et les applaudissements fusèrent, chaleureux.

«Aujourd'hui, on peut conclure que Gordon avait tort. Mais sa déclaration de boutefeu aura au moins eu le mérite de provoquer bien des gens, de piquer leur orgueil, pour les amener à agir. De telle sorte qu'aujourd'hui, avec les Bombardier, les Beaudoin, les Péladeau, les Tellier, les

Caillé, les Vachon, les Desmarais, les Dutil, les Lemaire, les Coutu et les autres, on peut dire que l'adage voulant que les Québécois soient nés pour un petit pain ne fait plus partie de notre langage !

« Je vais conclure sur une note philosophique. Croyez-vous qu'un homme comme moi, issu d'une famille humble, sans capital et peu instruite, élevé dans les valeurs chrétiennes d'aide et de partage, aurait pu pratiquer un capitalisme pur et dur à la Donald Trump ? Dans mon cas, impossible. C'est pourquoi, quand des Américains m'ont offert un pont d'or pour acheter mon entreprise, j'ai refusé, car je savais que dès l'année suivante mes usines du Québec seraient fermées et l'assemblage de nos maisons mobiles transféré en Asie. L'année suivante, j'aurais été milliardaire, mais je préférais que le bois de nos forêts soit transformé ici et profite aux gens d'ici, ce qui n'est que justice.

« En terminant, je veux dire aux jeunes ici présents, que, avant de fonder mon entreprise, j'étais mort de frayeur… J'avais peur de tout et de rien. J'avais surtout peur de perdre la face devant tout le monde si j'échouais… Les Canadiens français sont des peureux ! J'étais un Canadien français, donc j'avais peur ! César a dit : "*Veni, vidi, vici*" ! Moi, je vous dis : la peur se tient dans la cour de l'ignorance et de l'incompétence… Alors, mon conseil est le suivant : instruisez-vous, apprenez, consultez, foncez, travaillez et vous vaincrez ! »

Pendant que la foule lui réservait une dernière ovation, Louis Gauvreault regardait la table où se trouvaient sa femme et ses enfants, songeant que sa véritable fortune était auprès de lui. Il sortit son mouchoir, épongea son visage et descendit rejoindre les siens.

La cérémonie officielle de la remise de médailles frappées à l'effigie des Grands Québécois se poursuivit pour les deux autres personnalités retenues dans le monde social et culturel. La présidente du regroupement des hôpitaux universitaires de la grande région de Québec était la récipiendaire dans le domaine social, tandis que la palme avait été remportée par le vice-doyen de l'Université Laval dans le domaine culturel.

Une fois la cérémonie terminée, la grande salle de bal, transformée en salle de banquet pour la circonstance, accueillait les invités ayant payé leur repas, facultatif. Les récipiendaires étaient assis avec leurs conjoints à la table d'honneur. De son côté, Conrad, à titre de vice-président de CGL, avait réservé deux tables pour les enfants de Louis, Charles et les dirigeants des succursales de l'entreprise.

Entre la remise des médailles et le repas, un cocktail eut lieu dans le hall de la salle de banquet. Charles apprécia cet instant, car il lui rappelait son temps de la pratique du droit, quand il se présentait dans des réunions politiques, celles de la Chambre de Commerce, ou encore dans des clubs sociaux, tels le Cercle Universitaire, le Quebec Garrison Club, le Club Rotary, le Club des Lions, le Club du Mess du Royal 22e Régiment.

Dans cette foule bigarrée et volubile, Charles ne pouvait faire un pas sans être abordé par quelqu'un : collègues avocats, anciens clients, compagnons de ses anciens cercles sociaux, sans compter les personnes qui le connaissaient de réputation et qui désiraient s'adresser à lui. Il aperçut Luce accompagnée de Me Lebrun et s'apprêtait à les saluer quand Conrad l'aborda :

— Charles, j'ai un petit problème… Le président de la filiale du Mexique s'est pointé à la dernière minute…

— Tu veux que je t'apprenne l'espagnol ?

— Non… Euh… Il me manque une place à la table de la compagnie… Je me demandais si, pour ne pas créer de froid…

— Tu voudrais que je cède ma place ? Sans problème… Je connais tellement de monde ici que je vais vite m'en trouver une autre !

— Merci Charles, dit Conrad en repartant aussi vite qu'il était venu.

Luce et Me Lebrun s'étaient approchés. Après un simple échange de civilités, ils se firent un plaisir de l'accueillir à leur table où quelques places étaient encore disponibles. Alors que le trio se présentait à la grande table ronde réservée par Me Lebrun, un serveur demanda s'il pouvait y diriger un autre couple. Me Lebrun acquiesça. Quatre personnes étaient déjà assises à la table quand Charles prit la place qu'on lui avait désignée. En s'assoyant à la gauche de Me Lebrun, Charles avisa Johanne Tremblay accompagnée d'un homme. Luce porta la main à son front en disant :

— Charles, je m'excuse, j'avais oublié de te dire que tu serais en pays de connaissance. Où donc avais-je la tête ?

Pour ne pas mettre le couple mal à l'aise, Luce continua avec diplomatie :

— Tu connais madame Tremblay, je crois…

— Certainement, fit Charles, pas le moins du monde décontenancé, sachant qu'elle faisait partie de l'organisation de la Chambre de commerce.

— Et voici son ami, le professeur Kervin, de Rimouski…

Charles salua de nouveau. Luce poursuivit :

— Je crois que tu connais aussi Mylène Beaulieu… Vous êtes natifs du même endroit.

Cette fois, Charles fut surpris, car rien ne l'avait préparé à la présence de Mylène. Il lui fit un signe de la tête. Elle aussi avait un compagnon. Charles dit :

— Il y a plusieurs personnes de Saint-Raymond ici, sans doute à cause de Louis Gauvreault…

Mylène répondit :

— Nous faisons partie du groupe des invités du domaine social. Je te présente un ami, le Dr David, de Montréal.

Charles le salua aussi de la tête, car la table était trop large pour qu'il puisse tendre la main. Luce, cette fois s'adressant à tous, reprit :

— Au cas où vous ne connaîtriez pas déjà l'illustre personnage que nous accueillons à notre table, je vous présente Me Charles Roquemont, qui est un ami de Me Lebrun et qui a l'immense bonheur d'être mon beau-frère !

Presque tous émirent de petits rires polis, la majorité étant au courant que Johanne Tremblay avait déjà été mariée à Charles et que Mylène était aussi une amie d'enfance. La conversation était à peine commencée entre les convives que le placier se présenta avec le dernier couple qui compléterait la tablée.

Charles fut estomaqué quand Fabiola prit place en face de lui, en compagnie d'un homme en habit de cérémonie.

Fabiola, elle, ne fut aucunement prise de court en voyant Charles, s'attendant même à le rencontrer. Elle s'adressa à lui sans la moindre trace d'embarras :

— Bonsoir, Charles ! Comment vas-tu ?

— Euh… Très bien, merci. Et toi ?

— Comme tu vois, je vais bien aussi… Je te présente le nouveau vice-doyen de la Faculté de commerce de l'Université Laval, le professeur Beaudoin, qui arrive de Toronto…

Puis, se tournant vers les autres personnes attablées, elle poursuivit :

— Je suis Fabiola Harton, fiscaliste…

Un long silence s'installa. Pour la première fois, Johanne et Mylène rencontraient la flamboyante Fabiola… Quant à Luce et à Me Lebrun, ils ne lui avaient parlé que quelques minutes, pendant la soirée de retraite de Charles.

Voyant que Luce était quelque peu désarçonnée, Me Lebrun fit à son tour les présentations des autres convives. Le visage de Fabiola, malgré un fard haut de gamme bien appliqué, changea de teinte quand furent prononcés les noms de Johanne Tremblay et de Mylène Beaulieu. La plus affectée de toutes était cependant Luce, qui se mit à parler comme une pie, multipliant les coq-à-l'âne, questionnant tour à tour le vice-doyen Beaudoin, le Dr David et le professeur Kervin.

Me Lebrun vint à sa rescousse en entamant une conversation croisée avec Johanne, qu'il connaissait mieux pour l'avoir rencontrée dans une veillée de famille chez Luce. Charles sortit de son mutisme en posant à Mylène quelques questions sur sa retraite. Puis un long silence prit place. En temps normal, Charles se serait sacrifié en lançant le débat sur un sujet à la mode, mais il sentait que le sujet pourrait aussi bien être sa propre personne et il eut la sagesse de se taire. Johanne fut la plus courageuse. Elle dit, s'adressant à Fabiola :

— Si j'ai bien compris votre nom, vous êtes d'origine anglaise ?

— Non, allemande. Mon arrière-grand-père faisait partie d'un régiment allemand venu dans Charlevoix en 1783 pour aider les conquérants anglophones à prévenir une invasion américaine…

— Et vous êtes fiscaliste à votre compte ou bien pour une entreprise ?

La question de Johanne avait pour but de savoir si les femmes étaient bien accueillies dans ce milieu.

— Pour une entreprise, dit Fabiola.

Avant que Johanne n'ait le temps de passer à la question suivante, Mylène mit son grain de sel :

— Alors, vous êtes tous des mercenaires dans la famille !

— Peut-être, répondit Fabiola du tac au tac, mais nous ne prenons pas notre retraite à 45 ans.

— Pardon, je l'ai prise dans la cinquantaine, riposta Mylène.

— Chez les Harton, nous les « mercenaires », continuons au moins à être productifs. Nous contribuons à faire augmenter le produit national brut. Ce qui, à la retraite, n'est pas votre cas, Mylène... Vous êtes une de celles qui ont profité des bonus accordés pour des mises à la retraite forcée dans le domaine des hôpitaux ? C'est ça ?

— Chacun sa vie, mademoiselle Harton. Je suis en bonne santé et je profite de la vie. Je ne tente pas d'avoir l'air d'une femme de pouvoir en m'habillant chez Pouvoirs illimités, moi. Et je n'ai pas besoin de rouge à lèvres au TNT pour retrouver mon énergie. En somme, je n'ai pas de perte de mémoire !

— Vous êtes bien le modèle parfait de la petite Canadienne française des années 1960, mademoiselle : du moment que vous avez un petit fond de pension, vous le dépensez en vous dorant les cuisses au soleil. Dans notre famille, on n'a pas été élevé comme ça.

Johanne voulut intervenir dans le débat et apaiser les tensions :

— Nous pourrions parler des récipiendaires de ce soir...

Fabiola lui coupa sèchement la parole :

— Vous n'avez pas à intervenir, mademoiselle Tremblay ! Parlant de mémoire courte, il me semble qu'une femme divorcée ne devrait pas s'acharner à parcourir le même sentier dans le sens contraire, autrement dit, à répéter ses erreurs. Elle devrait laisser la place aux autres… Pas surprenant que vous soyez une oublieuse. J'ai déjà vu, à un endroit que vous connaissez bien, un complet bleu de Femme Rebelle…

Charles devenait excédé. Il voyait la nervosité gagner Me Lebrun et Luce. Les trois autres hommes présents paraissaient déroutés par la tournure des événements, et n'y comprenant rien, gardaient le silence. Charles se leva, et alors que tous s'attendaient à un esclandre, il demanda le silence. Les trois femmes se regardèrent, conscientes d'avoir dépassé les bornes. D'une voix posée, il dit :

— Merci, mesdames, pour cette mise en scène. C'est excellent ! Votre numéro est parfait ! Il va être apprécié au restaurant *Bonaparte*, la semaine prochaine !

Toute la tablée était éberluée, se demandant ce qui se passait. Aux compagnons des trois femmes, Charles expliqua :

— Vous ne saviez pas que ces dames, qui sont toutes trois mes amies, font partie de la troupe Les Escapades de la Capitale. Cette troupe de théâtre, dont je suis l'un des administrateurs, se spécialise dans les spectacles pour restaurants. Le principe est le suivant : les acteurs sont dispersés aux tables, à l'insu des invités, et prennent le plancher si on peut dire, en traitant de sujets dérangeants, susceptibles de créer une animation. Notre réussite est phénoménale. Comme mes amies n'avaient pas d'autres moments pour répéter, elles m'ont demandé la permission de le faire ce soir. Comme vous le voyez, elles nous font passer par toute la gamme des émotions. Je dois ici remercier Me Lebrun pour sa précieuse collaboration et sa complicité dans notre petite mise en scène ! Merci donc, mesdames, pour le spectacle ! Je crois que nous pouvons maintenant poursuivre paisiblement le repas…

Les trois hommes, ainsi que Me Lebrun et Luce, qui n'étaient cependant pas dupes, se mirent à applaudir. Fabiola, Mylène et Johanne restaient muettes, chacune camouflant sa surprise de son mieux.

Le premier à retrouver l'usage de la parole fut le professeur Kervin :

— Chapeau, mesdames ! Vous nous avez bien tous possédés. Votre jeu était si juste que j'ai cru à votre dispute !

Le Dr David poursuivit :

— Elle est bien bonne, celle-là ! Encore un peu et j'embarquais dans votre jeu. Le concept est excellent !

Le vice-doyen Beaudoin ajouta :

— C'est dommage, j'aurais bien aimé savoir comment la scène se terminait !

Me Lebrun, un joueur de tours et un pince-sans-rire hors pair, n'avait pas apprécié qu'on mette sa patience à si rude épreuve. Trouvant que Charles s'en tirait fort bien, il ajouta :

— Oui, Charles, monsieur Beaudoin a raison ! Dis-nous comment le sketch se termine ?

Charles, toujours debout, garda un large sourire. Il donna un coup de pied sur le mollet de Me Lebrun, qui dut se mordre la lèvre pour ne pas échapper un cri, et répondit :

— Ça ne finit pas toujours bien, parce que des invités ignorants du subterfuge finissent par intervenir… Pas toujours beau à voir. Les réactions varient d'un auditoire à l'autre. Ici, je vois que nous sommes entre gens bien éduqués, mais parfois, ça se termine avec des coups de sacoches et des gros mots. Personnellement, je n'ai pas d'objection à ce qu'elles jouent le restant de la scène… Je ne veux pas brûler leur punch final !

À ce moment, Me Lebrun regretta d'avoir parlé, et Luce faillit faire une syncope tant elle se sentait mal. Le silence devenait intolérable. La parole revenait aux trois protagonistes. Mylène, qui avait jeté plus tôt de l'huile sur le feu, parla la première :

— Nous ne pouvons pas jouer la scène finale, j'ai oublié ma sacoche quelque part !

— Moi, j'ai oublié mon texte ! dit Johanne.

— Alors, oublions ça ! dit Fabiola en riant.

Le rire de Fabiola gagna toute la table, autant les hommes que les femmes. Luce serra la main de Me Lebrun sous la table. Ce dernier donna un petit coup de coude à Charles. Les trois membres des Escapades de la Capitale se regardèrent à tour de rôle et, presque à l'unisson, se mirent à applaudir Charles qui leur avait sauvé la face. Satisfait du dénouement, Charles commanda deux bouteilles de champagne en desserrant un peu son nœud de cravate.

Chapitre 41

Le matin du 16 décembre 1999, comme Charles n'avait reçu aucune communication, ni de Rampling, ni de Me Hutchison, ni de Me Huot, il enregistra ses procédures au palais de justice de Val-d'Or et les fit signifier par huissier à toutes les parties en cause.

Dans les jours suivants, d'un bout à l'autre du pays, les médias annoncèrent que les Algoncris entamaient des procédures judiciaires pour un montant de 200 millions de dollars contre les gouvernements et la Société d'énergie de la Baie-James. Pour s'assurer que la décision judiciaire à venir soit reconnue à travers tout le Canada, Charles prit bien soin de mettre en cause dans les procédures, non seulement l'Assemblée des Premières nations, mais aussi la nation crie, dont les droits reconnus par la Convention de la Baie-James pouvaient être affectés. Les commentateurs jugeaient la procédure provocatrice, mais surtout originale et innovatrice en ce sens qu'elle attaquait la constitutionnalité même de la *Loi sur les Indiens* et plusieurs autres, dont la *Loi d'application de la Convention de la Baie-James*, la *Loi entérinant le rachat des droits rétrocédés à la Couronne britannique par la Compagnie de la baie d'Hudson*, et différentes autres lois d'application concernant les Indiens. Elle remettait aussi en question certains arrêts qui avaient interprété à tort les effets juridiques de la charte royale consentie à la Compagnie de la baie d'Hudson en 1670. Enfin, en plus de l'argument principal basé sur les droits ancestraux, elle faisait valoir, de façon subsidiaire, deux autres moyens: le premier, basé sur un traité passé avec Des Groseilliers et les habitants de Wisnac, antérieur à la fondation de la compagnie; le second, un « document » émanant de Vaudreuil avant la Conquête anglaise de 1759, alors que la procédure principale était assortie d'une injonction, exigeant du juge qu'il ordonne au gouvernement fédéral de dévoiler ses archives secrètes remontant aux titres immobiliers du Régime français.

Comme il fallait s'y attendre, la manchette la plus percutante put être lue dans *Le Devoir*, reconnu pour sa tendance nationaliste:

DOSSIER AUTOCHTONE: LE GOUVERNEMENT FÉDÉRAL A CACHÉ DES ARCHIVES DU RÉGIME FRANÇAIS – Selon les allégations de la procédure déposée par Me Charles Roquemont, un tri subtil au cours des ans n'aurait dévoilé aux tribunaux que les titres favorables aux gouvernements anglophones en place depuis l'incendie du Parlement de Montréal, en 1849, omettant ceux favorables aux conquis, aux Indiens et aux Métis.

Charles reçut, dans les jours suivants, un courrier volumineux et de nombreuses demandes d'entrevues; sa boîte vocale débordait. Mais tel qu'il était convenu avec ses collègues — question de stratégie de négociation quand une partie a atteint une certaine vitesse de croisière, laquelle consiste à laisser l'adversaire se débattre seul face aux médias —, il ne donnerait aucun signe de vie à quiconque avant le début de l'an 2000.

Pour l'heure, il allait s'occuper de ses affaires privées et, comme tout le monde, s'employer à célébrer le nouveau millénaire.

Chapitre 42

Charles passa un petit Noël bien tranquille, seul à la maison. Fabiola était dans sa famille pour l'occasion, veillant sur son père malade, mais elle avait promis avec joie de venir à la noce de Margo et Kevin. Quant au reste de la famille et aux Mitchener, il les rencontrerait le 31 décembre.

Le lendemain, il en profita pour mettre ses papiers à jour. Dans le courrier, il y avait plusieurs cartes de souhaits. Même s'il était un homme de relations publiques, il avait délaissé au cours des ans l'envoi de ces cartes de vœux fades et dépourvues de touche personnelle. Certaines provenaient de confrères et d'autres, d'anciens clients reconnaissants. Il les épluchait une à une, mettant de côté celles qui nécessitaient une réponse.

Il fut d'abord attendri par la chaleur du message de Daphnée Wagis, écrit sur une feuille de bouleau, comme Majel avait l'habitude de le faire quand il écrivait à Anna pour lui annoncer la fin d'un chantier :

...les remerciements les plus sincères pour tout ce que vous faites pour les Algoncris. Chaque jour, je remercie le Seigneur d'avoir rencontré votre père Majel. Il m'a donné une raison de vivre. Même si finalement notre amour n'a pas abouti, cette communication par l'esprit avec lui m'a nourrie tout au long

de ma vie. Comme je vous l'ai appris lors de votre visite à Wisnac, j'ai pu le revoir dans ses dernières années à la Baie-James, et j'en garde un souvenir impérissable. Je regarde souvent votre photo de famille. Et, depuis que je vous ai rencontré, je crois encore plus en la Providence. Dieu vous bénisse et je vous transmets mes meilleurs vœux de bonheur et de santé pour l'année à venir et jusqu'à la fin de vos jours...

Il lut avec grand intérêt la carte de Fabiola, qui semblait, avec le temps, devenir plus sensible aux choses du cœur. Son message, cette fois, parlait clairement de préretraite. Il fut flatté de constater qu'il avait aussi reçu des cartes de Mylène et de Johanne. La première lui souhaitait du bonheur pour l'année à venir et laissait entendre qu'elle désirait le revoir ; la seconde se disait peinée de ne pas avoir pu l'inviter pour les Fêtes, en raison de circonstances incontrôlables, tout en promettant de lui faire visiter à son tour sa maison de Cap-Rouge.

« Comme la vie est drôlement faite, se dit-il. Il faut bien arriver à 60 ans pour que trois femmes s'intéressent à moi en même temps... Peut-être voient-elles en moi des choses dont je ne me rends pas compte ! »

Ragaillardi, il alla se regarder dans la glace du boudoir.

« Je ne sais pas ce qu'elles me trouvent... »

Il se dit que ces trois cartes méritaient aussi une réponse... Il prit soin de bien vérifier les dates d'oblitération des trois enveloppes fraîchement reçues : toutes avaient été postées après la « scène » du *Château Frontenac*, survenue quelque 10 jours auparavant. Manifestement, ses trois dames à la mémoire courte, si douées à marquer leur territoire, avaient mis de côté les frictions qui s'étaient manifestées au *Château*. Il poussa un long soupir de soulagement.

Comme il le faisait depuis plusieurs années, quand il avait l'obligation de répondre à une lettre, il n'achetait pas de carte. Il écrivait plutôt un mot à l'endos d'une photographie à laquelle il tenait. Il s'était fait tirer plusieurs clichés de son camp du Jolicœur. Minutieux, il traça à l'endos de chacun un croquis à l'échelle représentant le sentier de Majel. Dans son message, à la suite des vœux de bonne année, il mentionna les dates précises où il séjournerait à son camp, et posta les trois enveloppes.

Le 26 décembre, il trouva finalement un peu de temps pour jeter un coup d'œil dans le dossier qu'il avait reçu de la Chambre des notaires. La lettre d'envoi le mandatait pour émettre une opinion sur chaque cas soumis. Il devait donc prendre connaissance des 23 dossiers expédiés qui, tous, provenaient des archives du Dr Marsan, afin de déterminer si les documents qu'ils contenaient pouvaient être détruits sans risque de poursuite.

Les dossiers avaient été placés dans une boîte, par ordre alphabétique. Le premier portait en guise d'en-tête le nom *Bérubé*. Il contenait une attestation d'adoption privée, signée par une parente qui consentait à ce que son enfant soit élevé par les Bérubé, à la condition expresse que personne ne soit mis au courant et que l'enfant soit bien traité. Une lecture attentive du dossier médical montrait que l'épouse de Bérubé avait en réalité fait une fausse couche. Quant à la cousine, une fille-mère, elle avait accouché quelques jours auparavant en Gaspésie, sous les bons soins d'un confrère du Dr Marsan. Du côté des adoptants, les certificats officiels mentionnaient plutôt que la dame Bérubé avait donné naissance à un petit garçon de huit livres. Du côté de la véritable mère, ils indiquaient faussement que celle-ci avait perdu son enfant à la naissance. Tel que signé, le document d'attestation d'adoption passé devant Marsan devait demeurer secret à jamais. Charles s'épongea le front. « Ça commence bien ! » se dit-il.

Il entreprit l'étude du second dossier, *Boisvert*, qui ne contenait qu'une simple feuille. Il s'agissait d'une sorte de testament olographe, vraisemblablement signé avant que le patient subisse une opération. Manifestement, le document n'avait pas été rédigé par Marsan, puisqu'au bas on pouvait lire la signature du médecin et la mention : « Je reconnais que monsieur Boisvert a rédigé devant moi et en ma présence le présent document que je signe à mon tour le même jour, Marsan. » Il y était fait mention d'une donation d'immeuble à une personne qui ne semblait pas être l'épouse du patient. Bien des questions se posaient à Charles.

Il fallait se demander si toutes les personnes impliquées étaient encore vivantes. Quel avait été l'impact de ce document sur leurs vies ? Les personnes visées avaient-elles au moins été mises au courant de l'existence de ce legs important ? La personne opérée était-elle décédée ? Quel casse-tête ! Et il restait encore toute une série de dossiers. Il vit d'autres noms : Larouche, Moisan, Rinfret, Robitaille... Il se dit que chaque chemise contenait sans doute de lourds secrets et qu'il valait peut-être mieux ne pas en continuer la lecture. En regardant la caisse de chemises, il comprit qu'il venait d'ouvrir une boîte de Pandore !

Au même moment, le téléphone sonna. C'était une infirmière du CHUL :

— La condition du frère Mark se détériore. Si vous pouviez passer...

Quand il entra dans la chambre 2007, il se rendit compte sur-le-champ que frère Mark était à l'agonie. On lui avait branché un soluté, et de nombreux fils le reliaient à des machines. Il était d'une extrême pâleur, la tête renversée en arrière. Sa respiration était saccadée, mais il semblait dormir.

L'infirmière dit à voix basse :

— Il a encore de bonnes périodes. Ça dépend de l'effet des médicaments. C'est maintenant une question de quelques jours, peut-être d'heures…

On était en fin d'après-midi. Charles décida de veiller le malade. Il passa à la cafétéria prendre un sandwich. Irène était là. Elle croyait qu'il était venu pour Bergeron ; il la détrompa :

— Non, je suis venu pour voir un ami. Au 2007. Un cancer. Je viens de parler à l'infirmière. Je ne pense pas qu'il va faire bien long… Et toi, Irène, ça va ?

— Je n'ai plus le feu sacré pour le travail de nuit. Mais bon, je pars en vacances dans le Sud immédiatement après le mariage de Margo. Si ta veillée est longue, tu peux me rejoindre au huitième. Nous prendrons un café.

— Bonne idée. Je vais voir comment ça se passe… Bonne soirée.

Quand il revint dans la chambre, frère Mark était éveillé. Il reconnut Charles. Celui-ci s'approcha et prit sa main :

— On nous donne la frousse, frère Mark ? C'est pas le temps de vous laisser aller…

Le visage du malade s'éclaira quelque peu.

— Merci d'être venu, dit-il d'une voix faible.

Charles allait lui dire de ménager ses forces quand le frère reprit :

— J'ai quelque chose d'important à vous dire...

D'un mouvement de la tête, Charles lui fit signe qu'il pouvait continuer.

— Dans ma vie, j'ai commis une faute... Une faute grave. Seulement deux personnes l'ont su. J'aimerais t'en parler... Y a rien qu'à toi que je peux en parler...

Charles serra plus fort la main du malade, qui reprit son souffle et continua :

— J'ai couché une seule fois avec une femme... Puis elle a eu un enfant... Je l'aimais... Mais elle était mariée... Son mari était un homme important... Elle a gardé l'enfant et m'a juré que ça resterait un secret entre nous... J'ai promis de ne jamais rien dire moi aussi. C'est pour ça que je suis parti de Saint-Raymond...

Estomaqué, Charles reprit sa salive à plusieurs reprises avant de pouvoir parler. Le frère Mark avait connu l'amour ! Avec le recul, cela représentait sans doute un drame personnel, mais ce n'était tout de même pas un crime. D'une voix qu'il voulait calme, Charles dit :

— Les choses se sont arrangées ?

— Oui... Si on peut dire. Je sais que personne n'est au courant. Sauf...

— Sauf qui ? demanda Charles.

— La mère et le Dr Marsan...

Charles se dit qu'il s'agissait sans doute de l'un des cas colligés dans les dossiers qui se trouvaient sur son bureau. La curiosité aurait voulu qu'il demandât le nom de la mère. Mais il ne jugeait pas nécessaire d'exiger un aveu qui aurait pu perturber l'agonisant. Frère Mark s'adressait sans doute à lui parce que, sur le seuil de la mort, il ressentait le besoin de se confier. Celui-ci continua :

— Mais j'ai prié Dieu et Il m'a exaucé.

— De quoi parlez-vous?

— Je Lui ai rappelé que j'avais tenu ma promesse... Mais je Lui ai demandé tout simplement de voir mon enfant avant de mourir...

— Vous ne l'avez jamais vu?

— Jamais en personne... Sur des photos... En Afrique, j'avais écrit au Dr Marsan. Il avait accepté de m'envoyer des photos. Trois photos en tout. Une, alors qu'il était tout petit bébé. Une autre, en costume de première communion. Puis, la dernière, à 18 ans, dans un uniforme d'étudiant... Mais j'ai su par d'autres personnes ce qu'était devenu cet enfant...

— Et puis...?

— Je l'ai vu hier...

Charles commençait à se demander si le frère Mark ne fabulait pas ou, à tout le moins, ne commençait pas à délirer. Sans plus d'avertissement, celui-ci reprit:

— C'est la Dr Irène, la fille d'Ange-Aimée Trépanier...

Charles sentit ses jambes faiblir, puis une grande bouffée de chaleur lui monta au visage. Le frère ajouta:

— Mais... Ma seconde prière... Elle n'a pas... Pas été exaucée...

La confession avait épuisé l'homme. Il continua, haletant cette fois:

— J'ai pas... Pas pu lui parler... Ni lui toucher... Même pas la main...

Arrachant les tubes qui le tenaient prisonnier, frère Mark attira vers lui la main de Charles. Le malade se laissa crouler sur son épaule, le visage en sueur, des larmes plein les yeux. Incapable de remettre en place les tubes, Charles pesa sur la sonnette d'alarme.

L'infirmière accourut et administra aussitôt un calmant au malade. Le temps de rebrancher l'électrocardiographe, le système de gavage et le soluté, le frère Mark s'était endormi. Elle prit son pouls. Elle fit un signe négatif de la tête.

— Il en a tout au plus pour quelques heures...

Charles était debout à côté du lit, désemparé. Il se demandait quoi faire. Chose certaine, il n'avait aucune intention de dévoiler le secret du frère Mark. Mais pouvait-il encore satisfaire le dernier souhait de son ami ? Cet homme qui n'avait en réalité jamais connu la vraie tendresse. Il sortit de la chambre d'un pas alerte et fonça vers l'ascenseur, pesa sur le bouton du huitième. Quelques instants plus tard, il repéra Irène au bout d'un corridor. Il fit une rapide prière : « Mon Dieu, faites que je ne commette pas une bêtise. » Dès qu'elle avisa Charles, la femme médecin vint à sa rencontre.

— Irène, dit-il de sa voix la plus posée, pourrais-tu me rendre un petit service ?

— Si je peux, ça va me faire plaisir...

— Pourrais-tu venir voir mon ami dans la chambre 2007 ?

— Mais Charles, tu sais bien que ce n'est pas mon département ! On ne peut pas comme ça ausculter un malade sans la permission du médecin traitant...

— Non, c'est pas ça... Tu viendrais comme une amie... Juste pour lui parler... Le réconforter... Quelques minutes seulement... Pas comme médecin... Simplement comme être humain... Fais-le pour moi...

— Bon, parce que c'est ton ami, ça va, mais quelques minutes seulement... Je vais dire au poste de garde que je n'y vais pas comme médecin, mais pour t'accompagner...

— Il s'appelle Mark Perras... On l'appelle le frère Mark.

Quand le moribond ouvrit les yeux, sa vue était brouillée, mais pas suffisamment pour l'empêcher de constater que le Dr Irène Trépanier, sa propre fille, était près de lui, avec son ami Charles. Il pensa que Dieu était bien bon de lui permettre de goûter pendant quelques instants ce bonheur terrestre qu'il n'avait jamais connu. Mais sa pensée alla plus avant et il dut serrer les lèvres pour ne pas manquer à sa promesse... Il avait le visage couvert de sueur. Les murs de la chambre semblaient vaciller. Non, il ne se laisserait pas aller à la confidence. Il ne dirait rien. Il serait fort jusqu'au bout. Il serra davantage la mâchoire. Que la vie était injuste! Il aurait tant voulu étreindre sa fille, la serrer un instant contre lui. Qu'elle avait l'air bon! Cette femme, cette fille, celle qui n'avait pu être son enfant, celle qu'il n'avait pas vu grandir, elle était là, à son côté. Quand elle était petite, il avait tant désiré la prendre dans ses bras. Plus tard, il aurait tant voulu pouvoir communiquer avec elle, l'éduquer, lui enseigner, comme il l'avait fait toute sa vie pour les enfants des autres. Mais la vie lui avait refusé cette faveur. Frère Mark croyait avoir devant lui un ange véritable, avec ses longs cheveux blonds répandus sur son sarrau blanc. Le frère Mark regardait intensément Irène. Il désirait emporter avec lui l'image de ce visage divin.

Irène, qui en avait pourtant vu d'autres, était troublée par l'intensité du regard de ce vieillard abandonné. D'instinct, elle prit les deux mains du malade, chose qu'elle ne faisait jamais.

— Je suis avec vous, frère Mark, vous allez voir, tout va bien aller.

L'enfant qu'il n'avait jamais pu caresser de toute sa vie le touchait pour la première fois. Des larmes coulaient maintenant des yeux du vieillard. Irène songea : « Quelle douleur de voir ainsi des gens quitter la vie aussi seuls ! » Elle ne s'habituerait jamais à tant de tristesse. L'homme, malgré tout, avait au fond des yeux une petite lueur de joie. Elle continua :

— Avez-vous quelque chose à me dire ?

L'homme semblait chercher sa salive, comme s'il voulait parler. Les lèvres serrées, il porta les mains d'Irène sur sa poitrine. Elle fut surprise de la vigueur du geste, celui d'une personne qui s'accroche à une planche de salut avant la noyade fatale.

— Voulez-vous que nous fassions une prière ? ajouta-t-elle.

Mais un léger tressaillement traversa le corps du vieillard. Son étreinte se relâcha. Le frère Mark était mort…

Respectueusement, Irène lui ferma les yeux. Ce faisant, elle remarqua un écoulement de sang provenant de la bouche du défunt. Elle prit une serviette et l'essuya.

— Il n'avait certainement pas qu'une tumeur au cerveau ! fit-elle, surprise.

— Oui, peut-être avait-il autre chose, dit Charles de sa voix la plus neutre, sachant fort bien que Mark Perras s'était mordu la langue plutôt que de révéler à sa fille la vérité sur sa conception.

Troublée par ces derniers moments, Irène, contrairement à son habitude, resta quelques instants à regarder le mort. Puis elle rompit le silence :

— Cet homme avait quelque chose de spécial ! Une telle lueur dans les yeux ! Il semblait tellement seul…

Charles s'essuyait les yeux. Irène continua :

— Je comprends ta peine. Il avait été ton professeur, je crois...

Et Charles répondit d'une voix grêle qui n'était pas la sienne :

— Euh... Il avait aussi enseigné l'anglais à Majel...

~

Quand Charles arriva à Saint-Nicolas, il faisait presque jour. Une fois revenu chez lui, il prit un message sur son répondeur. C'était Fabiola. Son père avait été hospitalisé à La Malbaie. La situation était à ce point grave qu'elle ne pourrait pas venir à la noce dans les jours suivants. Cela le contraria. Il irait donc seul à la réception.

Mais pour l'heure, il avait une affaire urgente à vérifier. Il se dirigea vers la boîte contenant les documents de Marsan. Il y trouva une chemise au nom de *Mark, le frère*. Elle ne contenait que deux feuilles. La première était une simple lettre non signée, qui avait été chiffonnée puis lissée, qui se lisait ainsi :

Mark,

Comme je te l'ai dit l'autre jour, nous ne l'avons fait qu'une fois et j'étais alors dans la bonne période. Il y a 8 ans que je le fais avec mon mari et je ne suis jamais partie pour la famille. J'en conclus donc que c'est toi le père de mon enfant à naître. Mais je veux le garder, c'est important pour moi. Mon mari ne sait rien. Toute notre vie sera brisée si la chose se sait. Puis-je compter sur toi pour ne pas me faire de mal ? J'aimerais que personne ne sache rien, jamais. De mon côté, je ne dirai jamais rien à personne. Je demande pardon à Dieu pour le mal que je t'ai fait. Oublie-moi, je t'en prie. Bonne chance dans la vie. Tu sais pourquoi je ne peux pas signer.

Le second papier, intitulé *Reconnaissance, consentement et affirmation solennelle*, se lisait ainsi :

Je soussigné, Mark Perras, reconnais, déclare et consens à ce qui suit :

1. Je reconnais avoir eu une conduite inconvenante avec une dame habitant Saint-Raymond, mais je ne crois pas lui avoir causé quelque dommage que ce soit. Si tel est le cas, je m'en excuse et en demande pardon à Dieu.

2. Néanmoins, s'il advenait que la dame en question accouche d'un enfant, je renonce à tout droit de paternité sur l'enfant à naître, lui laissant tous les droits à titre de mère et la laissant libre de ses choix.

3. Advenant un tel fait, je serais d'accord avec toute démarche pour qu'elle le donne en adoption si elle le désire.

4. La présente affirmation est faite dans le seul but d'éviter des problèmes légaux un jour pour quiconque, surtout pour la mère et l'enfant, et aussi pour ma communauté.

5. Je m'engage à garder toute cette affaire secrète jusqu'à la fin de mes jours.

6. Je m'engage à quitter Saint-Raymond pour toujours.

Signé : Mark Perras, témoin… Marsan, ce… 1948.

Charles se contenta de remettre le tout dans la chemise. Puis il ferma la boîte contenant les autres dossiers. Il s'installa devant le foyer avec un verre de scotch et réfléchit longuement. Toutes ces histoires de familles étaient en train de le perturber et de déranger son plan de match. Tout cela commençait à lui peser et le mandat des Algoncris était loin d'être terminé. Il existait bien d'autres avocats qui se feraient un plaisir d'étudier la question et d'émettre des opinions sur les documents appartenant à la succession du Dr Marsan.

Sa décision était prise : il allait retourner le tout à la Chambre des notaires avec la mention qu'il ne pouvait accepter le mandat. Cependant, il écrirait qu'il avait obtenu le consentement verbal du signataire pour que les documents soient détruits dans le dossier du frère Mark, qu'il avait connu personnellement. « Le syndic prendra la décision qu'il jugera la meilleure » se dit-il.

Chapitre 43

Ce genre de réception n'était pas coutume au Centre d'hébergement de Saint-Raymond. Mais parce qu'Anna avait de la difficulté à se déplacer, que les parents du marié étaient des Américains et que la fête du millénaire avait provoqué la sortie de plusieurs pensionnaires dans leurs familles, l'administrateur y avait consenti. La cérémonie du mariage aurait lieu dans la petite chapelle, et la réception dans une grande salle de réunion. Les invités avaient été prévenus que la noce, et la fête qui s'ensuivrait, seraient courtes et empreintes de simplicité.

— C'est pas le *Château Frontenac*, avait dit Margo, mais l'important c'est que tous les invités soient présents et que grand-maman Anna puisse y assister.

Comme Kevin était protestant et Margo, catholique, l'officiant procéda à une bénédiction à caractère œcuménique :

— Kevin Mitchener, désirez-vous prendre pour épouse Margo Roquemont ?

— Oui, je le veux.

— Margo Roquemont, désirez-vous prendre pour époux Kevin Mitchener ?

— Oui, je le veux.

Le couple se passa les alliances. Le prêtre — utilisant une formule mixte empruntée aux deux religions — bénit leur union devant Dieu. Puis les mariés s'embrassèrent.

Tout à coup, une petite musique se fit entendre : c'était mademoiselle Évangeline, nouvelle pensionnaire du Centre, qui jouait *Oui devant Dieu* à l'orgue électrique, accompagné de Mondor qui chantait si fort que le concierge de l'établissement dut fermer la porte de la chapelle pour ne pas déranger les autres bénéficiaires dans leurs chambres :

Oui pour l'amour que tu me donnes
[...]
Oui je promets quoi qu'il advienne
De rester près de toi
[...]
Dans tes yeux je vois des larmes de joie
Et j'entends en moi monter une voix
Mon Dieu qui veillez sur ma vie
Protégez mon amour je vous en prie
[...]

Puis, tout le monde se déplaça dans la salle de réception, décorée pour la circonstance. À la table d'honneur, à la gauche de Kevin, il y avait ses parents, divorcés : John Mitchener, avec sa nouvelle conjointe Catarina, et sa mère Karo, avec son nouveau conjoint Andrew. À la droite de Margo, il y avait Luce, accompagnée de Me Lebrun, et Charles. Se répartissaient aux tables alentour les autres parents et amis. Du côté de Luce, il y avait quelques oncles et tantes, et plusieurs cousins et cousines, ses parents et grands-parents étant décédés ; aussi plusieurs amis, tant de Margo que de Me Lebrun. Du côté des Roquemont, il y avait Anna, sa sœur Thérèse, Ange-Aimée, Isabelle,

Clément, Conrad, Sophie, Louis Gauvreault et Irène, Wagis et son épouse, Armstrong et son épouse… et une nouvelle venue du nom de Rachel.

Il y avait enfin Mondor, en compagnie de mademoiselle Évangeline.

Anna se pencha vers Isabelle et lui demanda :

— C'est qui la fille avec Clément ?

— Elle s'appelle Rachel Wagis. C'est une parente de William Wagis. Tu sais, les Amérindiens algoncris dont Charles s'occupe… Elle était jamais venue dans la région de Québec. Clément lui a fait visiter la ville cet après-midi…

— Ah bon ! Elle a l'air d'une Indienne… Un vraie Indienne… Très jolie…

Charles, qui avait entendu la conversation entre les deux femmes, ne put réprimer un petit sourire. Avant aujourd'hui, il n'avait vu Rachel qu'en photo, lors de son passage à Wisnac. Mais en cet instant, il n'avait pas le cœur à expliquer à Anna que Rachel était la petite fille de l'Amérindienne figurant sur les photos de l'album de famille, dans la section « Voyages d'arpentage » de Majel. À son insu, il examina longuement Rachel, comme s'il avait voulu vivre les sentiments de son père en 1937, lors de sa première rencontre avec Daphnée. Les longs cheveux noirs et le teint ambré de son visage fascinaient Charles. Les larges sourcils bien démarqués, son nez volontaire, ses joues légèrement émaciées aux pommettes saillantes lui conféraient un air d'assurance qui cadrait bien avec ses yeux noisette et ses lèvres aguichantes. « Vraiment, la petite-fille de Daphnée a des airs de princesse, comme sa grand-mère… » se dit-il.

Ce n'était évidemment pas une noce comme les autres. En effet, Margo et Kevin tinrent à présenter leur petit

Peter à toute la parenté. Les parents de Kevin purent ainsi prendre leur petit-fils dans leurs bras pour la première fois. Karo pleurait de joie, tandis que John semblait faire des efforts surhumains pour ravaler ses émotions. Puis la mariée se retira quelques instants dans une pièce attenante pour donner le sein à son enfant. Conrad dit à Sophie :

— Ça, on peut dire que c'est une noce moderne. Le bébé arrive avant le mariage !

— Tu es mal placé pour faire cette remarque-là. Toi aussi, tu étais présent à la noce de nos parents ! répondit-elle du tac au tac.

Comme il fallait s'y attendre, Charles prononça le petit discours traditionnel à l'intention des nouveaux mariés. Tout comme Wilbrod et Majel avant lui, conscient de l'importance de l'événement pour les mariés et la famille, il savourait l'instant.

Après la présentation des invités, tant en anglais qu'en français, Charles s'adressa directement aux nouveaux mariés. Il avait eu auparavant la courtoisie de fournir une traduction écrite de son laïus aux Américains présents.

« Kevin Mitchener, bienvenue dans la grande famille Roquemont ! »

Des applaudissements se firent entendre.

« Nous sommes tous persuadés ici aujourd'hui, qu'avec ta sensibilité, ton intelligence, tes talents, ta délicatesse, et aussi avec un minimum de chance, Margo et toi avez tous les atouts pour former un couple heureux. J'espère que ma nièce, dont je suis très fier, continuera d'être digne de toi. Même si on dit qu'il n'y a pas de recette miracle pour le bonheur en mariage, laissez-moi vous exposer ma manière de voir… »

Isabelle avait frappé des mains. D'autres applaudissements suivirent.

« Le mariage est comme un voyage en mer. On ne part pas comme ça, sans préparation, sur un coup de tête. Il faut un bon bateau. Des bagages. Des provisions. Un plan de route. Une destination à atteindre. Nos ancêtres en savaient quelque chose… Rares sont les voyages en mer sans tempête. Il faut toujours être prêt à résister aux éléments. Dans votre vie de couple, les éléments perturbateurs pourront être tout aussi bien la routine que des événements trop précipités… Les vieux marins savent tous que sur un voilier, une absence prolongée de vent peut mettre la discorde dans l'équipage… Vous devrez vous adapter aux situations… Aux insatisfactions, aux changements de personnalité… Aux nouvelles rencontres… Aux jalousies… Aux problèmes d'argent… Dans les moments pénibles, il faut revenir aux bouées et aux phares qui montrent la voie. Ces signaux conjugaux maritimes peuvent être vos parents, vos amis, la nature, la vie elle-même, Dieu peut-être… Mais avant tout, suivez toujours les signes de votre conscience, ce grand astrolabe qui fournit toujours la bonne direction si on sait l'utiliser… Elle saura vous guider à bon port. »

Les parents de Kevin, qui avaient jeté un coup d'œil sur la traduction transmise par Charles, semblaient apprécier le discours au plus haut point.

« Enfin, dit-il, en délaissant du regard les mariés pour se tourner vers les invités, nous savons tous que vous avez déjà une petite expérience de la vie de couple. C'est pourquoi, je n'ai pas l'intention de vous parler ni du mal de mère, ni de ce qui a pu se passer à la Pointe-au-Père ! »

Il y eut des applaudissements, des coups de cuillères frappés sur les verres, et les mariés s'embrassèrent.

Charles conclut :

« Avant de terminer, je m'en voudrais de ne pas remercier ici mademoiselle Évangeline et monsieur Mondor pour la musique et le chant. Si je ne m'abuse, mademoiselle Évangeline aurait touché l'orgue Casavant de l'église de Saint-Raymond, pour la première fois, au mariage de mon père et de ma mère, en 1936 ! Quant à monsieur Mondor, après des études en Europe, il s'est installé ici comme maître de chant en 1951 et sa réputation a aussi débordé la région de Portneuf ! »

Il y eut de nouveaux applaudissements en leur honneur. Mademoiselle Évangeline versa quelques larmes, tandis que Mondor lui passait un mouchoir. Puis ce fut au tour de Luce de dire un mot. Prirent aussi la parole, cette fois en anglais, Caro et John. Ils terminèrent en prononçant ensemble une phrase écrite en français sur une feuille préparée par Kevin :

— Maarsie...aa...boohookoo...à...toot la...moondee...hé...ooravoirr !

Enfin, Kevin et Margo remercièrent tous les invités pour leur présence et les cadeaux.

Ensuite, ce fut l'occasion de lancer quelques feux d'artifice miniatures, histoire de fêter l'arrivée du millénaire. Puis, tous se réunirent devant la télévision géante installée dans la salle communautaire, avec d'autres pensionnaires de l'institution, pour visionner les époustouflantes émissions préparées aux quatre coins du monde à l'occasion du grand passage du siècle. Ils virent tour à tour les spectacles grandioses présentés à Sydney, Tokyo, Moscou, Stockholm, Berlin, Paris, Londres, Washington, Ottawa... Puis, Irène et Louis Gauvreault s'excusèrent parce qu'ils devaient prendre un avion pour la Floride.

La fête se poursuivit jusqu'aux petites heures du matin dans la salle communautaire, invités du mariage et bénéficiaires confondus. Aidé de Clément, Conrad avait transporté le clavier électrique dans la grande salle et cette fois, mademoiselle Évangeline interpréta des mélodies profanes, répondant aux demandes spéciales. L'administrateur de l'établissement était éberlué de voir tant de joie et d'enthousiasme. Plusieurs pensionnaires, encore fort en voix, n'hésitèrent pas à y aller de leurs chants préférés. Les participants eurent droit, entre autres, à *Plaisir d'amour* — qui avait la cote depuis le début du « siècle dernier » —, *Ma Normandie*, *Un nouveau jour va se lever*, et *L'âge d'or*, paroles qui en fit pleurer plusieurs :

Nous aurons du sang
Dedans nos veines blanches,
Et, le plus souvent,
Lundi sera dimanche.
Mais notre âge alors
Sera l'âge d'or

Le tout se termina finalement par un chant de Mondor, repris tous en chœur :

Quand les hommes vivront d'amour
Il n'y aura plus de misère
Et commenceront les beaux jours
Mais nous, nous serons morts mon frère…

Chapitre 44

Finalement, les invités durent partir. Luce reconduisit Anna dans sa chambre. Elle qui avait tant craint le passage au nouveau millénaire semblait toute surprise de pouvoir continuer à marcher comme la veille. Charles offrit de pousser le fauteuil roulant d'Ange-Aimée. En passant devant le tableau placé à la sortie de la salle, celle-ci, sans avertissement, appliqua les freins. Elle fit signe à Charles de l'approcher du tableau pour qu'elle puisse mieux voir la coupure de journal qu'on y avait punaisée. C'était la notice nécrologique du frère Mark, rehaussée d'un portrait:

Le frère provincial et la communauté des frères des Écoles chrétiennes ont le regret de vous apprendre le décès du frère Mark Perras (en religion, Marie-Mark) à l'âge de 84 ans, dans sa 67e année de vie religieuse. Il était le fils unique de feu Henri Perras et de feue Élizabeth Longman. Né à Lowell, Massachusetts, le 12 octobre 1915, il fit sa première profession religieuse en 1932 et sa profession perpétuelle en 1938. Le frère Mark fut professeur à Saint-Raymond de Portneuf de 1935 à 1948, année où il se joignit aux activités missionnaires de la congrégation en Afrique. Il laisse dans le deuil les membres de sa communauté. Les funérailles auront lieu dans la chapelle de la communauté, le…

Ange-Aimée pâlit et s'agita. Elle porta les mains à sa bouche, en convulsion, et se mit à trembler de tous ses membres. Charles courut à une fontaine toute proche et lui apporta un verre d'eau. Incapable de se contrôler, elle émettait des gémissements gutturaux, qui étaient en fait des sanglots. Elle agrippa la main de Charles et la serra contre sa poitrine. Celui-ci — qui comprenait très bien le choc que sa protégée venait de subir — décida d'accélérer le pas pour la conduire dans sa chambre. Il l'aida à s'étendre sur son lit, alors qu'elle continuait à gémir. Charles ne savait trop quoi dire, lui frottant la nuque, en espérant la fin de la crise. Peu à peu, elle se détendit. Puis, d'une voix chevrotante, elle dit :

— Charles, tu as connu le frère Mark ?

— Oui, je l'ai bien connu. Je l'ai même eu comme professeur, avant qu'il parte pour les missions… Je l'aimais bien…

— Moi aussi, je l'ai connu, à cette époque. Nous étions ensemble dans les mouvements de la jeunesse catholique… Mais je ne l'ai jamais revu depuis… Ça fait exactement 52 ans… Ça m'a donné tout un choc ! J'étais pas préparée à ça…

Charles hésitait à lui dire qu'il avait revu le frère Mark ces derniers temps et même assisté à sa mort. Mais c'était un secret de polichinelle, puisque Irène avait été, elle aussi, présente lors du trépas du frère. Ce n'était pas le temps de jouer au fin finaud. Il y alla toutefois prudemment et à petites doses :

— Mais je dois vous dire que j'ai eu la chance de le voir à l'hôpital, quelque temps avant sa mort…

— Tu l'as vu à l'hôpital ! Comment savais-tu qu'il était là ?

— Par hasard, en allant visiter mon oncle Alfred Bergeron…

— Ah ! As-tu pu lui parler ?

— Oui, nous avons parlé de tout et de rien… Du temps où j'étais écolier…

— T'a-t-il parlé de ses amis de ce temps-là ?

— Il était très malade… À la fin, il avait de la difficulté à parler… J'ai assisté à sa mort…

— Tu dis que tu as assisté à sa mort ?

— Oui, c'est bien ça. J'étais là quand il est mort…

— Est-ce qu'il pouvait encore parler ?

— Oui, il a parlé jusqu'à la fin… Mais difficilement…

— Est-ce qu'il t'a dit pourquoi il était parti de Saint-Raymond ?

— Euh… Rien de précis… Mais je sais qu'il avait bien aimé sa vie à Saint-Raymond…

— Rien d'autre ?

— Non, rien d'autre… Mais, je veux vous dire aussi…

— Quoi ?

— Je veux vous dire que votre fille, Irène, était de garde quand il est mort…

— Et ?

— C'est votre fille qui a assisté le frère Mark dans ses derniers moments…

— Et qu'est-ce qu'il lui a dit ?

— Ils ont prié ensemble, c'est tout. Elle ne le connaissait pas… Elle lui a fermé les yeux… Et puis elle a constaté le décès… Les infirmiers sont venus… Ils ont emmené le corps à la morgue de l'hôpital…

— Et il n'a pas parlé de ses amis de Saint-Raymond ?

— Non, rien de précis… Mais tout s'est passé si vite, vous savez…

Ange-Aimée pleura longuement en silence. Plusieurs fois, Charles crut qu'elle allait parler, lui avouer son aventure avec le frère Mark. Mais, chaque fois où elle fut tentée de le faire, elle se contint. Pour ne pas provoquer un aveu qu'elle pourrait sans doute regretter plus tard, Charles intervint:

— Reposez-vous, Ange-Aimée. Vous êtes fatiguée. Si vous voulez, nous parlerons de tout ça plus tard…

— Non, je veux en parler tout de suite…

— Qu'est-ce que vous voulez me dire?

— Je veux te dire que, quand il était à Saint-Raymond, j'ai aimé cet homme. L'annonce de sa mort me cause une grande peine. J'aurais aimé lui parler avant qu'il parte… Tu comprends?

— Oui, je comprends… C'est tout?

— Non… Euh… Oui… C'est tout… Je te remercie…

Avant de quitter le foyer, Charles revint saluer Anna et il revit Luce qui, avec Me Lebrun, s'apprêtaient à partir. Ils avaient au préalable convenu de ramener la tante Thérèse dans sa maison de Saint-Augustin. Son collègue lui fit signe qu'il désirait le voir seul à seul, et ils se dirigèrent à l'écart dans un corridor, là où l'avocat lui dit:

— Tu sais que je suis encore en poste aux Affaires intergouvernementales?

— Oui, bien sûr.

— Ça m'amène à apprendre, — par la bande, comme on dit, sans jeu de mots — des choses importantes avant tout le monde, surtout avant les journalistes…

— Ça touche les Algoncris?

— J'ai entendu, tout à fait par hasard, une discussion entre des négociateurs du gouvernement et des conseillers juridiques... Je ne sais pas si c'est fondé... Mais il paraît que Fortier, qui ne te porte pas dans son cœur, comme tu sais, veut te faire un coup fourré... Et je n'ai pas aimé ça...

— Comme quoi, par exemple ? demanda un Charles incrédule, qui se croyait à l'abri de tout chantage.

— Il semblerait que Fortier, qui contrôle Me Huot comme un pion, ait décidé de lier deux dossiers, celui des Algoncris et celui des Hurons de l'Ancienne-Lorette.

— Et alors ?

— Les Hurons veulent élargir leur territoire et prendre une partie du Parc des Laurentides, au nord de Québec...

— Jusque-là, c'est du connu.

— Mais tu sais bien que le gouvernement ne peut pas leur donner tant de territoire à l'est. La seule autoroute qui donne accès au lac Saint-Jean passe par le Parc. Tu comprends qu'ils ne veulent pas être pris comme à Kanesatake et à Kahnawake, où les Mohawks s'amusent à tout bout de champ à ériger des barrages sur les routes. L'intention du gouvernement est donc de leur donner plus de territoire à l'ouest.

— Oui, et après ?

— Ils auraient offert aux Hurons d'étendre les limites actuelles de leur territoire du côté ouest, jusqu'au lac Jolicœur inclusivement...

Charles commençait à comprendre. Son lac se trouvait à l'intérieur du territoire convoité. Il risquait donc de perdre son camp ! Charles demanda s'il savait autre chose, mais l'ami de sa belle-sœur fit un signe négatif de la tête. Avant de partir, il dit :

— Bonne chance, Charles… Je ne t'ai rien dit…

À cet instant, Luce arriva. Quand elle et Me Lebrun sortirent, Charles était encore en état de choc.

Chapitre 45

Cette nuit-là, alors que le monde fêtait toujours le passage au nouveau millénaire, la lampe resta allumée dans la chambre d'Ange-Aimée Trépanier. Assise dans sa grande chaise, tenant entre ses doigts la notice nécrologique qu'elle venait de découper dans le journal de la veille, elle repassait certains événements de sa vie.

Avec Bruno, cela avait été un véritable mariage d'amour. De bonne famille, instruit, bien éduqué, prospère, il était le conseiller de la Wilkey et de nombreux notables de Saint-Raymond. Elle aurait pu difficilement trouver meilleur parti dans toute la région. Même si elle avait terminé sa 10e année au Couvent des Sœurs de Saint-Raymond, elle se sentait souvent inférieure à lui, mais au niveau de l'instruction seulement. Ils s'étaient mariés en 1931, 5 ans avant Majel et Anna. Ils filaient le parfait bonheur et rêvaient d'une grande famille.

Mais, comme ils ne parvenaient pas à avoir un enfant, leur ferveur sentimentale s'estompa. Ses sœurs, mariées après elle, multipliaient les naissances. Puis, sa meilleure amie, Anna, accoucha de Charles, puis de Véronique, enfin de Paul. À ce moment-là, elle était devenue jalouse de toutes celles qui pouvaient avoir des enfants. Quelle était donc la justice de l'enfantement?

À la suite de consultations médicales sans effet, de prières à la Madone, à sainte Anne, à saint Joseph et de fort nombreux essais infructueux, l'amertume s'installa dans le couple. Bruno, fort recherché comme conseiller, se lança à corps perdu dans le travail. Seule à la maison, elle pensa, de son côté, à se rendre utile en faisant du bénévolat. C'est ainsi qu'elle s'inscrivit dans le Cercle des Fermières, dans Les Filles d'Isabelle et dans plusieurs mouvements catholiques.

Ce bénévolat allait lui donner une nouvelle vie : elle se sentait motivée et en demande. Au début, les religieuses la chargèrent du mouvement de la Jeunesse étudiante catholique. Son apostolat, apprécié par tous, se déplaça du niveau local au niveau régional, puis provincial. Elle se rendit plusieurs fois à Trois-Rivières et à Montréal en automobile, avec des sœurs du couvent et des frères du collège Saint-Joseph de Saint-Raymond. De nouvelles amitiés, tant féminines que masculines, se développèrent. C'est dans la JÉC qu'elle connut le frère Mark, de son nom civil Mark Perras, un Franco-Américain d'origine.

Elle se rendit vite compte que tous deux partageaient des affinités. Homme superbe, il n'avait visiblement jamais connu l'amour physique. Il lui raconta de quelle manière il avait pris l'habit, animé d'une volonté plus ou moins claire, mais de toute évidence influencé par le vœu de sa mère qui désirait un « religieux dans la famille » — une prière qu'il n'avait cessé d'entendre depuis sa tendre enfance. Il était certainement moins instruit sous le rapport des affaires que Bruno, mais il était cependant plus délicat, plus prévenant et plus attentif que ce dernier. Elle évoqua sa tristesse de ne pas avoir d'enfant, mais sans plus, son charme naturel faisant le reste.

Après quelques mois de petites confidences réciproques, une certaine connivence était née entre les deux êtres. Au terme d'un voyage en automobile, ils se séparèrent sur une poignée de mains; au suivant, par d'anodins bécots sur les joues. Quand Mark était absent à une réunion, elle s'inquiétait. Quand elle manquait une activité, il était perdu et craignait de ne plus jamais la revoir. Puis les poignées de mains se prolongèrent de caresses aux avant-bras. Aux bises timides succédèrent bientôt des étreintes. Enfin vinrent les marivaudages légers. À ce stade, plus aucune parole n'était nécessaire entre ces deux âmes en peine d'affection.

Puis arriva ce fameux samedi soir, à la Villa Lasalle des frères, au lac Sept-Îles, alors que Mark avait été désigné pour fermer le chalet. Rien n'avait été planifié. Tous les membres du groupe de la JÉC étaient partis relativement tôt. Frère Mark devait déposer Ange-Aimée avec la camionnette de la communauté. Tous les deux étaient enchantés de se retrouver seuls un moment. Ayant fermé tous les volets et barré les portes, les deux amis s'installèrent sur le divan du salon, sous prétexte de causer en sirotant un café.

Arriva ce qui devait arriver. Combien de fois, depuis ce jour qui lui semblait hier, avait-elle repassé dans sa tête ces instants délicieux?

Plus tard, beaucoup plus tard, Mark s'était levé d'un trait et avait dit d'une voix blanche:

— Je n'aurais pas dû, Ange-Aimée… Je n'aurais pas dû…

En silence, tous deux avaient parcouru les quelques milles qui les séparaient de la maison de Bruno. Sans un mot, sans un baiser, ils se séparèrent.

Quand elle était entrée dans la maison, Bruno dormait. Dans son lit, les yeux grand ouverts, elle n'avait pas fermé l'œil de la nuit. Elle avait trompé son mari, en plus de faire manquer à un être fragile son vœu perpétuel de chasteté. Elle avait suivi son instinct du moment, incapable de refuser les avances d'un homme assoiffé de tendresse. C'était la première fois. Ce serait la dernière. Si cet amour était découvert, elle pourrait tout perdre, à commencer par Bruno, son mari, cet homme si bon et si reconnu dans la société raymondoise. Elle risquait aussi de perdre sa réputation : n'avait-elle pas été nommée bénévole de l'année et citée en exemple par le curé, du haut de la chaire ? Qu'adviendrait-il d'elle s'il fallait qu'elle tombe enceinte à la suite de son aventure de la nuit ? Elle songea qu'elle pouvait parer au plus pressé. Au matin, elle se laisserait prendre par son homme. Elle le ferait jouir comme jamais il n'avait joui. Il fallait qu'il s'en souvienne !

Elle irait jusqu'à lui faire des caresses qu'elle lui avait toujours refusées jusque-là, de celles dont parlent certains livres lubriques et dont les hommes de chantier se délectent en les racontant. Puis, quand son homme aurait joui, elle hurlerait de plaisir, d'une manière si outrancière que son compagnon se souviendrait de ses cris de sauvageonne déflorée dans la violence.

Elle avait passé un mois terrible, sans revoir Mark, dans l'attente de ses règles. Quand elle comprit qu'elles ne viendraient pas, elle consulta immédiatement le Dr Marsan.

Celui-ci la soumit à un test d'urine. Cette semaine d'attente fut la plus longue de sa vie.

C'est avec joie que Marsan, qui connaissait bien la condition du couple, lui annonça qu'elle était enceinte. Elle se mit alors à pleurer. Sous le coup de l'émotion, elle lui avoua la vérité. Elle venait à peine de lui dire son secret qu'elle le regretta. Mais il était trop tard. Marsan, un ami de la famille, lui affirma cependant qu'il était tenu par le secret professionnel. S'il n'en tenait qu'à lui, son secret ne serait jamais dévoilé.

Il lui prescrivit des pilules pour les nerfs.

— Il faut attendre quelques semaines, avant de voir si l'enfant est viable... Quelquefois, il arrive une fausse couche, surtout lors d'une première grossesse...

Ensuite, si le fœtus passait les étapes préliminaires, il lui conseillait de garder l'enfant. Comme elle avait fait l'amour avec son mari dans la même période, était-il nécessaire que celui-ci soit mis au courant de son escapade ?

Elle n'était pas tenue de suivre son conseil de garder l'enfant. Il pourrait toujours la référer à un collègue de Montréal qui pratiquait en toute sécurité des avortements. Mais une telle décision devait être prise avant la fin du troisième mois. Le médecin insista en lui rappelant que son mari désirait des enfants et aussi que l'enfant à naître était tout de même son enfant à elle.

— Je suis certain que Bruno et vous allez choyer cet enfant. Mais, sans vous faire la morale, vous ne devriez plus rencontrer cet homme. Vous savez, dans notre milieu catholique tricoté serré, non seulement la vie de cet homme s'écroulerait, mais aussi celle de Bruno, et la vôtre... Tant que votre grossesse n'est pas apparente, vous devriez garder la chose pour vous et n'en parler à personne.

Pendant cette période, elle agit donc comme à l'ordinaire, refusant son mari dans les « mauvais jours » et l'acceptant dans les jours favorables à une grossesse. Cet intervalle lui permit de se faire une idée précise de la question : si jamais Bruno apprenait sa faute et la répudiait ou refusait de recevoir l'enfant sous son toit, elle le garderait et partirait. Elle préférait renoncer à sa vie conjugale et sociale plutôt que de faire mourir le petit être qu'elle portait en elle.

Quelques semaines plus tard, elle se trouva, par la force des choses, dans le cabinet de Marsan. Son verdict fut clair :

— Ange-Aimée, le fœtus que vous portez présente tous les signes cliniques d'un futur bébé en bonne santé.

Le dévoué médecin s'était approché d'Ange-Aimée et l'avait prise par les épaules, en la regardant dans les yeux :

— Avez-vous pris une décision concernant l'enfant ? » lui demanda-t-il du ton d'un père affectueux.

— Peu importe ce qui va arriver, je veux garder l'enfant !

— Je vous suggère de suivre mon conseil de vieux praticien : faites-en l'annonce à votre mari le plus rapidement possible, sans parler de votre aventure. En fait, même moi, je ne sais pas de qui il est !

À la nouvelle de sa grossesse, Bruno devint fou de joie. Tous deux s'enlacèrent et pleurèrent, chacun pour une raison différente. Ange-Aimée ressentit qu'elle « trompait » son mari pour la seconde fois. « Quand on s'installe dans le mensonge, se dit-elle, il faut être lucide, un second doit souvent camoufler le premier… »

À compter de ce jour, toutefois, la vie d'Ange-Aimée ne fut plus la même. Bruno redevint un homme affectueux et délicat, plein d'égards pour elle.

Lors d'une visite subséquente, Marsan informa Ange-Aimée de la nécessité d'une entente écrite avec le véritable père afin d'éviter, pour l'avenir, une action en recherche de filiation. La chose s'était déjà vue; un religieux pouvait se défroquer et réclamer des droits sur un enfant. Des papiers de renoncement furent signés par Mark. Celui-ci s'engagea aussi à quitter la ville et à ne jamais y revenir; il ne chercherait pas à revoir l'enfant ni sa mère. Elle lui écrivit un mot, sans toutefois le signer, au cas où il tomberait entre les mains de tiers. Le Dr Marsan conserverait ces papiers dans un coffret de sûreté sans jamais les dévoiler, sauf en cas de poursuite en recherche de filiation — ce qui risquait peu de se produire, étant donné que c'est généralement l'inverse qui se passe, soit une action en recherche de paternité.

Plus tard, la petite Irène était venue au monde. La vie des deux parents avait été transformée. Bruno était plus souvent à la maison; Ange-Aimée cessa tout bénévolat. La vie heureuse reprit son cours. Quant elle avait des pensées moroses sur ce qui s'était passé, Ange-Aimée se répétait les paroles de Marsan: «Je ne sais pas moi-même qui est le père…»

Quand l'enfant eut atteint l'âge d'un an, Ange-Aimée se confessa au curé. Elle avait bien réfléchi sur les mots qu'elle allait prononcer. Elle ne dirait pas qu'elle avait fait l'amour avec un autre homme et que celui-ci était un clerc ayant fait le vœu de chasteté. Elle ne dirait pas davantage que son acte avait conduit à la naissance d'un enfant adultérin. Elle se borna à des mots choisis qui ne devaient pas en dire plus qu'il ne fallait. Elle prit soin d'abaisser son voile sur son visage, de parler plus bas qu'à l'accoutumée, de se recroqueviller sur le prie-Dieu pour paraître plus petite.

— Mon père, je m'accuse d'avoir trompé mon mari…

Le prêtre se retourna vers elle, dans la pénombre grillagée du confessionnal, tenta de l'identifier, sans succès.

— Euh… Avec qui mon enfant?

— Est-ce que c'est vraiment nécessaire de prononcer son nom puisque j'admets ma faute?

— Euh… Non… Mais…

— Je ne veux pas donner de nom. Je désire recevoir l'absolution…

— Euh… Avez-vous commis la copulation? Un acte sexuel complet?

— Oui, mon père… Une seule fois…

— Avez-vous l'intention de recommencer?

— Non, mon père. J'ai le ferme propos de ne pas recommencer…

— Bon… Bon…Vous promettez au Seigneur de ne plus vous mettre en occasion de pécher avec monsieur… Euh… Cet homme?

— Oui, mon père, je promets

— Vous direz 20 rosaires d'ici un mois…. Hum… *Ego te absolvo…*

Le temps était passé. Le secret devenait de moins en moins pénible. Si elle était certaine que Marsan tiendrait parole, elle était encore plus sûre de celle du frère Mark, homme d'une droiture exemplaire. Elle avait aussi apprécié que ce dernier n'ait jamais tenté de la contacter ou de lui écrire. Connaissant bien l'homme, elle était persuadée que sa sensibilité avait été mise à rude épreuve à la suite de son départ et continuait de l'être depuis. Dans sa prière du soir, après avoir invoqué les grâces du ciel pour Bruno et Irène, elle ajoutait une petite pensée pour le père de son enfant.

Ange-Aimée entendit frapper discrètement à sa porte. Elle regarda l'horloge: il était 4 heures du matin. Un surveillant de l'étage entra sur la pointe des pieds et la trouva dans sa chaise:

— J'ai vu votre lumière allumée… Je viens voir si tout va bien…

— Oui, tout va bien, soyez sans inquiétude. Vous savez, toutes ces célébrations, la fête du millénaire, ça m'a excitée…

— Désirez-vous un somnifère?

— Non, j'en ai… Je vais me coucher,…

— Bonne nuit, madame Trépanier…

— Merci… Bonne fin de nuit…

Ange-Aimée défit son lit et s'y coucha. Mais elle resta assise, tenant la photo de Mark Perras dans ses mains.

Peu à peu, au cours des ans, sa raison avait pris le dessus. Malgré les enseignements des prêtres, elle se disait que Dieu avait permis que son mari soit infertile et lui avait donné l'énergie de s'occuper des œuvres chrétiennes. Ce Dieu avait aussi permis que Mark Perras, homme sensible devenu frère des Écoles chrétiennes pour faire plaisir à sa mère, soit placé sur son chemin. Ce même Dieu avait permis que Bruno travaille trop et qu'elle se sente seule. Ce même Dieu avait permis que le seul acte sexuel qu'elle ait commis hors des liens du mariage porte des fruits. Ce même Dieu avait permis que le fœtus soit viable. Ce petit être était devenu enfant de Dieu, baptisé, confirmé, instruit et faisait partie de la chaîne de la vie…

Malgré la quiétude qui l'avait habitée après toutes ces années, à certains moments, elle avait été tentée de confier son secret, surtout à sa grande amie Anna. Mais chaque fois, après réflexion, elle s'en était abstenue.

Avec le recul, elle savait toutefois qu'elle avait pris la bonne décision en cachant son aventure à Bruno. Elle s'était souvent demandé d'où venait cette idée établie et acceptée par la communauté catholique à l'effet qu'il ne fallait aimer qu'une seule personne dans la vie. À son avis, cette règle restrictive venait des hommes et non de Dieu lui-même.

Une chose restait : Irène était le plus beau cadeau que Dieu lui ait fait ! La venue d'Irène lui avait permis de s'accomplir comme être humain et comme mère. Elle était devenue une meilleure épouse, appréciant, malgré sa duperie, le bonheur de son mari. Bruno avait toujours été un bon père. Eut-elle dévoilé son secret que leur vie serait devenue un enfer. Jusqu'à la mort de Bruno, il y a 20 ans, elle avait préservé leur bonheur. Ils étaient tellement fiers des succès de « leur » fille ! Autrefois jalouse des Roquemont, dont les fils étaient instruits, Ange-Aimée avait pansé cette vieille plaie d'amour-propre quand Irène s'était inscrite en médecine.

Plus tard, leur fille s'était mise à fréquenter Louis Gauvreault, de 27 ans son aîné… Dans ce passage difficile, elle avait bien failli dévoiler son secret à sa grande amie Anna. Mais elle avait encore tenu le coup…

Par la suite, l'arrivée des petits-enfants, Maggie et Stéphane, avait constitué le couronnement de leur vie de couple. Pendant plus de 4 ans, Bruno avait pu apprécier leur présence et les petits-enfants avaient profité de la sagesse de leur grand-père. Du moment où Bruno avait appris qu'il serait père jusqu'à son dernier souffle, il avait été le plus heureux des hommes. Ange-Aimée avait bien fait de persister dans son silence.

Dieu lui-même n'avait-il pas été de son côté dans toute cette aventure ? Sans cette étreinte furtive dans le chalet des frères, en 1948, ni Irène ni Maggie, ni Stéphane ne figureraient parmi ses brebis. Et tout le bien que sa fille Irène accomplissait comme médecin n'aurait jamais existé sans « leur »...

Ange-Aimée, tenant toujours dans ses mains l'image du frère Mark, le fixa du regard, composant cette prière :

« Mon Dieu, je sais que vous avez reconnu tout le bien qu'a fait Mark Perras sur cette Terre, comme religieux, comme enseignant, comme homme et que, finalement, vous l'avez déjà accueilli dans votre Paradis. Je vous rends grâce aujourd'hui de l'avoir mis sur mon chemin. Je vous remercie d'avoir permis que, par votre entremise, il soit devenu le père de ma petite Irène, et le grand-père de Maggie et de Stéphane. Si notre action a constitué un péché au sens de votre Loi, pardonnez-nous, Seigneur. De toute manière, avec tout le bien que cet homme a fait de son vivant, cette faute devrait être effacée depuis longtemps. Amen. »

Chapitre 46

Pour Charles, l'année 2000 commença sur un train d'enfer. Au début de janvier, il reçut un feu roulant de messages téléphoniques, de documents, d'avis légaux, de courriers, de courriels et de paperasses. Même pendant ses meilleures années de pratique, il n'en avait jamais été ainsi.

En premier lieu, le juge en chef de la Cour supérieure du Québec voulait fixer une date pour une conférence préparatoire dans le dossier inscrit à Val-d'Or. Un avis écrit de Me Rampling consacrait la fin des négociations en raison de l'émission des procédures judiciaires. Deux courriels urgents de Wagis. Trois messages d'Armstrong dans sa boîte vocale. Deux de Me Huot. Un de Me Hutchison. Deux de Fabiola. Enfin, signifié par huissier, un avis émis par le ministère des Terres et Forêts du Québec. Il prit connaissance de ce document en premier :

Avis d'annulation de bail

Attendu que vous détenez un bail à durée indéterminée sur un terrain de la Couronne, soit au lac Jolicœur ;

Attendu que ledit bail a été consenti à titre précaire et pour fins de villégiature seulement ;

Attendu que ledit territoire est actuellement l'objet d'une transaction éventuelle entre le gouvernement du Québec et la nation Huronne-Wendat dans le cadre de la Loi sur la revendication des territoires autochtones*;*

Attendu que ledit bail prévoit que le gouvernement peut y mettre fin à la suite d'un simple avis de 90 jours;

Attendu que ladite clause prévoit aussi que la seule indemnité à laquelle peut avoir droit le titulaire du bail est le remboursement de la valeur des bâtisses au prix indiqué à la dernière évaluation municipale:

PRENEZ DONC AVIS QUE LE GOUVERNEMENT DU QUÉBEC ENTEND, À L'EXPIRATION DE LA PÉRIODE DE 90 JOURS, SE PRÉVALOIR DE LADITE CLAUSE ET METTRE FIN À VOTRE BAIL.

Évidemment, dans cet avis, rien ne transpirait du lien entre les deux dossiers, celui des Algoncris et celui de Hurons-Wendats. Cependant, la rumeur qui courait s'avérait donc fondée. Charles n'eut pas à attendre longtemps pour en être convaincu. Il retourna l'appel de Me Huot. Celui-ci lui dit qu'il voulait le rencontrer le plus vite possible, seul à seul, sans aucun membre de son équipe, « question de réorienter le dossier dans une phase finale ».

Tel que convenu, dès le 5 janvier, ils se rencontrèrent au siège du ministère de la Justice, à Sainte-Foy. C'est là que Me Huot lui affirma que les autorités gouvernementales avaient décidé de régler les deux dossiers de front.

— Mais il n'y a pas le plus petit lien, protesta Charles.

— Au contraire, cher confrère, il y a des similitudes: il s'agit de deux communautés autochtones qui soumettent avoir des droits ancestraux hors réserve, à la suite d'occupation continue avant le contact européen. Les mêmes questions de droit et de faits sont en litige, ce qui distingue ces prétentions des nombreuses autres revendications territoriales que nous avons, par exemple, pour étendre des réserves…

Charles, qui connaissait son histoire et son droit sur le bout des doigts, constata vite que Me Huot, ainsi que ses mandants, étaient de mauvaise foi. Les Hurons, à l'époque de l'arrivée des Blancs, occupaient déjà un territoire, mais celui-ci était situé dans la région de l'un des Grands Lacs, soit le lac Huron actuel. Ce n'est qu'à la suite d'une guerre avec les Iroquois et d'autres tribus de la région des Grands Lacs, vers les années 1650, que cette peuplade avait migré près de la ville de Québec et cela, bien après le contact européen.

Me Huot ajouta :

— J'avoue que pour nous, c'est une chance. Parce que vous êtes impliqué aussi dans l'affaire du lac Jolicœur. Or, dans ce dossier, les négociations sont rendues à un point mort. Si la Couronne ne met pas dans la balance le quadrilatère comprenant le cap au nord du lac Gouat et tout le plateau entourant le lac Jolicœur, nos chances de règlement sont presque nulles. Parce qu'il ne reste plus de terrain au sud, ce sont des terres privées, et qu'au nord, ce sont des terres préservées comprises dans le Parc des Laurentides. Il nous faut absolument en prendre dans la ZEC Batiscan-Neilson…

— Si je comprends bien, il n'y a rien qui peut vous arrêter. Vous décidez donc de lier les deux dossiers.

— C'est ça !

Charles réfléchissait en homme de loi, examinant toutes les facettes du problème. Il savait bien que son implication personnelle dans un dossier le mettrait en situation de conflit d'intérêts. Si le dossier des Algoncris arrivait dans une impasse, on lui en ferait porter le blâme. Et tout cela parce que les responsables, Me Fortier, et son thuriféraire, Me Huot, trouvaient avantageux de créer un lien artificiel entre deux dossiers. Sa réflexion fut rapide. Avec son avis d'expropriation, le gouvernement n'avait pas besoin de son autorisation pour régler le contentieux avec les Hurons-Wendat. Alors, pourquoi Me Huot avait-il demandé cette rencontre préalable et en privé? Quelle idée Me Huot et son supérieur Me Fortier avaient-ils derrière la tête? Charles, voulait comprendre. Il risqua:

— En somme, si nous résumons, l'affaire des Algoncris est réglée si j'accepte volontairement de céder mon camp du Jolicœur aux Hurons-Wendats…

— On ne pourra jamais écrire ça noir sur blanc, mais c'est comme ça que nous pensons régler les deux dossiers… D'abord, le seul camp de villégiature qui se trouve dans la zone concernée vous appartient. Si jamais vous contestez notre prise de possession, ça va prendre plusieurs mois avant de se régler, ce que nous ne voulons pas…

— Et si je refuse? Que je continue devant les tribunaux avec ma preuve et que je conteste l'avis d'expropriation dans l'affaire des Hurons-Wendats?

— Ça serait une très grave erreur de votre part. Premièrement, nous allons procéder à l'expropriation de votre camp au lac Jolicœur pour nettoyer le territoire de la présence d'un non-autochtone. Puis, dans l'affaire des Algoncris, nous sommes en mesure de faire traîner encore longtemps les procédures. Ça pourra durer encore des années. Ça fait 400 ans que ces Indiens-là n'ont pas de droits reconnus, ce n'est pas 5 ans de plus qui va les faire disparaître!

Charles réfléchissait toujours. Il répliqua:

— Que vont dire les médias si, en pleine négociation avec les Algoncris, vous procédez à l'expropriation du camp du négociateur ? Ils diront que c'est une pression indue !

— À ce moment, nous allons leur démontrer que les deux dossiers fonctionnent en parallèle et qu'ils ne sont pas véritablement liés...

— Ce qui prouve bien, Me Huot, que vous êtes de mauvaise foi !

— Si vous voulez... Moi, j'ai des instructions, et c'est à prendre ou à laisser... De toute manière, si le gouvernement achète votre camp, vous deviendrez suspect dans l'opinion publique. Vous feriez tout aussi bien de vous retirer du dossier dans ce cas...

— Je vois bien qu'il y a du Fortier derrière tout ça !

Me Huot se contenta de sourire, sans répondre. Charles le quitta, à la fois déçu et outré, mais aussi avec un questionnement : « Qu'est-ce qui les portait vraiment à régler le dossier des Algoncris, puisque, au-delà du droit et des faits, ils avaient le gros bout du bâton dans les deux cas ? » À son avis, tout pouvait débloquer rapidement, parce que son ami Vincent Leclerc avait probablement raison : le gouvernement était pressé.

De retour dans sa résidence de Saint-Nicolas, Charles convoqua d'urgence une réunion de l'équipe pour le 11 janvier. Il devait absolument faire le point, en mettant tous les membres au courant de la situation. Margo et Kevin avaient reporté leur voyage de noces, non seulement en raison du dossier des Algoncris, mais aussi parce qu'ils devaient emménager dans la maison de Saint-Nicolas avant la fin de février.

Quand il eut expliqué à ses équipiers toutes les subtilités de la situation, Charles demanda s'il y avait des questions. Il y eut un long silence. À l'évidence, le dossier des Algoncris pouvait rapidement trouver son dénouement, mais à quel prix ? Et pour qui ? Armstrong parla le premier :

— Si je comprends bien, il y a un côté positif. C'est que, pour des raisons que nous ignorons vraiment, il y a une possibilité de règlement rapide et à l'amiable de notre revendication territoriale…

Wagis intervint :

— Un instant ! Il n'est pas question que nous réglions le dossier en bafouant les intérêts de Charles, qui…

Il fut interrompu à son tour par Kevin qui dit :

— Il ne faut pas prendre position sur le problème dans son ensemble. Charles a raison. Réglons les questionnements, nous verrons ensuite où nous allons…

Ce fut au tour de Margo d'intervenir :

— Je pense que la première question à résoudre est la suivante : pourquoi, tout d'un coup, le gouvernement veut-il régler le contentieux avec les Algoncris ? La seconde tient dans un mot : comment ? Et la troisième : pourquoi préconisent-ils de joindre les deux litiges ?

Charles reprit :

— Selon moi, pour répondre à la première question soulevée par Margo, je crois que l'on peut avancer plusieurs hypothèses. Ou bien nos arguments les ont convaincus, ou bien il y a autre chose que nous ignorons…

Tous se mirent d'accord pour chercher des renseignements afin de savoir si quelque chose ne se préparait pas dans le milieu autochtone ou gouvernemental. Avant de se séparer, ils discutèrent longuement. Même si ces raisons étaient éventuellement éclaircies, pourquoi le ministère reliait-il les deux dossiers ? Charles avait bien parlé à Me Leclerc et à Me Lebrun, mais il ne pouvait brûler ses sources. S'il avançait les hypothèses dont on lui avait fait part, il n'avait aucune preuve pour appuyer ses dires. Il laissa ses partenaires s'exprimer.

— Moi, je ne vois que la vengeance personnelle, dit Armstrong. Les deux dossiers n'ont aucun lien.

— Y a des centaines de revendications qui sont hors réserve, continua Wagis. C'est une vendetta de Fortier !

Kevin demanda à Charles d'expliquer encore une fois d'où provenait l'acrimonie manifeste de Fortier. Celui-ci raconta, en long et en large, leurs confrontations au fil des ans. Tout avait commencé à la fin des études universitaires. Lui, Charles, fils de bûcheron, ne faisait pas partie de la communauté juridique de Québec. Fortier, lui, provenait d'une famille de juristes reconnus dont les membres étaient, héréditairement si l'on peut dire, voués à devenir avocat, bâtonnier ou juge, quand ce n'était pas député, ministre ou mandarin de la haute fonction publique de la province. Or, Charles, au grand dam de ce cercle de privilégiés, avait remporté le concours oratoire du meilleur plaideur de la Faculté de droit. Par la suite, dans sa pratique du droit à Québec, il avait été souvent confronté à Fortier. À son souvenir, ce dernier avait mordu la poussière dans tous les cas, sauf un. Mais l'animosité avait été portée à son comble quand en 1968, dans l'affaire de *Majella Roquemont* c. *La Reine*, il avait fait récuser le juge Delage, membre d'une famille de juristes en vue de la Vieille Capitale et ami reconnu des Fortier. À la sortie de l'audience, l'avocat lui avait reproché de l'avoir ridiculisé devant sa famille et lui promit de le lui faire payer chèrement un jour. Dès le lendemain, il avait porté l'affaire en appel. Majel avait été condamné par la Cour d'appel en

1971, mais le jugement de première instance avait été rétabli par la Cour suprême en 1980. Les juges de la dernière instance avaient même été durs envers Me Fortier, en parlant de procédures abusives et de harcèlement. En fait, cet avocat avait ruminé ce dossier pendant 12 ans, y investissant une énergie considérable, pour se faire finalement rabrouer par la Cour suprême. Enfin, à titre de sous-ministre, Fortier avait piloté d'autres dossiers importants dans lesquels Charles était impliqué, et en était sorti perdant sur toute la ligne.

Les membres de l'équipe se séparèrent en se donnant rendez-vous au même endroit, le 20 janvier, décidant de garder une position de statu quo dans l'intermède, chacun menant sa petite enquête de son côté.

Jugeant qu'il en avait assez demandé à Me Lebrun et Me Leclerc, Charles joignit plutôt un collègue placé dans une situation analogue à la sienne, soit le négociateur des Hurons-Wendat, qu'il connaissait bien. Celui-ci accepta un court tête-à-tête, en soirée, dans sa résidence — à la condition expresse que tout ce dont il serait question demeure soumis au secret professionnel, y compris même la seule allégation de la tenue de ladite réunion —, ce à quoi Charles avait consenti.

Charles apprit que les Hurons, au début des négociations, n'avaient pas réclamé le bassin du lac Jolicœur. Leurs revendications portaient sur des terrains situés beaucoup plus à l'est, dans la région de Lac-Beauport. Depuis que Me Fortier avait offert de déplacer le territoire vers l'ouest, soit une parcelle englobant la montagne du lac Gouat et les promontoires du lac Jolicœur, un règlement était devenu possible. Maintenant que ce territoire avait été mis dans la balance, il n'était plus envisageable pour le gouvernement de reculer. Quant au déroulement des autres dossiers, l'avocat fit lire à Charles un entrefilet paru dans un journal régional de l'Abitibi : « Enregistrements inhabituels de *claims* sur le territoire de la Baie-James ».

— À ta place, Charles, je regarderais de ce côté-là. Puis, aussi, du côté d'Hydro-Québec ! Mes antennes me disent que les Cris s'en vont vers une réouverture de la Convention de la Baie-James. Les représentants des Premières nations se parlent, imagine-toi, hors de la présence de leurs conseillers ! Puis les nations non impliquées dans la Convention de la Baie-James, comme c'est le cas de mes clients les Hurons-Wendat, veulent « embarquer dans le même train » alors que les deux gouvernements, fédéral et provincial, sont poussés dans le dos par la grande industrie !

Chapitre 47

À la réunion suivante de l'équipe, le 20 janvier 2000, Armstrong avait glané des renseignements qui recoupaient ceux de Charles. En effet, selon un négociateur représentant des Cris, qui n'était pas Oliwash, les Américains insistaient pour obtenir plus d'électricité du Québec. Tout confirmait les renseignements confidentiels obtenus de son ami Me Leclerc. Derrière un règlement global se trouvaient les intérêts d'Hydro-Québec, des diamantaires et des politiciens. Au Québec, le Parti québécois, au pouvoir, voulait aussi s'attirer la faveur de la clientèle autochtone, pour un prochain référendum. Tout cela, avec la bénédiction du gouvernement fédéral qui s'était fait dire quelques années auparavant par le *Rapport Dussault-Erasmus*, d'accélérer le processus de négociation avec les autochtones. Des élections auraient lieu à brève échéance au niveau fédéral, dans un climat de morosité, alors que les partis politiques étaient tous plus ou moins impliqués dans des combines douteuses, découvertes après le référendum tenu au Québec en 1995. En effet, la Gendarmerie royale du Canada, à la suite de dossiers montés par certains médias, avait ouvert une enquête sur des commandites faramineuses accordées, non seulement en dépassant les coûts permis par la loi, mais sans appels d'offre, à partir de budgets occultes ou camouflés.

Dans le dossier des Hurons, Kevin avait trouvé des éléments intéressants du côté des affaires municipales. Ils conclurent que le règlement avec les Hurons-Wendats était rendu nécessaire par la volonté du nouveau gouvernement de fusionner toutes les petites villes entourant la cité de Québec. Le village huron, actuellement contenu dans les limites de Loretteville, était trop à l'étroit. Le contentieux ne pouvait plus durer.

Restait à savoir si l'offre du territoire que constituait le lac Jolicœur était réellement un règlement de compte entre Fortier et Charles. Comme il connaissait bien les territoires concernés, ce dernier dit:

— En toute objectivité, je crois que si le gouvernement veut céder une partie de territoire au nord-ouest de Wendake[1], ce devrait être celui qui trouve dans les limites de la municipalité de Saint-Gabriel-de-Valcartier et de la ZEC Batiscan-Neilson. Je ne vois pas comment il pourrait faire un saut par-dessus l'autoroute des Laurentides… En somme, à la décharge de Me Fortier, si une partie de terrain appartenant à la Couronne devait être offerte, ce devrait être la plus rapprochée, qui comprend les montagnes entourant le lac Jolicœur. En un sens, la seule faute commise par Fortier est peut-être d'avoir pris lui-même la décision, et de l'avoir sûrement prise avec beaucoup de plaisir…

Wagis constata que Charles était embarrassé de contester son expropriation du lac Jolicœur. Il alla jusqu'à lui offrir un camp sur les bords du lac Wisnac. Charles lui dit de ne pas se tracasser, qu'il allait y penser. Une réunion serait convoquée aussitôt que Charles aurait des nouvelles de Me Huot, ce qui ne saurait tarder.

---

1. Nom de la réserve indienne des Hurons-Wendat située à 12 kilomètres au nord-ouest de la ville de Québec.

~

Après avoir mûrement réfléchi, Charles invita Kevin et Margo à souper dans sa résidence de Saint-Nicolas. Il les avait consultés quand il avait pris la décision d'accepter le mandat ; il était normal qu'il les informe de la manière dont il entendait terminer l'affaire.

— Moi, je trouve que le prix à payer pour régler le dossier est trop élevé pour toi, dit Kevin. Tu as perdu des sommes considérables en ne prenant pas ta retraite, tu mènes la barque gratuitement, Margo et moi nous encaissons un petit salaire, et en plus, tu devrais renoncer à ton chalet !

— Je pense comme Kevin. À ta place, je contesterais l'expropriation en prouvant qu'elle constitue une vengeance pure et simple, ajouta Margo.

— D'abord, je dois vous dire que, en droit, mes chances de contester la prise de possession du gouvernement sont nulles. Le bail du Club Archibald et celui de Marsan étaient des titres précaires sur les terrains de la Couronne. Celui que j'ai obtenu par la suite, à titre d'héritier de Majel, était tout aussi révocable. Finalement, je me demande si c'est bien une vengeance. Fortier ne pouvait pas offrir d'autre terre. Mon but ultime est de régler l'affaire des Algoncris. Là, j'ai ma chance d'obtenir pour eux à peu près tout ce qu'ils veulent...

— Pourtant, tu as toujours été un batailleur, dit Margo.

— Margo, tu avais 3 ans quand Majel est mort en 1976, dit Charles.

— Je n'ai aucun souvenir de lui. Mais on m'en a tellement parlé.

— Quelques mois avant sa mort, il savait qu'il allait mourir. Nous lui avions fait une surprise en l'amenant au Jolicœur en avion.

— Oui. C'est une histoire bien connue dans la famille. Paul m'en avait parlé. Mais où veux-tu en venir ?

— Voilà... Majel, en repartant, savait bien qu'il ne reviendrait jamais plus à son camp. Moi, j'étais en train de remiser le canot. Je l'ai vu quand il est sorti du camp. Il s'est retourné et a regardé derrière lui un long moment. Il a marché lentement, est passé près de la *shed* à bois et a jeté un coup d'œil à l'intérieur. Puis, il s'est rendu sur le petit quai, au bout duquel l'attendait l'avion de Walsh. À ce moment, il a fait son deuil du camp.

Margo et Kevin ne disaient mot, laissant discourir Charles, nostalgique.

— Et moi, voyez-vous, je pense que j'en suis au même point. Il y a un passage obligé et je suis prêt... Le règlement du dossier des Algoncris est plus important pour moi, dans l'ordre des priorités. Je me trouve à rembourser, dans une certaine mesure, la dette de Majel aux Wagis. Puis, pour payer, je donne le camp que Majel m'a donné, dont j'ai profité pendant plus de 30 ans... L'important dans la vie, ce n'est pas vraiment l'île sur laquelle tu habites, mais plutôt celle que tu as dans la tête. Ce n'est pas vraiment la maison que tu habites, mais celle dont tu rêves. Majel et moi avons été chanceux. Pendant quelques instants de notre vie, le camp que nous avions en tête fut le même que celui que nous habitions. Mais il faut du détachement. Il faut savoir partager. Il n'y a pas assez d'îles dans le monde pour satisfaire les rêves de tous les humains.

— C'est une manière de voir... dit Margo.

— Puis, même si Fortier désire vraiment se venger, je suis beau joueur en laissant moi-même aller le morceau...

En les prenant de court avant qu'ils changent d'idée et remettent le règlement global en question. Ils pensent peut-être que je vais batailler pour garder le Jolicœur. Si le règlement avec les Algoncris venait à échouer, ils se feraient un plaisir de l'expliquer par mon intransigeance. Les décisions politiques, ça peut virer comme le vent…

— Oui, je comprends… Mais c'est dommage… déplora Kevin.

— Vous savez, selon mon expérience des négociations, la plupart des gens se disent prêts à faire des compromis. Mais quand il s'agit de concéder sur un point, ils refusent parce que ce qu'ils doivent céder en échange leur fait mal. Sans douleur, sans sacrifice, il n'y a pas de véritable compromis. Toute mort est dommage… Ma situation est tout de même moins pénible que celle d'un vieillard qui doit casser maison… Il y a un prix à payer, comme on dit, il faut ce qu'il faut, quand on veut atteindre un objectif. Alors, je crois que je vais aller dans ce sens-là…

Margo se leva et étreignit longuement Charles.

— Je pense que Majel serait fier de toi, se contenta-t-elle de dire.

Il la serra fort à son tour, en signe d'assentiment. Puis, il tourna le dos à ses invités et se réfugia dans sa chambre pour dissimuler ses yeux rougis.

Chapitre 48

Le mois de février n'était vieux que de deux jours quand Charles reçut un appel pressant de Me Huot:

— Me Hutchison du fédéral, Me Oliwah des Cris et moi-même, désirons vous rencontrer aussi tôt que possible, sans les membres de votre équipe, pour tenter un dernier rapprochement.

— Si c'est pour tenter d'en arriver à un accord, la présence de chacun de mes adjoints est justifiée.

Finalement, ils convinrent que seule une discussion préliminaire aurait lieu, et uniquement entre eux deux, parce qu'il serait question de son camp du lac Jolicœur; la suite se terminerait en plénière. La date de la rencontre fut fixée au 10 février, à Québec.

Charles avisa les membres de l'équipe. Il n'avait pas sitôt raccroché qu'il descendit au sous-sol. Il trifouilla dans ses papiers et mit la main sur ce qu'il cherchait. Il donna ensuite un premier appel, puis un second au notaire Châteauvert:

— J'aurais un petit service à vous demander... Assez urgent... Pourriez-vous me rencontrer demain à Québec? se borna-t-il à lui dire.

Le 10 février 2000, toute l'équipe fut accueillie au Parlement du Québec par les représentants gouvernementaux et celui des Cris. Comme convenu, Charles rencontra d'abord seul Me Huot.

— Voici ce que nous vous proposons: nous donnerons suite à vos principales revendications au nom des Algoncris, selon les termes que vous pourrez soumettre à votre équipe et discuter entre vous, lesquels apparaissent dans le document que je vous remets. Mais il nous faut auparavant obtenir de vous les droits immobiliers nous permettant de régler le contentieux avec les Hurons-Wendats, soit une rétrocession de votre camp du lac Jolicœur...

Charles prit bien son temps pour lire l'énumération incluse dans le projet de règlement soumis. Ensuite, il dit:

— Je vais devoir consulter mes clients et mes équipiers, mais dans l'ensemble, je suis agréablement surpris...

— Avant, il faut toutefois régler l'affaire du Jolicœur... Comme vous le savez, nous pouvons vous exproprier. Mais nous pouvons aussi offrir — selon les termes prévus en cas d'annulation du bail du terrain —, la valeur au coûtant de la bâtisse. Nous pouvons aussi acheter vos droits dans le camp à la valeur de l'évaluation municipale de Saint-Gabriel-de-Valcartier, ou à toute autre valeur reconnue se rapprochant de la valeur marchande. Mais, pour procéder rapidement, nous avions l'intention de vous offrir...

— Ça ne sera pas nécessaire, intervint Charles. Gardez votre offre pour vous. Le camp ne m'appartient plus. Je l'ai donné par acte notarié en bonne et due forme, hier!

Son interlocuteur devint cramoisi.

— Mais pourquoi avez-vous fait ça? Vous voulez finasser, Me Roquemont, mais dans ce cas-là, vous remettez tout le règlement des Algoncris en cause! s'écria Huot, excédé.

Charles sortit un acte notarié de sa mallette et le lui remit. Il dit:

— Non, ça n'empêchera pas le règlement. Voyez le nom du donataire. C'est Joseph Picard, le père de Wenceslas Picard, l'actuel chef de bande des Hurons-Wendats. Cet homme a toujours été un ami de mon père. Ils ont fait plusieurs voyages d'arpentage ensemble et sont toujours restés de bons amis. Il est âgé de 90 ans et est encore en pleine forme. Vous allez sauver du temps et ça ne vous coûtera rien!

— Mais…

— Ça ne change rien pour vous, le territoire sous le camp va passer aux Hurons d'ici quelque temps… Il n'y aura plus de Blancs sur le territoire du lac Jolicœur!

— Qu'est-ce qui vous a poussé à faire ce don?

— Pour rien au monde je ne voulais que Fortier me chasse de ce territoire-là. Je suis assez grand pour quitter mon camp seul…

— Mais… Vous avez raison, tout peut se régler quand même. Et sans conflit. Rien ne filtrera dans les médias de ce qui aurait pu être considéré comme une chicane, ou une…

— Une vengeance, vouliez-vous dire?

— Non. Disons, un contentieux entre…

— Avez-vous remarqué? Il y a aussi quelques conditions inscrites sur le contrat de donation…

Me Huot prit la peine de lire toutes les clauses de l'acte tel que colligé par le notaire Châteauvert et signé par Joseph Picard. Il vit la clause permettant au donateur de continuer à habiter le camp jusqu'à l'été 2000 exclusivement, et celle concernant le nom «Peter», désignation de l'île située devant le camp. Quant au sentier débutant au lac Gouat pour rejoindre le lac Jolicœur, il devrait porter la désignation « Le sentier des Roquemont ».

— Aucune de ces conditions ne fait problème, reprit Me Huot. Nous pouvons nous engager à recommander ces noms à la Commission de toponymie.

— C'est bien ce que je croyais aussi, répondit Charles.

Me Huot se leva et, presque admiratif, il serra la main de Charles.

— Vous réussirez toujours à me surprendre, cher confrère ! Euh... Je pense que nous pouvons maintenant passer à la seconde étape.

— Certainement, dit Charles. Tentons d'en finir avec l'affaire des Algoncris. Donnez-moi une heure avec mon groupe de travail et nous ferons une plénière.

D'entrée de jeu, Charles expliqua à Margo, Kevin, Wagis et Armstrong de quelle manière il avait réglé la question de son camp. Devant leur malaise, il sentit le besoin de les rassurer :

— Selon le bail, ils n'avaient qu'à m'offrir le coût de construction initial. À l'époque, le camp, fait en bois rond pris sur place, avait coûté à peine 200 $. Même s'il vaut beaucoup pour moi, ce camp n'a presque aucune valeur marchande. Il n'y a pas de fondation, les billes du bas commencent à pourrir... L'évaluation municipale s'élève à quelques milliers de dollars seulement. En somme, j'ai rendu Joseph Picard très heureux... Vous auriez dû voir son sourire... Et puis, j'aime mieux passer pour un Père Noël que pour un martyr... Enfin, je n'aurai pas laissé à Fortier le plaisir d'obtenir contre moi un avis d'expulsion !

Les grandes lignes du projet d'entente soumis aux Algoncris satisfaisaient, à peu de choses près, aux demandes formulées par Charles dans les procédures judiciaires. Bien entendu, la première condition stipulait que les procédures devaient être abandonnées et que les sommes faramineuses de plusieurs centaines de millions ne seraient pas accordées, celles-ci devant être remplacées en partie par les droits élargis et perpétuels qu'on reconnaissait aux Algoncris dans l'entente. Par ailleurs, aucune admission n'était faite du prétendu traité intervenu entre Des Groseilliers et les Algoncris, ni d'un titre ayant pu être émis par Vaudreuil.

En résumé, les gouvernements reconnaissaient que les Algoncris constituaient une communauté autochtone spécifique dont les racines provenaient des Algonquins et des Cris ; que le territoire revendiqué, connu sous le nom de Wisnac — bien indiqué sur une carte topographique qui référait aux bornes des arpenteurs —, avait été occupé et exploité par leurs ancêtres avant le contact avec les Européens ; que cette communauté possédait des droits ancestraux sur la propriété et la possession du sol, du sous-sol et que lesdits droits comprenaient une exploitation moderne et n'étaient pas limités aux seuls usages anciens ; que ladite entente constituait une modification additionnelle à la Convention de la Baie-James et du Nord québécois, et les droits qui y étaient mentionnés équivalaient, à tout le moins, à ceux reconnus sur des terrains dits « réservés » au sens de la convention précitée ; qu'il était admis que les droits énumérés par ladite convention étaient exceptionnellement plus étendus que ceux des communautés cries signataires de la Convention de la Baie-James, en ce qu'ils n'avaient fait l'objet d'aucune renonciation de droits ancestraux ; que le ministère québécois des Affaires municipales verrait à considérer ladite enclave comme un territoire ayant les droits et pouvoirs d'une corporation municipale, incluant celui de bénéficier des subventions gouvernementales reconnues à de telles entités; que le gouvernement du Québec et le gouvernement du Canada s'engageaient, à l'intérieur d'une période de 5 ans, à contribuer aux infrastructures routières et municipales, incluant les domaines de la santé et de l'éducation, dans une proportion de 95 %; enfin, que la présente entente s'inscrivait dans un plan devant conduire à un consensus avec tous les peuples autochtones et les autres occupants du territoire québécois, appelé « La Paix des Braves », qui devait mener, pour toutes les nations et communautés autochtones signataires, à des négociations favorisant le développement économique de toute cette partie du pays en tenant compte du partage de la richesse.

Les membres de l'équipe se retirèrent dans une salle. Après discussion, il fut décidé que les clauses proposées étaient acceptables. Cependant, des montants d'argent devaient être précisés quant aux investissements à venir des gouvernements, et un pourcentage minimum inscrit quant au partage des droits provenant de l'utilisation des richesses naturelles. Aussi, advenant que ladite entente soit cassée par une cour de justice, il devait être pris pour acquis que les Algoncris n'avaient pas renoncé à invoquer de nouveau aucune de leurs prétentions.

En après-midi, la plénière eut lieu. Parlant au nom de l'équipe des Algoncris, Charles déclara que la proposition soumise devait être modifiée au niveau des pouvoirs de la corporation municipale de Wisnac, à être constituée par loi spéciale. Celle-ci devrait, en plus de jouir des pouvoirs inhérents à une réserve au sens de la loi sur les Indiens, posséder le pouvoir de se créer une fiducie permettant d'effectuer des prêts d'argent aux Algoncris et même, à son choix, d'endosser les débiteurs algoncris auprès des institutions financières, au niveau des hypothèques immobilières ou mobilières. Ces dispositions régleraient un contentieux de plusieurs centaines d'années allouant aux Algoncris le droit d'être propriétaires de leurs biens sur la réserve ou hors réserve, soit de manière individuelle, soit à partir de la notion de clan familial. Un corps de police autochtone serait créé pour gérer la municipalité-réserve ; les lois criminelles et civiles du Québec devraient toutefois être respectées, et toute réglementation passée par cette nouvelle institution devrait respecter les Chartes des droits et liberté du Canada et du Québec. Le conseil de bande, aussi conseil municipal, gérerait l'enseignement primaire et secondaire, faisant office de commission scolaire au sens québécois du terme. L'enseignement de la langue algoncrie serait assuré au primaire, le français au secondaire et l'anglais à partir du 3e secondaire. Quant au droit de liberté des religions, il serait respecté, les gouvernements reconnaissant cependant que « la pensée et les coutumes autochtones de l'enseignement traditionnel des Algoncris » feraient partie obligatoire de l'enseignement au niveau primaire, nonobstant toute loi ou tout règlement fédéral ou provincial au contraire. Le système de santé du Québec serait intégralement appliqué à la réserve-municipalité de Wisnac, un centre local des services sociaux-hôpital devant être construit à l'intérieur d'une période de 2 ans, avec la présence de 4 médecins en permanence. Un centre de la protection de la jeunesse desservant le territoire devrait être établi à l'intérieur d'une période de 2 ans. Un centre d'hébergement pour vieillards devrait aussi y être construit à l'intérieur d'une période de 3 ans. Les 250 kilomètres de route menant à Matagami devraient être pavés à l'intérieur d'une période de 4 ans. Quant au petit aéroport, le gouvernement fédéral s'engageait à ce qu'il rencontre les normes applicables aux pistes d'atterrissage régionales — permettant, entre autres, à l'avion-ambulance gouvernemental d'atterrir —, et comprenne la construction de bâtiments appropriés pour accueillir les voyageurs. L'aéroport devrait être desservi par Air Creebec au moins une fois par semaine. Hydro-Québec s'engageait à mettre en place les infrastructures conduisant l'électricité à toutes les habitations se trouvant à 5 kilomètres, à vol d'oiseau, des rives du lac Wisnac. Charles réclama aussi que les sommes d'investissements des gouvernements à l'intérieur d'une période de 10 ans atteignent 75 millions de $ et que les revenus provenant des richesses naturelles de toute nature soient redistribués dans la communauté, à un niveau équivalent à 70 % des revenus nets.

En fin de journée, l'adhésion de toutes les parties en cause fut faite à partir des modifications proposées par Charles, à l'exception de quelques mesures monétaires qui furent modifiées. Tous les pouvoirs additionnels et exceptionnels accordés à la future corporation municipale-réserve de Wisnac étaient acceptés. Les deux paliers de gouvernement acceptaient de souscrire conjointement et solidairement une somme de 60 millions en 15 ans, et les revenus nets des ressources naturelles, après le paiement des permis et taxes, devaient revenir aux Algoncris dans une proportion de 60 %. Pour la suite des choses, la Convention de la Baie-James ne pourrait plus être modifiée, à moins que les Algoncris ne soient consultés, au même titre que les 12 autres communautés déjà reconnues. Quant au négociateur des Cris, constatant que ce règlement bonifiait les droits reliés à la Convention de la Baie-James sur une partie du territoire conventionné, sans atteinte aux droits existants en faveur des autres communautés représentées, il ne mit aucune difficulté à soumettre intégralement le tout à ses mandants. De leur côté, les deux gouvernements se portaient garants que les signatures requises de la part de la SEBJ[1] et d'Hydro-Québec seraient obtenues dans les délais requis.

Par contre, des difficultés pouvaient encore survenir relativement aux courts délais d'approbation imposés par les gouvernements. Malgré plusieurs demandes de la part de Me Roquemont, les négociateurs gouvernementaux furent intraitables et ne fournirent même pas la moindre explication sur leur empressement à obtenir si rapidement tous les consentements requis.

Me Huot, porte-parole de son collègue représentant le gouvernement d'Ottawa, ajouta d'un ton qui n'admettait aucune réplique :

— Nous avons vérifié avec toutes les parties impliquées, incluant le Grand Conseil des Cris et l'Assemblée des Premières nations, qui ont des réunions prévues d'ici 15 jours, et l'échéancier suivant doit être respecté car il fait partie inhérente des conditions essentielles de notre offre conjointe : 1-approbation majoritaire de la population des Algoncris habitant Wisnac à la suite d'une assemblée publique avant le 20 février ; 2-approbation du Grand Conseil des Cris avant le 22 février ; 3-approbation de l'Assemblée des Premières nations avant le 24 février ; 4-approbation de la SEBJ et d'Hydro-Québec avant le 25 février ; 5-dépôt de toutes ces signatures devant le Conseil du Trésor, au Parlement du Québec au plus tard le 27 février ; 6-soumission du dossier complet au Conseil des ministres conjoint du gouvernement du Québec et de

1. Société d'énergie de la Baie-James.

celui d'Ottawa, qui doit avoir lieu exceptionnellement à Québec le mercredi 1er mars ; 7-les décrets respectifs des deux gouvernements seront émis en date du 3 mars 2000 ; 8-Il sera procédé à une signature officielle de tous les documents afférents à cette entente, avec décrets portant les sceaux requis le 9 mars, au Parlement du Québec, en présence des médias.

Charles dut tenir un conciliabule avec Wagis et Armstrong. Ceux-ci lui affirmèrent sans ambages qu'il était facile pour les Algoncris de respecter le délai de signature, car la population de Wisnac était homogène, facile à rejoindre, surtout à cette époque de l'année où tous les lacs étaient gelés.

Quand Charles revint dans la grande salle de réunion, il arborait un large sourire. Me Huot fit donc signe aux secrétaires de compléter les documents qui avaient déjà été rédigés dans leur ensemble, et corrigés au fur et à mesure des négociations. Toutes les parties présentes signèrent les avant-documents conditionnels qui auraient force de traité quand tous les intervenants auraient signé et que le tout aurait été entériné par des décrets gouvernementaux.

Au terme de cette réunion historique, les membres de l'équipe n'eurent pas le temps de pavoiser, car le temps pressait pour organiser la réunion de consultation publique à Wisnac. Une seule tempête de neige de plusieurs jours risquait de tout faire échouer. Kevin et Margo reconduisirent immédiatement Wagis et Armstrong à l'aéroport.

Chapitre 49

Dès le lendemain de l'acceptation de l'entente de principe, Charles se rendit à Saint-Raymond. Sans s'arrêter voir Anna, il emprunta le pont Tessier et fila directement au fond du rang du Nord. En arrivant devant la maison de ses grands-parents, maintenant propriété d'Isabelle, il vit que la pancarte « à vendre » était encore fichée dans la neige devant la façade. Isabelle, à sa fenêtre, vit avec étonnement Charles descendre de son véhicule, monter sur le banc de neige et arracher l'affiche.

Entrant dans la maison en coup de vent, Charles lui dit :

— Isabelle, votre maison est encore à vendre ?

— Oui, mais ça va être difficile si on laisse pas l'annonce…

— Plus besoin de pancarte, j'ai un acheteur !

— Par la bonne sainte Vierge ! Mais… Mais… C'est qui ?

— C'est moi… Si vous ne demandez pas trop cher… Et à certaines conditions…

Isabelle, surprise, porta ses mains à sa poitrine. Charles la fit s'asseoir. Puis il lui raconta les derniers événements survenus dans sa vie. Il n'avait plus de chalet. Son mandat était terminé. Il avait loué sa maison de Saint-Nicolas à Margo et à Kevin. Il voulait s'occuper davantage d'Anna.

À chacune de ses visites au foyer, il la voyait pleurer d'ennui.

Il voulait connaître les intentions d'Isabelle après la vente de sa maison. Où allait-elle aller ? Avait-elle réservé une place au Centre d'hébergement de Saint-Raymond ? Ou ailleurs ? Est-ce qu'elle vendait parce qu'elle n'aimait pas la solitude, vivait dans l'insécurité ? Ou bien était-ce l'entretien qui lui pesait ? Était-elle vraiment prête à vendre et à partir ?

— Il y a un peu de tout ça, dit-elle. Je me sens pas vraiment en sécurité toute seule dans cette grande maison-là. Si Conrad venait vivre ici, je resterais. J'en ai parlé à mes enfants, et ils ne peuvent pas revenir dans le rang du Nord. Je les comprends. J'ai 86 ans et je suis en bonne santé. J'ai encore toutes mes petites affaires dans les chambres, mes souvenirs... Pis j'ai pas de place réservée au foyer. J'attendais de vendre la maison avant... Si y avait du monde, un homme pour l'entretien... J'aimerais mieux rester ici, ça, c'est certain... Toi, Charles, si tu veux acheter, est-ce que...

Charles l'interrompit.

— Ça me fait plaisir, ma tante, d'entendre ça. J'aimerais vous proposer quelque chose. Je ne sais pas si vous allez être d'accord...

— Parle, on peut toujours voir...

— Je ne veux pas que vous acceptiez de force ou tout simplement pour me faire plaisir... Vous savez... C'est délicat... Puis, j'ai bien réfléchi à mon affaire, j'aurais certaines conditions... Bon... Vous entendez-vous bien avec Anna ?

— Bien oui. C'est ma meilleure amie, finalement. Mais c'est pas clair, ton affaire... Dis-moi ce que t'as dans l'idée...

— Voilà… Si j'achetais la maison et que je venais vivre ici, accepteriez-vous que maman vienne vivre avec nous ?

Charles savait bien que le défi était de taille. Était-elle prête à vivre avec une femme du même âge qu'elle et dont la mobilité allait en diminuant ? Isabelle se leva d'un bond et s'approcha de Charles :

— Tu sais pas comment je serais heureuse ! J'y avais déjà pensé de la prendre avec moi, mais toute seule, ç'avait pas de bon sens. Mais si tu étais là !

Isabelle pleura dans les bras de Charles. Il la laissa faire, longuement. Puis elle reprit :

— Tu sais, rien de meilleur ne pourrait m'arriver ! Tu comprends, j'ai pas été gâtée par la vie. Mon Joseph m'a toujours donné du trouble. Pis avec les enfants, ça n'a pas toujours été facile… Pis là, quand je vais voir mon mari à l'Hôpital des Anciens Combattants, y me reconnaît pas… Les docteurs disent que ça peut durer des années…

— Pensez-vous qu'Anna serait d'accord de venir ici ?

— Ça, j'en suis certaine. Même si elle marche avec une canne, elle est encore solide. Son fauteuil roulant, on ne s'en sert que lors des grandes sorties qui peuvent la fatiguer. Le plus important, pour moi, c'est qu'elle a encore toute sa tête… Pis la maison a été modifiée pour mon mari. Même si son cas s'aggrave, il n'y a pas d'obstacles entre les appartements, puis nous avons une rampe d'entrée. Il y a aussi le bain adapté…

— Je ferais poser un système d'alarme. Comme ça, vous ne seriez pas inquiètes lors de mes absences. En plus, je pourrais vous fournir des bracelets avertisseurs en liaison avec un service médical. Sans compter que je pourrais engager une bonne qui viendrait aussi souvent qu'il le faudrait, à tous les jours si vous voulez !

— Mais que t'es bon pour moi, mon Charles! C'est comme si le Bon Dieu voulait commencer à me gâter à la vieillesse! Et moi qui pensais qu'y m'avait oubliée...

Après le repas de midi, Charles et Isabelle discutèrent longuement de tous les points d'une entente qui interviendrait si Anna consentait à venir habiter avec eux. Ils fixèrent d'abord un prix de vente, que Charles payerait comptant. Le contrat prévoyait aussi un droit d'habitation pour Isabelle, garanti jusqu'à sa mort. Les appartements du rez-de-chaussée avaient déjà été divisés au temps où Victoria avait accueilli Isabelle et son mari, après la mort de Wilbrod. Il était entendu que Charles occuperait la partie autrefois réservée à Victoria, alors que les deux femmes occuperaient l'autre.

Puis Charles prit la peine de lire les vieux titres de propriété qu'Isabelle conservait dans une boîte en fer blanc, sous l'ancien lit de pépère Moisan. Il voulait vérifier un petit détail, par curiosité.

— Oui, dit-il à Isabelle, l'île Robinson fait bien partie du domaine!

— On va mettre dans le contrat: «incluant la petite cabane en pitounes ci-dessus construite, mais sans garantie contre les vices cachés...», ajouta Isabelle en riant.

En milieu d'après-midi, Charles rendit visite à Anna. La discussion ne fut pas longue, mais chargée d'émotion. Il lui apprit qu'il allait se porter acquéreur de la maison ancestrale appartenant à la tante Isabelle. Celle-ci conservait un droit d'habitation et acceptait de la recevoir si elle le désirait. Quant à lui, il occuperait les pièces autrefois réservées à Victoria.

Pour toute réponse, Anna serra longuement son fils dans ses bras, pleurant en silence. Elle réussit finalement à dire, encore toute bouleversée:

— J'veux pas te faire de peine, mais j'pense qu'on va être mieux dans le rang du Nord, dans la vieille maison bâtie par les Moisan, que dans ta belle maison neuve de Saint-Nicolas. Tu sais, ça nous ressemble plus, pis j'vas m'sentir chez nous…

Charles était pressé de conclure l'affaire. Il prit sa mallette contenant les titres d'Isabelle et dit à Anna qu'il se rendait immédiatement chez le notaire Châteauvert.

À peine son fils avait-il fermé la porte de la chambre qu'Anna, oubliant même de prendre sa canne, se mit à trottiner dans la pièce pour préparer ses bagages!

Charles avait promis d'aider Kevin et Margo à déménager dès que le dossier des Algoncris leur fournirait une accalmie. En revenant vers Québec, il passa par leur appartement du Quartier latin où il les trouva justement en train d'empaqueter des vêtements.

— Quel bon vent t'amène? demanda Kevin. Tu viens nous aider à déménager?

— Non, j'ai une affaire importante.

Margo, inquiète, s'alarma.

— Qu'est-ce qui se passe, Charles?

— Il y a un changement de programme…

— Où ça? Les Algoncris? Il y a du nouveau?

— Non, c'est pas ça. C'est pour le déménagement. Je…

Kevin sentit un instant ses jambes flageoler. Se pouvait-il que Charles ait changé soudainement d'idée? Margo détecta cette angoisse dans le regard de son compagnon.

— Ça ne marche plus ? Qu'est-ce qui ne va pas ?

— Assoyons-nous, je veux vous parler de choses sérieuses…

Charles leur expliqua la transaction qu'il s'apprêtait à passer. L'achat de la maison du rang du Nord. Son déménagement. Celui d'Anna. Comme il n'avait plus de camp, il pouvait avoir une maison secondaire. Mais il avait aussi pensé à autre chose. Sa maison de Saint-Nicolas était trop grande pour lui. Si eux ne l'avaient pas louée, il l'aurait mise en vente.

— Alors ? demandèrent Kevin et Margo presqu'en chœur.

— Alors, j'aimerais vous la vendre…

— Mais on n'a pas de travail. Et pas d'argent. On ne peut pas voir le jour où on pourra se payer une résidence de cette valeur-là… *We just cannot afford it*[1] ! dit Kevin, qui passait à l'anglais quand il était troublé.

— Mais je vous ferais d'excellentes conditions, dit Charles.

— La maison est bien trop grosse pour nos moyens, Charles, on ne sera pas capable…

— Attendez de voir mes conditions…

— Dis toujours…

— Une location-achat. Le loyer actuel, tel que prévu… Puis vous entretenez la maison et chaque versement sera considéré comme un acompte sur le prix total convenu. Pas d'intérêts…

— Mais qu'est-ce qui arrivera si on n'est plus capables de payer ?

— On verra ça à ce moment-là. Mais ça risque peu de se produire. Et puis, on peut mettre fin au contrat

---

1. On n'en a pas les moyens !

n'importe quand. Vous ne serez pas obligés de continuer à payer. On mettra fin au contrat. Vous aurez payé un loyer, sans obligation d'achat. Voilà tout…

— Pourquoi fais-tu ça, Charles? demanda Kevin. Tu n'es pas obligé de nous faire la charité.

— Écoutez. Je n'ai pas d'enfant. J'ai des économies suffisantes pour payer comptant l'achat de la maison d'Isabelle. Je n'ai pas d'autres obligations. Je vais retirer mes rentes du Québec, ma caisse de retraite des enseignants de l'université. J'ai des droits d'auteur. Puis, dans quelques années, je vais toucher ma pension de vieillesse du fédéral. Je ne suis pas à plaindre, comme vous voyez… Pensez-y et, dans quelques semaines, nous nous entendrons sur un prix de vente et on signera les papiers. Sinon, on fera juste un bail de 2 ans au prix actuel…

Toutes ces discussions réveillèrent le petit Peter, qui se mit à pleurer. Margo alla le chercher et Charles le prit dans ses bras.

Kevin et Margo étaient rassurés. Il fut décidé qu'ils entreraient dans la maison de Saint-Nicolas dès le lundi suivant et qu'ils discuteraient alors d'un prix d'acquisition sous forme de location-achat.

Chapitre 50

Le 18 février, Wagis, qui était toujours à Wisnac, appela Charles :

— Tout a fonctionné comme prévu. Sur les 1500 habitants de Wisnac, 1200 sont venus voter au centre communautaire. Le résultat, en faveur de l'accord, comme il fallait s'y attendre, a été de 1100 pour et 80 contre, avec quelques bulletins annulés.

— Bravo pour cet excellent travail !

— Le résultat a été authentifié par le conseil de bande. Puis le document a été expédié par avion. Il devrait parvenir au Conseil du Trésor demain matin.

— As-tu des nouvelles du Grand Conseil des Cris ?

— Oui, Oliwash m'a affirmé que sa réunion avait eu lieu immédiatement après avoir pris connaissance du document d'authentification du scrutin par notre bande et que le tout avait aussi été expédié par messager spécial à Québec.

— Et l'Assemblée des Premières nations ?

— Le vote passe au Conseil demain et sera aussi expédié par avion.

— Excellent. De mon côté, je vérifie auprès de Me Huot si les autres signatures et autorisations sont en route.

Le 25 février, Charles conversa avec Me Huot. Celui-ci lui confirma par télécopieur que les signatures et documents de tous les intervenants étaient parvenus au Conseil du Trésor tel que prévu, avant la date limite du 27 février. Puis il rappela Charles :

— Le secrétariat du Conseil du Trésor a donc le temps de préparer le dossier complet pour la réunion conjointe des ministres fédéraux et provinciaux, qui doit avoir lieu mercredi prochain, le 1er mars.

— Avons-nous des mouvements à faire ensuite ? demanda Charles.

— Non, même si les décrets ne sont pas encore émis, évidemment, nos envois de cartons d'invitation aux participants vont être livrés. Tu recevras le tien d'ici quelques jours. La date officielle de signature est, tel que convenu, le 9 mars.

— Alors, on se revoit le 9 mars au Parlement ?

— C'est bien ça. Au revoir, cher confrère.

— À bientôt, dit Charles.

Comme Charles avait quelques jours de répit, il en profita pour déménager et remplir toutes ses promesses. En effet, depuis quelques jours déjà, Anna avait emménagé dans le rang du Nord. Sa mère possédait une garde-robe réduite et quelques papiers, albums de photos et bibelots ; un simple voyage en automobile avait suffi. Le seul objet encombrant à transporter avait été son vieux moulin à coudre Singer.

— Dès que je serai entré avec mes hardes et linges, avait-il pompeusement déclaré à ses nouvelles colocataires, nous allons pendre la crémaillère et, tenez-vous bien, c'est moi qui ferai la cuisine !

De son côté, le déménagement avait été plus important. S'il était très ému de se départir de sa maison, il savait qu'il serait toujours bien accueilli par Margo et Kevin s'il lui prenait l'envie de revoir un coucher de soleil, dans le cadre grandiose de la baie de Sainte-Croix, sur le fleuve Saint-Laurent. Ceux-ci, qui avaient déjà commencé à apporter leurs effets dans la maison de Saint-Nicolas, l'aidèrent à préparer les siens.

Charles décida de jeter tout ce qui ne pourrait pas profiter au jeune couple et qui ne lui serait plus d'aucune utilité. Le comptoir Emmaüs recueillit les biens qui avaient encore une certaine valeur. Dans un vieux coffre de bois ayant appartenu à Wilbrod, il déposa précieusement différents objets hétéroclites. On y trouvait évidemment les papiers de famille, le cahier rouge de Majel, sa correspondance avec Zotique, quelques albums de photos et la vieille toquante de pépère Moisan que lui avait remis William Wagis. Dans une vieille valise qu'il gardait depuis son séjour au pensionnat, il mit l'imposante et lourde poulie de Majel, un crochet à pitounes qui lui avait appartenu, ainsi que le manchon d'un aviron cassé, vestige de l'expédition d'arpentage où Ti-Coq Veilleux avait trouvé la mort. Mais il laissa sur la tablette du foyer le petit cheval « gossé » par Magnusen :

— C'est pour Peter, dit-il, nostalgique. Vous lui raconterez d'où il vient, ajouta-t-il en passant la main une dernière fois sur l'objet de bois rouge défraîchi. Puis, délicatement, il déposa dans les mains de Kevin la collection de timbres reçue de Zotique :

— J'étais adolescent quand il me l'a donnée, après la mort de sa femme et de ses enfants. Il y a là-dedans des timbres de grande valeur qui remontent au début de la Confédération. Elle sera pour mon filleul. Vous lui remettrez quand il aura l'âge.

Il apporta avec lui une sorte de sculpture collée sur une feuille de *masonite*, sans valeur apparente, représentant un orignal. Il leur expliqua :

— C'est une pièce qui a été faite par Majel, après son accident, quand il était au centre de réadaptation. Elle me rappelle son courage, lui qui ne lâchait jamais…

Charles avait annoncé son arrivée à Anna et à Isabelle. Quand l'utilitaire, avec sa remorque à la traîne, monta la pente conduisant à la maison d'Isabelle, les deux femmes guettaient sa venue par la fenêtre depuis longtemps. Elles avaient le cœur en fête et s'étaient fait toute une joie de préparer un plantureux repas, incluant un gâteau constellé de chandelles pour souligner l'événement. Ce soir-là, les lumières restèrent allumées plus tard qu'à l'accoutumée dans la maison ancestrale.

Le lendemain, le reste de ses effets arriva par camion. Même s'il n'avait pratiquement pas de meubles, un camion de grosseur moyenne s'était avéré nécessaire pour convoyer sa seule bibliothèque et ses 18 caisses de livres ; il y avait aussi quelques tableaux de grand gabarit destinés à enjoliver les murs de son nouveau refuge. Ses vêtements remplirent les garde-robes de trois chambres, sans compter quelques coffres additionnels qui prirent le chemin du sous-sol. Mais les deux femmes furent surprises de voir une grande boîte qui ne contenait que des accessoires de toilette et du linge de femme…

Une fois ses affaires rangées, Charles se dit prêt à faire la cuisine.

Après avoir servi à Isabelle et à Anna un café au lit, décaféiné, à cause de leur âge, il les avait invitées à la cuisine pour le petit déjeuner.

Ni Isabelle ni Anna n'étaient habituées à se faire servir au lit; ne voulant pas offenser leur «cuisinier», elles n'avaient pas osé lui avouer que son café était un infâme jus de chaussette.

— Vous avez deux choix de menu, soit du blé poffé à la grand-mère ou du gruau de pensionnat avec mottons!

— As-tu du gruau sans mottons? demanda Anna.

— Non, je n'ai pas été capable de les enlever… Mais je peux le passer au mélangeur…

— Je vais prendre du blé poffé, dans ce cas, dit Anna.

— Moi itou, dit à son tour Isabelle.

Il fit flotter dans leurs assiettes à soupe, sans sucre, les grains de blé soufflé dans du lait écrémé et leur servit le tout en disant:

— Tiens, maman, c'est ça que tu nous servais quand nous étions enfants!

Les deux femmes se mirent à rire de bon cœur. Lui-même, pour s'encourager, avait pris de son gruau «avec mottons». Aucune des deux locataires n'avait rechigné, même si, pendant la matinée, elles eurent faim vers 10 heures. Mais Charles leur avait juré qu'il ferait les trois repas et ne démordait pas de sa promesse.

Le dîner débuta avec une soupe Lipton, et des biscuits au soda Christie, sans sel. Comme il n'avait pas vérifié le nombre de portions d'eau qu'il devait ajouter au sachet, les nouilles se trouvèrent clairsemées dans les assiettes. Les deux femmes étaient surprises de constater que Charles mangeait « santé », celui-ci ayant volontairement laissé le beurrier au réfrigérateur. Isabelle et Anna, n'en pouvant plus, pouffèrent de rire ! Elles étaient si heureuses d'être là, ensemble, servies par l'homme de la maison, qu'elles étaient littéralement transportées de joie. Bientôt leur rire devint incontrôlable, et Charles, gagné par l'euphorie ambiante, dut se lever en vitesse pour aller chercher un verre d'eau à Anna qui s'étouffait.

En guise de plat principal, il leur servit une assiette de belles *beans* brunes sorties directement d'une conserve de marque Clark, avec une tranche de pain blanc provenant d'une paire de fesses achetée au boulanger du village. Au dessert, elles purent se régaler de biscuits Feuille d'érable, avec du sucre à l'intérieur, qu'elles noyèrent dans un thé vert.

Pour le souper, il s'offrit le luxe d'ouvrir une conserve de soupe aux pois Habitant ornée de la mention « à la mode de nos grands-mères » ; comme plat de résistance, un épais ragoût de boulettes Cordon Bleu avec sauce brune et pommes de terre rondes. Le slogan sur la conserve spécifiait cette fois « recette des chantiers d'autrefois »... Pour le dessert, il leur servit une autre tranche épaisse provenant de la paire de fesses, nappée de sirop d'érable et de lait écrémé, plus évidemment pour la couleur que pour le goût, présentant le tout sous l'étiquette « nouvelle cuisine » !

La journée se passa dans les rires et les boutades aux dépens du « chef Charles » et de son « originalité »... L'apothéose fut atteinte avec une bouteille de vin trouvée dans la sellerie pour accompagner le repas du soir. Personne ne se préoccupa de l'étiquette, à peine lisible, il est vrai : *Vin de gadelles, Moisan 1933*. Invitée à goûter, Anna avait craché la mixture, virée depuis des lustres au vinaigre !

Qu'à cela ne tienne, un Postum sans sucre lui fit vite passer ce mauvais goût.

Cette nuit-là, Isabelle et Anna eurent du mal à dormir, encore toutes excitées par leur journée gastronomique. De son côté, Charles, bien repu, satisfait de sa prestation de célibataire, dormit comme un prince, « dans ses appartements privés ».

Chapitre 51

Puis arriva le jour tant attendu de la signature officielle de ce que les historiens appelleraient un jour « le traité de Wisnac », treizième amendement à la Convention de la Baie-James. En date du 9 mars 2000, dans le Salon rouge du Parlement du Québec, étaient donc réunies de nombreuses sommités du monde de la politique et du milieu autochtone.

Du gouvernement central, on pouvait voir la gouverneure générale du Canada, le premier ministre du Canada, plusieurs ministres fédéraux, dont celui de la Justice et des Affaires autochtones, Me Hutchison, le négociateur du gouvernement fédéral, et plusieurs autres dignitaires impliqués de près ou de loin dans les négociations.

Du gouvernement provincial, on distinguait la lieutenant-gouverneure, le premier ministre du Québec, le ministre de la Justice, le ministre des Affaires municipales, le ministre des Affaires intergouvernementales, Me Fortier, le sous-ministre de la Justice, Me Huot, le négociateur provincial, et plusieurs autres personnages importants, dont les présidents de la SEBJ et d'Hydro-Québec.

Du monde autochtone, il y avait le président de l'Assemblée des Premières nations, le chef du Grand Conseil des Cris, le grand chef des Algonquins, Me Oliwash, le négociateur attitré des Cris, le chef du Grand Conseil des

Attikamecs, le chef du Conseil des Montagnais, le chef du Conseil des Innus, le chef du Nunavit, Armstrong, le chef de la bande des Algoncris, les huit autres membres du Conseil, Wagis, le négociateur-associé et conseiller technique, ainsi que Charles, Margo et Kevin.

Plusieurs autres personnalités prestigieuses furent également présentées par le président de la cérémonie, dont Me Rampling, conciliateur chevronné, de même qu'un avocat américain noir, représentant la Commission des peuples autochtones, délégué pour la circonstance.

Les milieux juridique, judiciaire et universitaire étaient aussi représentés. La liste était longue, à commencer par le juge en chef de la Cour supérieure du Québec et celui de la Cour d'appel du Québec. La présence la plus remarquée était celle de l'honorable juge Dussault, qui avait coprésidé la dernière commission d'enquête sur les peuples autochtones. On comptait aussi le bâtonnier général du Barreau du Québec et les bâtonniers de section, dont ceux de Québec et de Val-d'Or; quelques vice-présidents dont ceux de Québec et de Montréal; le président de la Chambre des Notaires; les doyens des facultés de droit et d'histoire des universités de Montréal et de McGill, et plusieurs professeurs reliés à la question amérindienne. D'autres personnes avaient aussi réussi à s'infiltrer, dont quelques avocats, des apprentis négociateurs et des lobbyistes intéressés par les questions aborigènes, ou tout simplement avides de rencontrer des gens de pouvoir « au bon moment et au bon endroit ».

Avant même le début des discours, plusieurs avocats s'étaient agglutinés autour du ministre de la Justice fédéral, l'homme qui procédait aux nominations des plus hauts postes de la magistrature, à la Cour supérieure, à la Cour d'appel et à la Cour suprême du Canada.

Parmi les « soupirants », Me Jude Roberge avait pu se faufiler et serrer la main tant convoitée du ministre de la Justice du Canada. Il en fut de même pour l'un des vice-présidents du Barreau, celui-là même qui avait eu le mandat d'offrir un poste de président d'une commission à Charles. Sans aucune surprise, Charles vit aussi Me Fortier jouer du coude et même gagner de vitesse Me Huot pour serrer avec chaleur la main du ministre. Au contraire des autres dignitaires présents, ni Roberge, ni Fortier, ni Huot ne serrèrent la main de Charles, feignant de ne pas le voir. Cette cécité sélective laissa Charles de marbre ; s'il n'avait pas d'ennemis, il se gardait l'immense privilège de ne pas serrer la main des gens qui l'indifféraient.

Comme Fabiola était à Chicago pour une conférence, Charles avait pensé inviter Johanne pour la circonstance. Mais celle-ci était prise par une réunion à Vancouver. Quant à Mylène, elle séjournait encore une semaine en Floride. Charles se rendait compte que, lors du règlement de ce qui était probablement le plus important dossier de sa carrière, il se trouvait seul. Heureusement, il y avait à ses côtés Margo et Kevin, presque ses enfants, qu'il chérissait plus que tout.

Plusieurs personnes avaient pris la parole pour souligner les mérites, tantôt de l'un, tantôt de l'autre, et les embûches rencontrées dans les négociations, mais toujours dans le but d'en arriver à la conclusion que « toutes les parties avaient fait des compromis qui étaient à leur honneur, et qui avaient abouti, finalement à ce règlement dont les générations futures seraient fières ». Charles Roquemont avait désormais rempli son mandat ; il n'écoutait plus. Il avait simplement hâte de partir, de quitter ces gens guindés, au langage ampoulé, cachant des vérités, colportant des mensonges, mais tout de même honorables, du moins à leurs propres yeux.

Quand le dernier conférencier eut fini son discours, Charles marchait depuis longtemps, en pensée, sur la surface gelée du lac Jolicœur, en route pour une dernière fois vers son camp. En ce moment, rien ne lui importait davantage que cet ultime parcours dans la neige, en cet endroit pour lui mythique, en symbiose avec la vie.

Charles n'aurait su dire qui avait parlé, qui avait dit quoi, mais tout cela était sans importance. Son nom avait-il été prononcé ? Celui de Me Fortier ? Il ne le savait pas et cela lui était égal. Il était satisfait de lui, même si dans la bataille, il avait perdu le camp de Marsan —, celui de Majel, celui de la famille Roquemont, le sien, dénouement cruel après tous les combats livrés pour le conquérir. Suivant ses principes, il avait lutté jusqu'au bout, en maintenant le cap tout au long des négociations avec le même objectif en tête : obtenir le plus possible pour les Algoncris. En cela, il avait suivi les enseignements de ses maîtres et de ses parents, c'est-à-dire de faire en sorte d'être toujours fier de ce qu'on a accompli. Oui, il était persuadé d'avoir, dans une certaine mesure, payé la dette de Majel envers la famille de Joseph Wagis, sa femme et ses enfants.

Lui revinrent alors en mémoire les phrases inscrites à l'endos de la revue annuelle du collège Saint-Joseph, *Le Fil de l'An*, qu'il avait lues devant la salle des grands, presque un demi-siècle plus tôt :

Ta vie est une ascension
Tes années en sont les montagnes successives
De ces montagnes tu ne redescends pas
Cette année d'efforts fut la conquête d'un nouveau pic…

Il entendit alors la petite voix douce de Margo lui dire :

— Charles, le traité est signé, les discours sont finis, on peut partir…

Une horde de journalistes se précipitèrent sur les premiers ministres, les ministres de la Justice et les autres ministres impliqués. Chaque interviewé y alla d'un laïus, tentant de retirer le plus de capital politique possible de l'entente intervenue. Également très sollicités, les chefs autochtones répondirent de manière fort diplomate, se déclarant satisfaits du règlement pour les Algoncris. L'un d'eux souligna toutefois que plus de 450 dossiers de revendications territoriales étaient encore pendants, et que les autochtones avaient adopté, bien malgré eux, la politique des petits pas.

Les journalistes se tournèrent ensuite vers les sous-ministres et les négociateurs des parties, tentant d'en savoir davantage sur les difficultés rencontrées lors des négociations. Fidèle à son habitude, Me Fortier prit le crachoir et ne le lâcha plus, laissant dans l'ombre son négociateur en chef, Me Huot, qui ne put placer un traître mot. Il prit évidemment à son crédit le déblocage des négociations ayant conduit au résultat final. Quand les scribes s'adressèrent à Charles, il les aiguilla vers les dirigeants des Algoncris, Armstrong et Wagis, affirmant qu'ils avaient fait tout le travail et qu'ils méritaient pleinement le succès obtenu, en ce jour historique pour la nation algoncrie.

Puis, Charles dit à Margo et à Kevin de profiter de ces bons moments :

— Il y a un moment dans la vie où il faut travailler ; un autre où il faut, soit se repentir de ce qu'on a mal fait, ou encore pavoiser pour ce qu'on a bien fait. Restez ici et célébrez ! Moi, je vous quitte. Bonsoir.

Dans un couloir du Parlement, Charles croisa Me Lebrun. Il crut d'abord à un hasard, mais se détrompa lorsque son ami l'attira dans une pièce à l'écart. Une fois la porte refermée, celui-ci parla le premier :

— Charles, j'ai certaines confidences à te faire…

— Ah ! oui… Il s'agit de Luce ?

— Commençons plutôt par le dossier des Algoncris. Tout ça doit rester entre nous.

— Promis.

— Quel argument, crois-tu, a incité les gouvernements à régler si rapidement le dossier ?

— Je balance entre l'allégué des droits ancestraux et celui du titre obtenu de la Compagnie de la baie d'Hudson… Par contre, je sais que les pressions d'Hydro-Québec ont pu jouer aussi un rôle, tout autant que l'agenda des politiciens…

— Tu ne brûles même pas !

— Il y avait aussi le lobby des diamantaires… En tout cas, ce n'est certainement pas le prétendu titre émanant de Vaudreuil, c'était mon point le plus faible, et surtout le moins documenté !

— Erreur, mon ami ! C'est la rumeur persistante des archives secrètes qui a fait bouger le gouvernement fédéral !

— C'est impossible…

— Pour tout te dire, Me Fortier ne voulait rien savoir d'un règlement. Quand il a exigé le territoire du lac

Jolicœur dans le dossier des Hurons, il était persuadé de faire échouer les pourparlers. Mais ta manière de céder ton camp l'a désarçonné. Il tentait de trouver un autre artifice pour faire échouer l'entente, quand un appel du bureau du premier ministre l'a forcé à battre en retraite. Doué comme tu le connais, il en a profité pour procéder à un dernier troc. Surveille les journaux dans les jours qui viennent, tu apprendras à quel tribunal il a été nommé...

— Mais j'aurais donc donné mon camp du Jolicœur en pure perte ?

— Pas du tout. À compter du moment où Fortier avait ouvert son jeu vis-à-vis des Hurons, le gouvernement du Québec ne pouvait plus reculer. Il devait donc céder le territoire sans aucun empiétement par les Blancs. Ton don a contribué de manière non négligeable au règlement du dossier Huron.

— Mais les archives secrètes, pourquoi était-ce si important ?

— En fait, elles existent bel et bien. Le vieux chercheur des oblats avait raison. Mais elles ne contiennent pas que des documents relatifs aux affaires gouvernementales et civiles. Elles contiennent aussi des ententes écrites intervenues entre le clergé catholique, le gouvernement britannique et le regroupement des seigneurs de la colonie française. Signés en 1763, sous forme de contre-lettres au traité de Paris, ces papiers démontreraient qu'en échange de la conservation du pouvoir seigneurial et de la religion catholique, le clergé et les seigneurs — qui conservaient aussi leurs propriétés— s'engageaient fermement à combattre toute rébellion ourdie par le petit peuple. La tenure seigneuriale a été abolie, mais souviens-toi, avec compensation... Les seigneurs ont trahi en quelque sorte leurs vassaux... Leurs descendants sont millionnaires maintenant… Le clergé catholique lui, subsiste. Le gouvernement fédéral et le Vatican sont ceux qui avaient à l'époque, et encore maintenant, le plus à perdre dans le dévoilement de ces archives secrètes…

— En avançant cette hypothèse, nous n'avions que tiré une ligne à l'eau. Nous ne savions pas si elles existaient et encore moins où elles pouvaient être !

— Elles se trouvent dans un édifice secondaire du ministère du Revenu, à Ottawa. Depuis le dépôt de tes procédures, des journalistes enquêtent sur cette piste. L'affaire est peut-être plus grosse que tu le penses. Il existerait même des documents des gouvernements français et britannique concernant la déportation des Acadiens, soit quelques années avant la chute de Québec, et dont le dénouement a été cristallisé dans le traité de Paris et ses contre-lettres. Si ces documents étaient rendus publics, les livres d'histoire devraient être réécrits ! En un mot, votre bluff a bien fonctionné !

— Pourquoi me dévoiles-tu ces choses ?

— Premièrement, je crois que Fortier n'a jamais joué franc jeu avec toi, ce qui n'est pas surprenant. Deuxièmement, je ne manque pas à mon secret professionnel, car ces renseignements ne m'ont pas été fournis dans le cadre de ma profession d'avocat, ni en ma qualité de haut fonctionnaire, mais uniquement par hasard… Troisièmement, je sais que tu ne parleras de ça à quiconque, sachant fort bien que tu n'as pas plus de preuves que j'en ai, et que ces propos seraient considérés comme des ragots de corridor…

— Merci, mon ami, dit Charles en lui serrant la main.

— Hum ! En ce qui concerne Luce…

— Oui ?

— Je voulais te dire que nous avons pris une décision…

— Vous allez vous marier ?

— Non… Pas pour le moment… Elle viendra habiter chez moi au mois de mai prochain.

— C'est une bonne nouvelle ! Je t'avais dit que Luce était une soie… Mais tu as l'obligation d'en prendre bien soin, comme d'un trésor…

— Merci, mon ami Charles. Je vais m'en souvenir…

Même si Me Lebrun était un ami et lui inspirait une confiance absolue, ses révélations rendaient Charles bien sceptique, pour ne pas dire atterré. S'il disait vrai, une partie importante de l'histoire du Canada avait été tenue secrète depuis l'incendie du Parlement de Montréal, par la volonté d'élus anglophones et francophones ! De telles révélations, après plus de 250 ans de camouflage, ne résisteraient pas aux nouvelles lois sur l'accès à l'information, qui donnaient le droit aux citoyens de prendre connaissance de toutes les décisions prises par les gouvernements au cours des ans. Elles pourraient même amener une large portion de Québécois fédéralistes à changer d'allégeance et, à l'extrême, faire éclater la Confédération canadienne ! En fait, il essayait de trouver des raisons de croire que son ami Lebrun avait tort.

En quittant le Parlement, Charles se demanda s'il n'avait pas rêvé.

Dans les bulletins de nouvelles de fin de soirée, les médias firent la part belle au règlement entre les gouvernements et les Algoncris de Wisnac. Les détails de l'entente seraient révélés dans les heures suivantes. L'entente devait constituer le premier jalon de nombreux autres traités à venir dans le cadre de la nouvelle « Paix des Braves ».

Dans *Le Soleil* du 10 mars 2000, on put lire : « Autre coup de maître du sous-ministre Fortier qui règle le contentieux territorial avec les Algoncris. Devant l'offre généreuse des gouvernements, Me Roquemont a accepté de retirer ses procédures. »

À peine les médias avaient-ils livré la nouvelle que les tribunes téléphoniques des radios de la capitale et de la métropole se mirent à effectuer leur travail de sape habituel : la majorité des auditeurs, inconscients des enjeux, se prononçaient vertement en défaveur de telles ententes. Visiblement, le Québécois moyen, à la suite des derniers jugements rendus par la Cour suprême du Canada, refusait que les gouvernements cèdent tout l'arrière-pays aux quelques milliers d'autochtones qui y vivaient encore.

Un auditeur alla jusqu'à dire : « Crisse de calice, y a plus de Tremblay pis de Gagnon au Québec qu'y a d'autochtones, pis y sont en train de leur céder tout le territoire ! » Un autre : « Y faut se surveiller, dans 5 ans, on pourra plus chasser ni pêcher au Québec ! Même pas faire de la simple villégiature… Moi, les gestionnaires de la ZEC m'ont forcé à creuser une fosse septique et un champ d'épuration, pis ça m'a coûté 5000 piastres ! C'est sûr que c'est d'l'argent perdu si ces tabarnac-là reprennent le terrain qui est sous mon camp ! »

~

Comme par hasard, le 11 mars 2000, les médias dévoilèrent que, dans la lignée du traité signé avec les Algoncris, une entente était intervenue avec les Hurons de Loretteville.

Le *Journal de Québec* titrait: « Le sous-ministre Fortier a piloté un dossier délicat avec doigté », précisant: « Contentieux remontant à plus de 350 ans entre les Hurons et les Européens réglé en quelques mois par un avocat de Québec, Me Fortier. Le juriste a su trouver les arguments qu'il fallait pour mettre fin d'une manière satisfaisante aux demandes des Hurons qui revendiquaient tout le Parc des Laurentides, ni plus ni moins. »

Chapitre 52

En ce 18 mars 2000, Charles, Kevin, Margo et Peter avaient pris place dans le vol d'Air Creebec à destination de Wisnac. Les membres de l'équipe n'avaient pu refuser l'invitation pressante et chaleureuse de la communauté algoncrie, qui avait organisé un *pawa* de réjouissance pour souligner la signature du traité. Armstrong, à titre de chef de bande, avait fortement insisté pour qu'ils soient présents, la population locale se faisant un point d'honneur de partager leur réussite avec ceux qui en avaient été les principaux artisans ! Même s'il n'avait participé qu'à certaines recherches, en fin de mandat, Clément avait été aussi invité. Mais, au grand déplaisir de Charles et de Margo, il avait décliné, prétextant être trop pris par sa maîtrise en administration.

Par les hublots de l'appareil, ils eurent bientôt une vue d'ensemble du lac Wisnac et du regroupement principal des habitations situé dans sa plus grande baie. L'atterrissage se fit en douceur, sur une piste relativement courte, sous un vent de côté qui rendit la manœuvre délicate. Plusieurs camionnettes étaient stationnées en bordure de l'aire d'atterrissage. Charles soupira d'aise en pensant que le traité prévoyait, pour l'année suivante, l'allongement de la piste et la construction d'une aérogare pour accueillir les passagers et le fret.

William Wagis les accueillit avec chaleur. Il expliqua qu'il les déposerait d'abord à la maison d'Armstrong et que de là, ils se rendraient par la suite au centre communautaire. Rien n'avait changé depuis leur première visite en 1998. Ils empruntèrent le même chemin de terre, un sentier tortueux et accidenté, où deux véhicules ne pouvaient se rencontrer sans que l'un se range, à ses risques et périls, sur le bord du fossé. Ils examinaient cette fois la scène en silence, dans le paysage d'hiver. Autrefois nomades, les Algoncris étaient devenus pour la plupart sédentaires. Les habitations, qui appartenaient à la communauté, n'avaient pas le cachet des maisons des Blancs du sud. Il était évident que leurs occupants n'avaient pas le même intérêt à les entretenir, d'autant plus que certains étaient souvent absents, partis à la chasse ou à la pêche, hiver comme été. William expliqua :

— Sur une population de 1500 habitants, il y en a environ 300 qui ont du travail à l'extérieur, dans les villes des Blancs, comme Matagami, La Sarre, Rouyn et Val-d'Or. Les autres membres en âge de travailler continuent à chasser et à pêcher, entretiennent les maisons communes ou encore font de l'artisanat. Il y a quelques commerces communautaires dont les bénéfices retournent à la bande : le marchand général, le dépanneur, la station service. Les quelques artisans, à leur compte, fabriquent des canots en toile, des raquettes, des vêtements avec les peaux de gibier et différentes babioles pour touristes. Les autres vivent de redevances provenant du bien-être social.

— Il n'y a pas d'autres commerces ? demanda Kevin.

— Non… Pas pour le moment, dit Wagis. Mais quand le chemin qui mène à Matagami va être complété et asphalté, tout va changer…

Kevin remarqua pour la première fois que les quelques rues formant le village principal étaient dépourvues de noms et de panneaux de signalisation, et que les maisons ne comportaient pas de numéros civiques. L'ensemble des habitations, toutes peinturées de couleur brune, dégageait un air de pauvreté et de morosité. Les quelques véhicules stationnés dans les cours étaient des *pick-up* et des autos usagées, la plupart bosselés; ici et là, des «quadras» et des motoneiges étaient visibles.

La maison des Armstrong n'était ni plus grande ni plus petite que celles des autres membres de la bande, et appartenait aussi à la communauté. C'est avec empressement que les invités furent reçus par le chef Armstrong et son épouse; ils s'y reposeraient quelques heures avant d'aller à la salle communautaire où auraient lieu le souper et la soirée. Par la suite, ils reviendraient coucher au même endroit, pour reprendre l'avion le lendemain en fin de matinée.

Le chef de bande fit savoir à ses invités qu'il aurait bien aimé les recevoir en grandes pompes, mais que la communauté ne pouvait se permettre des dépenses somptuaires. Quand Armstrong fut avisé par William Wagis que la salle communautaire était pleine de monde, tous deux conduisirent leurs hôtes à la fête. La femme d'Armstrong fournit à Margo un *tikinagan* pour transporter les bébés sur le dos, et c'est ainsi harnachée qu'elle se présenta au centre en compagnie de Charles et de Kevin. Quand les portes de la salle s'ouvrirent, les invités découvrirent une mise en scène bien orchestrée, au son du tambour et des chants de l'assistance. Des projecteurs mettaient en évidence des ornements composés d'objets artisanaux accrochés aux poutres et aux murs latéraux: des raquettes, des canots d'écorce en miniature, des capteurs de rêves et d'autres objets multicolores.

Le groupe fut abordé par une femme, sorte de maîtresse de cérémonie, une ancienne de la bande veillant au respect des traditions. Quand elle leva les bras au dessus de sa tête, le silence le plus complet se fit. Elle prit sur une table un large collier fait de griffes d'ours et de plumes, qu'elle souleva au-dessus de la tête du chef Armstrong. Applaudissements, cris de joie et bruits de tambour allèrent en s'amplifiant pour cesser abruptement au moment où le collier fut déposé sur les épaules du récipiendaire. Puis le chef fut escorté par de jeunes élèves du primaire jusque sur la tribune d'honneur érigée pour la circonstance. Sur l'estrade en hémicycle se trouvaient les six autres conseillers et les douze sages de la bande, dont Daphnée Wagis. Ces douze personnes étaient généralement choisies par les chefs de clans[1] de toutes les grandes familles de la bande en raison de leur âge, de leur expérience et de leur sagesse. Elles étaient considérées comme des guides spirituels que le chef et ses conseillers devaient toujours consulter à l'heure de décisions importantes.

Puis, ce fut au tour de William Wagis, à titre de conseiller technique, de recevoir un collier, de couleur différente. Les invités constatèrent, aux acclamations de la foule, que le travail de ce dernier n'avait pas été moins apprécié que celui du chef.

Vint le tour de Margo, de Kevin et de Peter. Quand la maîtresse de cérémonie procéda au même rituel à leur endroit, les applaudissements furent presque aussi nourris.

---

1. Le mot «clan» peut être assimilé à une famille faisant partie d'une bande. Chaque clan peut posséder des droits collectifs par rapport à la bande, par exemple, un territoire de chasse et de pêche, et autres droits analogues.

Le petit Peter, les yeux ronds, eut lui aussi droit à un menu sautoir, ce qui fit craquer les Algoncries, qui n'avaient pas souvent la chance de voir un bébé blanc aux yeux bleus.

Enfin, quand Charles reçut à son tour un collier, cette fois de couleur verte, ce fut une véritable ovation, qui dura plus longtemps. Pendant sa progression vers la tribune, les acclamations se poursuivirent. Chaque personne présente avait su, d'une manière ou d'une autre, que sans le travail de l'illustre avocat, les chances de la communauté de signer rapidement un traité si avantageux auraient été bien minces. On l'invita à s'asseoir à la droite du chef. L'ovation tardant à finir, Charles crut indiqué de se lever et de saluer toute l'assemblée de la main droite, tandis que de la main gauche, il se frappait la poitrine au niveau du cœur, pour leur témoigner son attachement.

Comme le chef Armstrong lui-même était honoré, ce fut son adjoint qui fit les discours protocolaires, vantant les mérites du chef et ceux du conseiller technique Wagis. La foule se leva d'un bloc pour les ovationner de nouveau. Puis, le calme se fit et le chef Armstrong prit la parole :

— J'aimerais vous rappeler, mes chers amis, une partie du discours prononcé par Me Charles Roquemont lors de sa première visite dans notre communauté, en août 1998.

Il sortit un papier de sa veste et lut :

« Un temps, qui n'est pas si lointain, viendra où vous, Algoncris habitants de Wisnac, ferez partie d'une communauté reconnue et participerez au vent de renouveau qui souffle sur tout le monde autochtone depuis le *Rapport Dussault-Erasmus*. D'ici quelques années, il y aura une piste d'atterrissage moderne, des infrastructures municipales dignes de ce nom et vous serez appelés à participer au développement du Canada moderne… Alors vous pourrez accueillir vos frères québécois et les étrangers avec fierté… »

Armstrong observa à dessein un silence prolongé. À l'écho de ces paroles qui ressemblaient à une prophétie, les applaudissements crépitèrent longuement. Le chef continua :

— Avec le traité que nous venons de signer, grâce au concours de Me Charles Roquemont, je suis entièrement convaincu que toutes ces prédictions se réaliseront d'ici quelques années tout au plus. Non seulement nos enfants et nos petits-enfants vont voir ces réalisations, mais aussi la plupart des gens âgés qui sont avec nous ce soir !

La foule manifesta encore sa joie de manière assourdissante. Armstrong continua :

— En effet, en vertu du document signé, les travaux sur notre « sentier de vaches » actuel menant à Matagami débuteront au mois de mai prochain ! À l'automne, dès que la route sera carrossable pour les véhicules lourds, les travaux de construction du barrage sur la grande rivière Wisnakia et ceux de l'aéroport commenceront à leur tour !

Ce furent encore une fois des hourras et des bravos, qui permirent à l'orateur de reprendre son souffle :

— Ce qui veut dire, mes amis, que toutes ces jobs seront réservées en priorité aux Algoncris ! Fini, le BS et les chèques de chômage pour les Algoncris ! Vous allez… Nous allons tous retrouver notre fierté !

La clameur fervente reprit de plus belle. Il poursuivit :

— Dans un an, quand la route et l'aéroport vont être fonctionnels, des travaux d'envergure commenceront dans Wisnac, la seule réserve-municipalité du Québec ! Nous aurons d'ici 2 ans un aqueduc et des égouts, et un plan de rénovation des maisons sera mis en place. Enfin, dès ce moment-là, nous pourrons accueillir les étrangers dans nos pourvoiries. Je dois vous dire que le conseil, avec les chefs de clans, sont en train de déterminer, avec la collaboration des Algonquins et des Cris, les sites retenus à cet effet.

Après d'autres manifestations de joie, Armstrong poursuivit :

— Et tout ceci, mes amis, nous le devons en très grande partie à Me Charles Roquemont et à ses adjoints, Margo Roquemont et Kevin Mitchener !

Encore une fois, la foule se leva et les tambours se mirent de la partie. Quand le calme fut revenu, l'orateur ajouta, cette fois sur le ton de la confidence :

— Ce que vous ne savez pas, c'est que Me Roquemont a consacré 2 ans de sa vie au service de notre communauté, et cela, sans exiger d'honoraires. Dans les clauses finales du règlement, Me Fortier a exigé de la communauté algoncrie qu'aucune somme attribuée par l'entente ne puisse lui être versée, en tout ou en partie, sous forme d'honoraires d'avocat…

La foule gardait le silence. Le chef poursuivit :

— Ce que plusieurs ne savent pas aussi, c'est que dans cette bataille, Me Roquemont a perdu son camp du lac Jolicœur… C'est la raison pour laquelle le conseil de bande a décidé de nommer Me Charles Roquemont « chef honoraire à vie des Algoncris ». Ce certificat que nous lui remettons aujourd'hui permettra à notre ami d'habiter s'il le désire sur notre territoire et d'y chasser et pêcher toute sa vie durant !

La foule se mit à danser et à chanter des chants traditionnels au son des tambours, et toutes les personnes sur l'estrade se levèrent pour donner l'accolade à Charles, profondément ému. Quand ce fut au tour de Daphnée, elle le serra contre elle plus fortement que tous les autres, lui glissant à l'oreille :

— Il faut que je te voie demain matin avant ton départ…

Il y eut ensuite un plantureux repas où le plat principal était composé de viande d'orignal accompagnée de banique[1]. Le festin fut suivi de quatre saynètes algoncries jouées par les écoliers : il s'agissait d'une représentation des quatre saisons, sous forme de danses primitives au son du lancinant tambour, avec lumières et ombres chinoises projetées sur un des murs de l'enceinte. La séance se terminait par l'arrivée d'un printemps radieux avec un soleil éclatant, signe du renouveau dans la vie de la bande.

Lorsque le silence fut revenu, le chef annonça que Me Roquemont désirait adresser quelques mots à la foule. C'est avec une émotion perceptible dans la voix que Charles prit la parole :

« Honorable chef Armstrong, mesdames et messieurs les conseillers, mesdames et messieurs du conseil des aînés, monsieur William Wagis, conseiller technique, mesdames, mesdemoiselles, messieurs… Je désire vous remercier d'avoir fait de moi un chef honoraire de la nation algoncrie. C'est à la fois pour moi un honneur et une joie, car, maintenant que je connais mieux vos traditions, j'apprécie d'autant plus la valeur du certificat que vous m'avez remis. Soyez certain que je reviendrai dans votre communauté, pour y rencontrer mes amis, et, aussi, pour constater si,

1. Mets traditionnel des Amérindiens de l'Amérique du Nord, dont la recette varie d'une région à l'autre, surtout quant au mode de cuisson ; sorte de pâté fait à partir de blé moulu et de graisse d'animal. La banique accompagne généralement d'autres plats, comme la viande.

au fil des ans, les cosignataires de ce traité, sorte de contrat prévoyant un avenir meilleur pour vous tous et vos descendants, respectent leurs engagements… »

Des applaudissements nourris saluèrent son entrée en matière. Il poursuivit :

« S'il est vrai que j'ai travaillé fort pour obtenir le résultat recherché, je dois vous affirmer que, sans les documents et témoignages fournis par les anciens, sans les recherches des avocats qui m'avaient précédé, sans le travail acharné de votre chef Armstrong et de votre conseiller technique William Wagis, et aussi de Margo Roquemont et de Kevin Mitchener, je n'aurais jamais pu atteindre le but que nous nous étions fixés. »

Encore une fois, la foule manifesta bruyamment son approbation et sa reconnaissance.

« Mais j'ai aussi autre chose de très important à souligner. Peu d'entre vous êtes au courant qu'en acceptant ce mandat, j'avais une obligation morale à remplir, ce qu'on appelle souvent, dans notre langage du sud, "une dette d'honneur"… »

Le silence complet régnait dans l'assistance.

« Le récit que je vais vous relater remonte à 1938. Cette année-là, une équipe d'arpentage était venue exécuter des travaux au niveau du territoire de Grandes Savanes. Un des membres de l'équipe a perdu le contrôle de son canot et s'est aventuré dans les rapides, avant de heurter un rocher. Joseph Wagis, le père de votre aînée Daphnée Wagis et de votre conseiller technique William Wagis, sans aucune hésitation s'est bravement élancé dans le torrent de la décharge pour venir à sa rescousse ! Il réussit à atteindre le canot et à l'attacher à un rocher, sauvant la vie de l'homme. Au même moment, un billot qui descendait le courant a frappé Joseph Wagis, qui fut emporté à son tour par le courant. Joseph Wagis est mort noyé... L'étranger qu'il venait de sauver était mon père ! »

Un long murmure parcourut l'assemblée.

« C'est pourquoi, quand vos représentants sont venus me demander de les aider dans leurs revendications, je me suis senti dans l'obligation de dire oui, même si le mandat était ardu et le résultat incertain. »

Les gens écoutaient dans un silence religieux. Charles voulut cependant ajouter :

« Si j'ai insisté aujourd'hui auprès de ma nièce Margo et de son conjoint Kevin afin qu'ils amènent leur fils Peter à cette fête, c'est pour vous montrer les conséquences du geste posé en 1938, par votre valeureux concitoyen Joseph Wagis. Non seulement mon frère Paul a-t-il pu voir le jour grâce à lui, mais il a, à son tour, donné la vie à Margo, laquelle a donné la vie à Peter. Sans ce geste de Joseph Wagis, — honoré dans notre famille comme un véritable héros —, aucun d'eux n'aurait vu le jour... Mon frère a aussi eu un fils, Clément, qui n'a hélas pas pu se joindre à nous ce soir... »

Au même moment, un violent coup de tambour résonna aux quatre coins de la bâtisse, interrompant l'orateur. Un malaise s'empara de l'assistance, chacun cherchant à repérer le responsable de cet affront à l'endroit de l'invité d'honneur. Charles, nerveux, se demanda s'il n'était pas confronté à un dissident. D'un coin de la salle, on vit s'avancer une jeune fille : c'était Rachel, la petite-fille de Daphnée Wagis, qui, tambourin à la main, marchait vers Charles avec un grand sourire. Derrière elle, suivait un homme âgé de 25 ans environ, les cheveux réunis en nattes, au visage caucasien. Quand Charles put voir le nouvel arrivant en pleine lumière, il eut la surprise de reconnaître... Clément !

Décontenancé, il poursuivit:

«Euh... Je vous présente Clément Roquemont, le frère de Margo et le fils de mon frère Paul... Je ne savais pas qu'il était ici...»

À la suite de ce coup d'éclat, des applaudissements et des cris de réjouissances fusèrent. Charles avait terminé son discours. Les tambours appelèrent à la danse, et la fête se poursuivit tard dans la soirée.

À la première occasion, Kevin, au courant du coup de foudre de Clément pour Rachel, affirma à Charles d'une voix enjouée que son neveu était un menteur. Charles ne rouspéta pas quand il apprit que ce dernier, lors de la signature du traité, au début de mars, lui avait servi un pieux mensonge. Il n'était jamais allé à Vancouver pour suivre une formation, mais s'était plutôt réfugié à Wisnac pour rejoindre sa Rachel...

Le lendemain matin, après un copieux déjeuner chez les Armstrong et des adieux émouvants, William vint chercher Charles pour le conduire auprès de Daphnée. Celui-ci avait compris depuis longtemps que sa sœur, plus vieille que lui de plusieurs années, voulait avoir une rencontre privilégiée avec le seul «chef algoncri honoraire» de la bande, le fils de Majella Roquemont, celui que tous appelaient Majel, le seul homme qu'elle ait véritablement aimé dans sa vie. William repartit aussitôt avec Margo, Kevin et Peter, et les conduisit à la boutique d'artisanat.

Pour l'occasion, Charles fraîchement rasé, avait mis veston et cravate. Plusieurs fois, pendant les dernières années, il avait tenté d'imaginer la première vision que son père avait eue de Daphnée le jour de leur rencontre.

Il avait obtenu sa réponse lors de la noce de Margo et Kevin, à la venue de Rachel. C'était bien de regarder les photos de l'époque, mais la vue de Rachel, en chair et en os, lui avait permis d'imaginer Daphnée à 18 ans: une silhouette élancée, le teint ambré, des cheveux noirs, un corps parfait.

Quant il pénétra dans la pièce de la maison rustique qui tenait lieu de salon, Charles avisa Daphnée, le sourire aux lèvres, assise dans un large et confortable fauteuil. Maintenant âgée de 82 ans, elle conservait une allure fière et digne. Elle portait une robe confectionnée par les artisans de Wisnac, dont les coloris d'automne faisaient ressortir son teint de plein air, aussi ambré que celui de sa petite-fille. Ses cheveux gris et les rides sillonnant son visage lui conféraient un air de quiétude et de sagesse qui lui seyait parfaitement.

— Bonjour, Charles! Tu permets que je te tutoie, à mon âge…

— Certainement. Mais moi, je vais continuer de vouvoyer la personne sage que vous êtes devenue…

— Pas si sage que tu peux le penser, mon ami… Si tu savais les rêves que je fais parfois…

— Quand ce ne sont que des rêves…

— Sais-tu que dans notre culture les rêves sont parfois aussi importants que la réalité?

— J'en ai déjà entendu parler. Les Grecs et les Romains de l'Antiquité accordaient aussi beaucoup d'importance à leurs rêves. Ils les faisaient interpréter par les augures…

— La nuit dernière, j'ai rêvé que j'embrassais ton père…

— C'est probablement parce que vous avez vu mon neveu Clément. J'ai pensé à quelque chose de semblable, hier soir, en me couchant. Vous aviez 18 ans quand vous avez connu mon père et lui en avait 25. Or, Clément, qui lui ressemble beaucoup, et qui a un œil sur votre petite-fille Rachel, a aussi 25 ans… Vous aurez fait le lien, inconsciemment…

— Je pense plutôt que c'est toi qui as inspiré mon rêve… Hier, tu étais le héros de la fête. Tu avais fière allure et l'air déterminé, dans ton bel habit, avec ta cravate. Et j'ai imaginé Majel à cet âge. Tu sais, quand je l'ai revu, en 1972, il avait à peu près le même âge que toi aujourd'hui… Tu arrives à 60 ans, selon mes calculs, et lui était né en 1911. En cette année 1972, j'avais 54 ans… Non, je crois que c'est à toi que je pensais dans mon rêve…

Charles lui mit délicatement les mains sur les joues tout en posant un baiser sur son front.

— Voilà, madame Wagis, ce petit baiser devrait apaiser vos fantasmes nocturnes…

Et elle se mit à rire aux éclats. Charles avait devant lui une femme heureuse. Elle reprit :

— En fait, je voulais te voir avant que tu partes parce que j'ai un présent pour toi. Je sais que ce n'est pas grand-chose, mais pour moi, c'est important.

Elle prit sur la crédence une petite boîte carrée en bois poli, qu'elle remit à Charles. Celui-ci l'ouvrit et en sortit un bracelet de cuir sur lequel était inscrit, à peine encore visible, le mot « FORTITUDE ». Charles se souvint des paroles de l'Indienne lors de sa première visite à Wisnac. Ce bracelet avait été le seul cadeau que lui ait fait Majel. Daphnée lui transmettait l'objet si précieux à ses yeux ! Il voulut protester, mais elle dit :

— Tu peux me trouver étrange d'avoir aimé ton père pendant toutes ces années. Regarde sur la commode, la photo de ton père est toujours là. Et aussi votre photo de famille. Et celle où je suis sur le flotteur de l'hydravion, que Majel m'a fait parvenir en 1974… La rencontre avec ton père a été déterminante dans ma vie… Je t'ai dit la même chose en 1998, quand tu as accepté le mandat de représenter notre peuple… Te souviens-tu de mes paroles?

— Oui, répondit Charles. C'est difficile d'oublier quand on se fait traiter de «sauveur d'un peuple»!

— Oui, c'est ça. La phrase exacte était bien réfléchie: «Toi, Charles, fils de Majel, tu seras le sauveur de Wisnac. Je sais que c'est Majel qui t'envoie…!»

— Je m'en souviens aussi. À ce moment, j'ai réalisé que ce mandat était peut-être plus important que je ne le croyais…

— Pour moi, Charles, j'étais persuadée, et je le suis toujours, que c'est Majel qui t'a mis sur notre route. Nous, les Algoncris, nous croyons aussi à la puissance des morts… Tout ce que je t'ai dit en 1998 s'est réalisé… Tu as été le sauveur de Wisnac. Tu es le sauveur des Algoncris. Et, avec mes folles songeries de femme vieillissante, je n'ai rien trouvé de mieux à faire que d'implorer l'esprit de Majel…

— Mais je ne mérite pas ce bracelet, il a tellement d'importance pour vous!

— J'ai pensé qu'aucune somme d'argent ou aucun autre présent ne pourrait être plus apprécié par toi que ce petit cadeau qui m'a été donné par ton père en 1938. Il est bien entendu devenu luisant, mais il est toujours aussi rempli d'amour. Il te revient donc, à toi, le chef honoraire à perpétuité des Algoncris, le sauveur de notre nation. Si je me départis de ce précieux souvenir, c'est parce que tu le mérites. S'il n'a pas de valeur pour celui qui l'offre, un don n'est pas un don…

— Oui, bien sûr, mais…

— Il vaut bien peu par rapport au camp du lac Jolicœur que tu as sacrifié pour régler notre dossier…

Charles sentit que s'il continuait à résister, il commettrait un affront. Alors, il prit doucement le bracelet et le mit à son poignet gauche. Comme il avait de la difficulté à l'attacher, elle se leva et, manipulant l'objet avec une délicatesse infinie, elle mit la boucle d'acier à son dernier trou.

Charles sut que c'était le moment de partir. Il pensa que, comme son père en 1938, il n'avait prévu aucun cadeau pour Daphnée. Il vit une brume dans son regard. Il la prit tendrement par la taille. Daphnée et lui se dévisagèrent, chacun semblant lire dans le regard de l'autre la même question : se reverraient-ils un jour ? Charles resserra son étreinte et embrassa Daphnée sur la bouche. Qu'avait-il d'autre à lui donner en cet instant fugace ? Quand il voulut relâcher son étreinte, Daphnée le pressa de nouveau contre elle, longuement.

Pendant le vol du retour, Kevin et Margo sentirent que Charles désirait rester seul. Près de son hublot, Charles, nostalgique, regarda une dernière fois le village de Wisnac, se demandant s'il y reviendrait un jour.

Il repensait aux mots de Daphnée, à son départ de chez elle, quand ils avaient abordé la relation de Rachel et de Clément :

« Je me réjouis de la rencontre de Rachel, ma petite-fille adorée, avec Clément, le petit-fils de Majel, qui est ton protégé. En fait, Rachel vit actuellement ce dont j'ai rêvé, à son âge. Il en aura fallu du temps… »

Quelle sagesse y avait-il dans ces propos ! Il était vrai que désirs, songes et rêves se mêlaient à la réalité dans toute cette aventure qui s'était prolongée sur trois-quarts de siècle. Finalement, la force de la pensée de Daphnée avait prévalu. Elle avait promis de veiller sur le jeune couple tant qu'il vivrait sur la réserve de Wisnac. Charles, de son côté, avait promis de s'occuper d'eux quand ils seraient dans le sud. Il conseillerait efficacement Rachel dans la poursuite de sa carrière en droit. Si elle le voulait bien, d'ici quelques années, avec ses diplômes, elle deviendrait une des leaders des Algoncris.

Charles palpa le bracelet en cuir brun qu'il portait maintenant au poignet gauche et le porta à ses lèvres.

Chapitre 53

De retour de Wisnac, il n'avait pas encore déposé sa valise qu'Anna et Isabelle, curieuses, lui demandèrent comment s'était passé son voyage. Charles se fit un plaisir de répondre à toutes leurs questions. Les deux femmes l'écoutaient bouche bée, comme de petits enfants, et Charles était tout autant enchanté de leur émerveillement devant la description d'un monde dont elles ignoraient tout. Profitant de l'occasion, il imita le « Grand Majel », et mit plus d'Indiens et de plumes que dans la réalité, pour rendre son récit le plus excitant possible. Les trois tambours qui se trouvaient dans l'enceinte de la salle communautaire se transformèrent en une véritable troupe frappant des timbales de manière si assourdissante que, dans une atmosphère diabolique, des milliers d'Indiens étaient entraînés dans une sarabande hystérique. Les ovations reçues par Margo, Kevin et le petit Peter furent décuplées. Les danses des élèves de l'école étaient si bien décrites que les deux auditrices auraient voulu être présentes. Il raconta aussi son discours, dont il doubla la durée et les applaudissements qui n'en finissaient plus... Les deux vieilles tressaillaient de plaisir, ce qui encouragea Charles dans sa dérive. Il se leva et prit l'intonation d'un politicien en répétant d'une voix forte des phrases clés, laissant de côté toute cohérence :

— Vous, membres du peuple algoncri, peuple choisi, faites maintenant partie des peuplades privilégiées du Canada… Ce traité assurera la pérennité de votre nation… Vos enfants vivront maintenant dans un pays merveilleux… Dans un an, une autoroute asphaltée à triple voie vous reliera à l'Abitibi… Dans 2 ans, vous aurez un aéroport de calibre international… Les barrages assureront votre énergie et vous fourniront des redevances… De nouvelles mines seront exploitées… McDonald viendra ouvrir une succursale… Sans compter *Le Roi de la poutine*…

Ravies, et même surexcitées, Isabelle et Anna allèrent même jusqu'à applaudir. Isabelle dit :

— Ça fait longtemps qu'un discours politique n'avait pas été prononcé dans cette maison-là !

De son côté, Anna, plus sérieuse, regretta ne jamais avoir assisté à une seule plaidoirie de son fils, dans les palais de justice de la province. À cet instant de répit, elle remarqua le bracelet au poignet gauche de Charles.

— Ce bracelet, tu ne l'avais pas en partant ?

— Non, maman. C'est un cadeau de la famille Wagis…

— Pour un cadeau, il n'a pas l'air neuf. C'est un vieux bracelet usagé…

Charles ne voulait pour rien au monde expliquer la provenance du cadeau, et encore moins parler de la donatrice. Il poursuivit sur un ton neutre :

— C'est un souvenir qui m'a été offert par la famille Wagis… Mais voyez plutôt le collier que la bande m'a donné.

Il pénétra dans sa chambre pour en ressortir avec le collier décoré de griffes d'ours, de coquillages et de plumes qu'il avait reçu à l'entrée de la salle de Wisnac. Les deux femmes le prirent dans leurs mains avec respect.

— Si vous voulez, je vais l'accrocher dans le boudoir, à côté du chapelet en glands de chêne de mémère Moisan.

— Oui, c'est une bonne idée, dit Isabelle qui partit aussitôt chercher un crochet.

Pour éviter que le sujet du bracelet soit de nouveau abordé, Charles s'empressa d'aller chercher son certificat en écorce de bouleau attestant sa qualité de « chef honoraire à vie des Algoncris ». Anna fut enthousiaste :

— On va le faire encadrer et le placer dans le salon !

Charles ne s'objecta pas. Il devait maintenant terminer son récit en parlant de Clément, avant qu'Anna apprenne la nouvelle par Margo. Deux ans plus tôt, lors de leur première visite à Wisnac, Charles avait raconté à Margo la rencontre entre Majel et Daphnée, ainsi que la suite de leur histoire, tout en lui demandant de ne pas en toucher mot à Anna pour ne pas l'affecter.

— Ah, j'oubliais ! J'ai aussi une bonne nouvelle à vous annoncer : imaginez-vous que dans mon mandat avec les Algoncris, Clément nous a aidés à quelques reprises. Et il a rencontré une indienne algoncrie qu'il trouve de son goût !

— Celle qui est venue à la noce ? demanda Isabelle.

— Oui, c'est la même. T'en souviens-tu, maman ?

— Bien sûr que je m'en souviens. C'était une très belle jeune femme, au teint basané, aux longs cheveux noirs… Une vraie Indienne…

— Elle s'appelle Rachel Wagis, dit Charles. Pour le moment, Clément est resté à Wisnac avec elle.

— Ma foi du Bon Dieu, voulez-vous ben m'dire c'que les hommes leur trouvent à ces Indiennes-là ? C'est comme si elles les envoûtaient !

— Pourquoi tu dis ça, Anna ? s'enquit Isabelle. Qu'est-ce que tu connais des Indiennes ?

— J'connais pas grand-chose, mais j'me comprends…

Charles put enfin prendre quelques jours de repos. Il allait pouvoir mettre de l'ordre dans ses papiers, et surtout dans sa vie affective, que les événements précipités des derniers mois avaient mise en veilleuse. Il pouvait enfin goûter aux délices de la retraite…

Il était satisfait d'avoir acheté la maison du rang du Nord, surtout quand il voyait le bonheur dans les yeux d'Anna et d'Isabelle qui, toutes deux, semblaient avoir repris goût à la vie. Charles avait déniché une femme de ménage que lui avait recommandée le notaire Châteauvert, fils, une perle rare qui servait autant de dame de compagnie que de bonne. Les trois femmes s'entendaient à merveille, ce qui était un soulagement pour lui. Si Anna avait pris l'habitude de se faire servir par les employés du Centre d'hébergement, Isabelle n'avait jamais eu d'aide dans ses tâches ménagères ; toutes deux appréciaient d'être ainsi choyées et en étaient reconnaissantes à Charles. Enfin, la garde-malade du CLSC les visitait tous les 10 jours. Si Anna éprouvait le moindre malaise, elle n'avait qu'à actionner un bouton sur son bracelet de secours pour contacter le 911.

Pour leur confort, Charles avait installé dans le salon son gros téléviseur et obtenu le branchement du câble. Charles avait fait suivre ses abonnements de journaux, soit *Le Devoir*, *La Presse*, *Le Soleil* et le *Journal de Québec*. En plus, il avait abonné Isabelle à *Châtelaine*, et Anna à *Femmes de chez nous*.

Des habitudes commençaient à prendre place. Ainsi, chaque matin, ils déjeunaient ensemble et, ensuite, sirotaient un café en jasant. Il était convenu que pour les autres repas de la journée, Charles était toujours le bienvenu, mais qu'il ne fallait pas l'attendre ; ainsi, chacun était libre de son emploi du temps. Cependant, le dimanche, ils prenaient tous les repas ensemble, chacun mettant la main à la pâte. Vers 15 heures, ils se retrouvaient sur la galerie et sirotaient un café en échangeant de menus propos sur les sujets du jour. Parfois la discussion faisait place à un silence serein, et tous les trois s'abreuvaient de l'air pur de la vallée, en se chauffant aux rayons du soleil qui, de jour en jour, devenaient plus ardents.

— Je n'ai jamais été à date comme ça dans mon ménage ! s'exclama Isabelle.

— Moi, j'étais bien traitée au Foyer, convint Anna. Mais ici, c'est plus personnalisé… Pis je reste avec des gens que j'aime. Là-bas, y avait des vieux colleux qui me dérangeaient souvent… Plusieurs sentaient la pisse ! Sans compter les petites chicanes entre femmes jalouses… Pis ceux qui faisaient juste parler de leurs pilules et de leurs maladies… Pis, y en partait un pour le grand voyage tous les 15 jours… C'était déprimant, à la fin…

— Moi, dit Charles, si vous êtes heureuses, je le suis ! Je commence ma véritable retraite… C'est si bon, le matin, de prendre notre café ensemble, sans agenda… Juste caresser le chat… Lire le journal… Aller marcher dans le bois, en arrière… Puis, cet été, je vais pouvoir descendre dans le sentier des vaches pour me rendre à l'île Robinson. Là, je vais construire, de mes propres mains, une belle cabane pour Peter… En attendant, quand il fait mauvais, je fouine dans le hangar de pépère Moisan… J'espère toujours trouver un trésor sous une planche… Ou bien des bouteilles de vin cachées sur le fenil…

— En tous cas, mon Charles, t'as fait de bonnes choses pour moi dans la vie, mais que tu viennes habiter ici avec nous autres, pis nous aider comme ça, ça n'a pas de prix! s'exclama Isabelle.

— T'as ben raison, Isabelle, renchérit Anna. C'est pas tous les enfants qui s'occupent de leurs parents comme notre Charles. On voit qu'y a bien retenu les enseignements du curé Péladeau qui radotait toujours le même discours: «Père et mère tu honoreras afin de vivre longuement...»

— J'ai jamais compris, dit Charles, qui vivrait plus longuement! Les parents ou les enfants qui les honoraient?

Tous trois se mirent à rire. Puis, quand le silence revint, Charles ajouta:

— Vous n'avez encore rien vu. Dans un mois, je vais avoir deux lignes téléphoniques. En plus, je vais vous acheter un ordinateur et vous montrer comment naviguer sur Internet!

— J'sus pas certaine que ça soit nécessaire, dit Anna.

— Moi, j'haïrais pas ça, fit Isabelle.

— Et pour les Fêtes, je prévois déménager ici mon piano à queue, pour toi Isabelle!

Elle se leva et alla l'embrasser sur les deux joues. Anna, les paupières gonflées, se demandait si c'était possible, à son âge, d'être aussi heureuse qu'en ce moment!

Un matin, Charles revint de la boîte postale avec ses journaux, un colis et une lettre. Il prit d'abord le colis. Il y découvrit trois épais cartables noirs à anneaux, bourrés de feuilles écrites à la main, auxquels était jointe une lettre explicative. Il lut:

Je suis un neveu du photographe Zotique, décédé à Trois-Rivières il y a 9 ans, dans un foyer pour vieillards. Mon oncle qui, comme vous le savez sans doute, après avoir longtemps résidé à Saint-Raymond, était allé vivre en ermite dans un camp, près du lac Neilson. Pendant toute sa vie, il a continué à lire beaucoup et il a colligé ses pensées dans les cahiers que je vous expédie. Ce n'est que tout dernièrement, en faisant le ménage dans des caisses de documents, que j'ai trouvé une note à l'intérieur de l'un de ses cahiers, demandant qu'ils soient donnés en toute propriété à Me Charles Roquemont. J'ai appelé au Barreau du Québec qui m'a donné votre adresse. Je vous prie de me croire…

Charles feuilleta les 300 pages du texte manuscrit de celui qui avait été un des meilleurs amis de son père. En plus de relater l'histoire de sa vie, il commentait certains faits importants de l'histoire de Saint-Raymond. Des textes de nature philosophique complétaient l'ensemble. Cet envoi rappela à Charles la collection de timbres reçue de Zotique, après la mort tragique de toute sa famille. Il n'avait alors que 12 ans. Il s'était souvent demandé pourquoi le vieil homme l'avait ainsi pris en affection, sans vraiment trouver de réponse. Il appréciait que l'ermite ait pensé à lui léguer le fruit de ses réflexions, qu'il se promit de lire plus tard, à tête reposée, avec tout le respect qu'elles méritaient.

La lettre, adressée aux trois occupants de la maison, venait de Montréal, expédiée par la conjointe de Victor :

… remercions très sincèrement tous les membres de la famille Roquemont pour leur présence à l'enterrement de Victor. Merci de lui avoir accordé, avant son décès, le pardon de la famille.

Je veux surtout vous dire que, quoi que vous puissiez penser, Victor m'a rendue heureuse pendant les années que nous avons vécues ensemble.

Enfin, je voulais vous transmettre mes meilleurs vœux de bonheur et de santé pour l'avenir. Si vous passez à Montréal, vous serez toujours les bienvenus chez moi.

Cordialement,

Gina Salvatore

Puis Charles reçut un appel de Margo :

— Je veux vous annoncer une bonne nouvelle... Devine...

— Tu es de nouveau enceinte ?

— Arrête-moi ça... Pas déjà...

— Tu as trouvé un emploi ?

— Oui, c'est ça ! Un professeur de l'Université Laval vient de m'offrir de devenir recherchiste pour lui. Contrat d'un an assuré...

— Mes félicitations ! Je savais que tu devais être patiente.

— Je pense qu'il a vu dans le journal mon implication dans le dossier des Algoncris et que ça l'a impressionné...

— Alors tant mieux. Je suis donc certain que vous allez pouvoir payer mon loyer, continua-t-il sur un ton enjoué.

— Pour ça, c'est garanti... Il y a aussi autre chose. Clément a obtenu son diplôme de maîtrise en informatique !

— Merci de me le dire. Je l'appelle tout de suite. Encore une fois, mes félicitations pour ton poste !

Charles appela aussitôt Clément, à sa résidence de Québec. Mais le message du répondeur renvoyait à un numéro avec l'indicatif 819. C'était bien ce qu'il croyait : son neveu était toujours à Wisnac. Il composa le numéro.

— C'est Charles, tu vas bien ?

— Oui merci, et toi ?

— Je t'appelais pour te féliciter. Margo m'a dit que tu avais obtenu ton diplôme !

— Oui. C'est gentil de penser à moi...

— Et maintenant, quel est ton prochain objectif?

— Bien, j'hésite entre commencer un doctorat ou me trouver un emploi.

— En fait, tu es à un tournant important de ta vie... Je ne connais pas vraiment ton domaine, je ne peux pas te donner de recommandations. Mais j'ai de bons amis dans l'informatique qui pourraient te conseiller. Prends le temps de bien réfléchir et de regarder autour de toi. S'il le faut, fais-toi conseiller par tes professeurs d'université...

En lui parlant, Charles avait en tête le « *Stop-look-listen* » du frère Mark. Il aurait d'ailleurs aimé raconter cette leçon de vie à son neveu, mais se promit de le faire plus tard, à un moment plus approprié. Il continua :

— Ça va être difficile de suivre ton cours à l'université de Wisnac !

Clément trouva la blague bonne. Il dit :

— Ne t'en fais pas pour moi, mon oncle. Tu sais que je suis plus sérieux que ça. Comme Rachel fréquente l'université d'Ottawa, c'est là que je m'inscrirai à l'automne.

— Si je comprends bien, vous allez habiter ensemble ?

— Pour le moment, c'est ce qu'on envisage...

— Alors, mes meilleurs vœux de bonheur ! Si tu as besoin d'aide, tu peux me faire signe. Tu dois connaître un peu mieux Daphnée, maintenant ?

— Oui, nous nous voyons toutes les semaines.

— Connais-tu l'histoire de sa vie ?

— Bien sûr, elle n'arrête pas de me parler de grand-papa…

— Sais-tu que ta grand-mère n'est au courant de rien ?

— Oui, Margo m'en a parlé… Je vais être discret… T'en fais pas…

— Prends bien soin de Rachel… Fais honneur à la famille. Fais honneur à Majel…

— Merci pour les conseils…

— Je t'envoie un cadeau par la poste d'ici quelques jours, dit Charles avant de passer le combiné à Anna.

~

Le lendemain, il se rendit à la librairie L'Étoile Filante de Saint-Raymond et se mit en quête d'un livre pour Clément. À force de farfouiller, il trouva exactement ce qu'il cherchait : un livre parlant des valeurs, basé sur des histoires vécues. En le feuilletant, il se rendit compte que l'ouvrage relatait les aventures de Shackleton. Il s'agissait d'une traduction du titre *At The Edge*, une nouveauté américaine. La quatrième de couverture indiquait que tous les gestes de Shackleton avaient été décortiqués par des psychologues et d'autres spécialistes du comportement humain pour en arriver à dégager « les 20 principales règles de leadership que pouvaient appliquer les administrateurs du troisième millénaire ». Charles se dit : « Le frère Mark et Majel m'ont tant parlé de cet homme, leur héros préféré à tous deux. C'est un cadeau parfait pour Clément ! »

Avant de retourner au rang du Nord, Charles décida de s'offrir un programme double au Théâtre Alouette. Il fut surpris de voir à l'affiche un vieux classique de Charlie Chaplin : *Le Dictateur*. Il avait bien vu ce film une dizaine de fois, mais il découvrait sans cesse de nouvelles choses dans ce chef-d'œuvre. « Dire que le public, au moment de la sortie du film, en pleine guerre, ne comprit pas la portée de cette œuvre, tant Chaplin était visionnaire », se dit-il.

Avant le second film, il feuilleta un magazine publicitaire sur l'actualité du cinéma : il crut rêver en voyant que les studios Disney s'apprêtaient à distribuer un remake de *Pinocchio*. Mais il y avait plus : on rapportait que l'acteur italien Roberto Benigni produirait bientôt sa propre version de la même histoire. Charles ferma les yeux. Il remonta dans le passé. Il se revit en 1951, à l'âge de 13 ans, dans le Théâtre Alouette fraîchement construit, assis sur un banc en velours rouge de la première rangée, découvrant avec enthousiasme le petit pantin têtu, capricieux, mais naïf et sincère, qui faisait son apprentissage de la vie.

Tout à ces souvenirs, Charles s'endormit dans son fauteuil.

Quelques jours plus tard, au petit déjeuner, il expliqua à ses deux femmes qu'il devait partir le lendemain pour fermer une dernière fois son camp du lac Jolicœur :

— Comme mon mandat des Algoncris est terminé, je peux y passer quelques jours. Ça va être vraiment le début de ma retraite !

— Tu fais bien d'aller te reposer là. C'est tellement beau. Pis tu le mérites bien ! dit Isabelle.

— Y vas-tu seul ou bien si tu amènes Fabiola ? demanda Anna.

Charles, feignant d'être distrait par la télévision, ne répondit pas. Mais Isabelle en remit :

— À moins que ce soit avec ton ex, Johanne ? J'ai trouvé que vous formiez un beau couple à la fête de Tinomme, au mois d'août !

Charles n'avait pas davantage répondu. Anna revint à la charge :

— J'ai entendu dire par Margo que ta Mylène était revenue dans le décor !

— C'est qui, cette fille-là ? demanda, d'une voix faussement innocente, Isabelle à sa belle-sœur.

— La grande blonde qui a acheté la maison de sa mère, sur le boulevard Saint-Cyrille…

Charles sentit le besoin d'intervenir :

— Mesdames, dit-il, prenant une joviale voix de stentor, je dois vous dire ici que vos interventions constituent une atteinte directe à mes droits constitutionnels relatifs au secret de ma vie privée ! Si vous persévérez dans cette voie, je serai obligé de vous poursuivre en justice et demander à cette honorable Cour de mettre fin au contrat qui nous…

Il n'avait pas fini sa phrase que les deux vieilles femmes riaient aux éclats, sachant fort bien que Charles n'aimait pas aborder ces questions. Anna liquida le sujet en disant :

— De toute manière, Don Juan, on va te questionner à ton retour ! Tu le sais bien…

Charles, tout sourire, se leva de table et entreprit de fourbir le paqueton hérité de Majel, car il désirait arriver de bonne heure à son camp.

Avant son départ, il revint saluer ses compagnes dans leur partie de la maison. Le téléviseur était allumé et son attention fut immédiatement retenue par une nouvelle en provenance d'Ottawa. Il monta le son. On pouvait voir à l'écran un édifice complètement rasé par le feu, devant lequel un reporter faisait le point :

« Il s'agit de l'un des édifices secondaires du ministère du Revenu. Le feu, vraisemblablement d'origine électrique, a pris naissance au sous-sol pendant la nuit. Les représentants du ministère désirent rassurer la population en précisant que les rapports d'impôts expédiés par les contribuables ne se trouvaient pas dans ces locaux. Cet édifice n'abritait que de vieux documents déjà numérisés… »

Charles resta saisi : l'édifice en question était celui décrit par son collègue lors de ses confidences, à la sortie du Parlement. « Me Lebrun avait sans doute raison, se dit-il. Les historiens n'auront donc pas à réviser certains chapitres de l'histoire du Canada… »

Après avoir embrassé ses deux femmes, Charles ramassa son havresac et partit dans la forêt.

Chapitre 54

Charles en était à sa troisième et dernière journée au camp. Après un copieux brunch, il était parti en raquettes, hache à la main, relever ses collets à lièvres. Il sentait le besoin de fatiguer son corps avant de s'attaquer aux choses de l'esprit.

Il était maintenant assis sur la galerie, face au lac enneigé, dont la surface lisse ne montrait aucune saute de vent. Cachés par la montagne, les rayons du soleil faiblissaient, signe que la pénombre s'apprêtait à effacer l'immense plaine blanche. L'instant incitait à la réflexion.

Certes, aux yeux de ses amis et des membres de sa famille, il avait bien réussi dans la vie. Mais face à lui-même, il ne pouvait s'empêcher de s'interroger:

«Aurais-je pu faire mieux? Ou faire autrement? Ai-je réussi à transmettre la flamme de mes ancêtres coureurs des bois? Majel et Anna, par leurs agissements, m'ont pourtant enseigné les vraies valeurs. D'accord, j'ai bien réussi au niveau professionnel. Mais ma vie, sans épouse, sans enfant, est-elle autre chose qu'un échec? Pourquoi une vie sans enfant serait-elle un échec? En somme, mon oncle Bruno aurait réussi sa vie malgré lui, sans le savoir... Non, être ou non parent ne devrait pas être un critère en soi... Pourquoi un père de 10 enfants aurait-il mieux réussi sa vie que celui qui n'en a eu qu'un? Faut-il à tout prix évaluer le succès ou l'échec au nombre d'enfants ? Bien que je n'aie pas laissé de descendant Roquemont, de « p'tit Majel », je sais que j'ai fait du bien autour de moi. »

De fil en aiguille, il élargit le champ de sa réflexion :

« Majel a-t-il été perçu comme un gars qui a réussi sa vie ? J'ai bien peur que non. De bûcheron à entrepreneur, de boulanger à industriel, de failli à simple ouvrier… Il a toujours peiné pour aider sa famille et tous ceux qu'il pouvait. Et il est mort sans un sou vaillant, même pas capable de dorer la vieillesse de sa veuve… La vie de Paul, à cet égard, a été une réussite, du moins en apparence. Et la mienne ? Il est certain que j'ai été chanceux, je n'ai jamais manqué de rien, j'ai même plutôt mené un gros train de vie. La réussite d'une existence ne se mesure évidemment pas à cela. La richesse de Majel se situait à un autre niveau, et il nous l'a léguée sous la forme de son amour, de ses immenses qualités et du modèle qu'il a été pour nous tous. Y avait-il une personne avec une plus grande compassion que lui ? Se serait-il comporté autrement qu'il aurait pu devenir riche ! Et moi, dans ma vie, aurais-je pu être plus généreux et aider davantage de personnes au détriment de mon propre confort ? »

Il pensa à Luce ; à Margo qu'il avait, à toutes fins utiles, adoptée comme sa propre fille depuis la mort de son frère, à Clément qu'il avait aidé de ses conseils, et aussi à Kevin qui faisait maintenant partie de la famille. Non ! Sa vie n'était pas un échec. Il avait su construire et entretenir des amitiés véritables. Il avait aimé. Mais n'avait-il pas été gauche en amour ? Avait-il su se laisser aimer ?

Dans quelques instants, le soleil allait disparaître complètement derrière la montagne. L'ombre s'était emparée de toute la partie nord du lac. Charles avait toujours goûté le mystère qui enveloppait cet endroit à la tombée du jour, alors que l'œil confondait la surface du lac, la berge rocailleuse et les premiers arbres de la forêt.

Non, il ne regrettait pas d'avoir accepté le mandat des Algoncris. Il était particulièrement content d'avoir participé, d'une certaine manière, à l'obtention d'un emploi pour Margo. Quant aux sommes perdues de sa caisse de retraite, au poste de magistrat décliné, il s'en fichait!

«Majel serait fier de moi, j'en suis certain. Et Anna aussi, si elle savait les sommes importantes auxquelles j'ai renoncé pour payer la dette de notre famille envers celle de Joseph Wagis.»

Mais cette pensée souleva la question de ses responsabilités et de ses projets de retraite. Il devait d'abord prendre soin de sa mère. Et il avait promis à Luce de résoudre l'énigme du testament de tante Agathe, qui avait laissé des biens importants sans rédiger de testament. Puis il y avait tous ces livres à lire, justement achetés pour plus tard, lorsqu'il aurait le temps! Sans compter les carnets de Zotique, nimbés de mystère. Et tellement de voyages à faire! Par avion, en train, avec Internet...

Il sentit que sa pensée déviait, passant de la vie affective à des pensées matérielles. N'était-il pas, inconsciemment, en train d'éluder la vraie question: sa vie affective avait-elle été, oui ou non, une réussite? Trois femmes avaient marqué sa vie, mais...

Avant d'entrer dans le camp, déçu par son attente, il jeta un dernier regard à l'horizon. Il était maintenant à peine possible de voir sur le lac le débouché du sentier des Majel.

Après avoir remis une attisée dans le poêle, il s'assit à sa table, en face du lac. Il ouvrit le livre de bord du camp et commença à écrire, d'un seul jet, comme guidé par une main invisible, ou par l'esprit de ceux qui avaient séjourné en ce lieu :

Si…
Si tu étais venue
Je t'aurais aperçue au bout du lac
Mais avant d'y parvenir
Tu aurais dû affronter seule le sentier
Tu aurais dû vaincre tes peurs
Tu aurais été fébrile à l'antre du Renard
Tu te serais reposée sur le plateau rocheux
Tu te serais abreuvée au ruisseau de la décharge
Où en montant j'avais fait un trou dans la glace
Tu aurais traversé la passerelle branlante
Tu te serais reposée à la Savane verte
Tu aurais hésité à la fourche des étangs du Ravage
Tu aurais redécouvert le lac
De loin, tu aurais aperçu le camp
Tu aurais fait la grande traversée
De l'étendue blanche et gelée
Pleine de soleil et de vent
Et tu m'aurais vu t'attendant
Si tu étais venue
Sans dire un seul mot
Je t'aurais prise dans mes bras
Et nous aurions tendrement,
Lentement, goûté à l'amour
Puis, nous aurions parlé d'avenir
Bien au chaud, toute la nuit
Peut-être aussi aurions-nous marché

Au grand froid, sous les étoiles,
Une dernière fois en cet endroit magique
Mais le lendemain, nous aurions fermé le camp
Nous aurions lancé la clef dans la forêt
Sans regarder en arrière nous serions repartis
Pour ne plus jamais revenir
Nous serions passés cependant par l'île Peter
Y arrimer solidement l'affiche
Et au bout de la plaine glacée
Nous n'aurions pu nous empêcher
Sensibles comme nous sommes
De nous tourner encore une fois vers le nord
Pour bien nous imprégner
Dans un dernier regard
De l'image lointaine du camp
Où seraient restés
Des morceaux de nos âmes
Puis ensemble nous aurions
Amorcé la descente du sentier
Nous aurions ralenti une dernière fois
À la croisée menant aux étangs du Ravage
Nous nous serions reposés à la Savane verte
Nous aurions frissonné ensemble
En empruntant la passerelle branlante
Nous tenant par la main au-dessus du ravin
Une dernière fois nous nous serions abreuvés
Au ruisseau de la décharge
Où j'aurais enfoui dans mon paqueton
La coppe de Majel
Pour la léguer à Peter
Nous aurions fait une pause
Sur le promontoire rocheux
Nous aurions été attentifs

Devant l'antre du Renard
Où pour la première fois de notre vie
Nous en aurions vu un
Et, à la sortie du sentier de Majel
Tous deux, nous serions partis
Pour le reste de notre vie
Ensemble
Si…

Charles fit une pause, cherchant ses mots. Il regarda par la fenêtre, vers le lac. Il sursauta. Se leva. Plissa les yeux. Chercha à mieux voir. Il en était certain maintenant : une forme avait remué au bout du lac ! Il balaya des yeux la pièce, en quête de ses jumelles, mais se souvint ne pas les avoir apportées. Il mit les mains en cornet autour de ses yeux, pour isoler la forme mouvante qui progressait là-bas.

Un visiteur foulait le sentier. Il était seul. Il se dirigeait vers le camp. Charles distinguait mieux la poudre de neige soulevée par les raquettes. « C'est Clément ou Kevin », se dit-il. Il scruta encore davantage. Le marcheur enleva sa tuque et secoua la tête, libérant de longs cheveux dans le vent.

C'était elle !

FIN

Achevé d'imprimer en août 2008
sur les presses de Transcontinental-Gagné,
Louiseville, Québec.